Catalogage avant publication de Bibliothèque et Archives nationales du Québec et Bibliothèque et Archives Canada

Dubois, Amélie, 1981-
Chick lit
Sommaire : t. 5. Soleil, nuages et autres cadeaux du ciel.
Texte en français seulement.
ISBN 978-2-89585-297-1 (v.5)
I. Titre. II. Titre : Soleil, nuages et autres cadeaux du ciel.
PS8607.U219C44 2011   C843'.6   C2010-942154-X
PS9607.U219C44 2011

Illustration de la couverture : Niloufer Wadia

Les Éditeurs réunis bénéficient du soutien financier de la SODEC
et du Programme de crédits d'impôt du gouvernement du Québec.

Nous remercions le Conseil des Arts du Canada
de l'aide accordée à notre programme de publication.

Nous reconnaissons l'aide financière du gouvernement du Canada
par l'entremise du Fonds du livre du Canada pour nos activités d'édition.

Édition :
LES ÉDITEURS RÉUNIS
www.lesediteursreunis.com

Distribution au Canada :
PROLOGUE
www.prologue.ca

Distribution en Europe :
DNM
www.librairieduquebec.fr

 Suivez Les Éditeurs réunis sur Facebook.

Imprimé au Canada

Dépôt légal : 2013
Bibliothèque et Archives nationales du Québec
Bibliothèque nationale du Canada

Amélie Dubois

5

Soleil, nuages et autres cadeaux du ciel

LES ÉDITEURS RÉUNIS

De la même auteure

Ce qui se passe au Mexique reste au Mexique!, Les Éditeurs réunis, 2012.

Oui, je le veux… et vite!, Les Éditeurs réunis, 2012.

Série « Chick Lit » :

Tome 1. La consœurie qui boit le champagne, Les Éditeurs réunis, 2011.

Tome 2. Une consœur à la mer!, Les Éditeurs réunis, 2011.

Tome 3. 104, avenue de la Consœurie, Les Éditeurs réunis, 2011.

Tome 4. Vie de couple à saveur d'Orient, Les Éditeurs réunis, 2012.

 www.facebook.com/pages/Amélie-Dubois

 ame_dubois

À ma douce grand-maman Jeannine,
à qui je souhaite, du fond du coeur,
un bon voyage....

Vite ! vite ! vite !

— Coudonc, Ge, grouille ! Veux-tu que je te pousse avec une chaise roulante ? que je gesticule en direction de celle-ci, qui avance à pas de tortue (et de biais en plus) en fixant l'écran de son cellulaire.

— Mon Dieu, on se calme ! T'es pas l'obstétricienne de garde qui s'en va l'aider à accoucher quand même ! Elle n'a pas crevé ses eaux, à ce que je sache !

— Embraye !

Misère… et, surtout, quelle histoire ! Vous vous doutez bien de la grande nouvelle que je m'apprête à vous annoncer… Roulement de tambours, castagnettes et trompettes, bruitez gaiement : nous allons avoir un bébé ! Plutôt : nous serons une fois de plus matantes ! Non pas à la suite d'une troisième grossesse de notre amie Julie de Québec, mais bien à la suite de celle d'une membre en règle du conseil exécutif de la consœurie qui boit le champagne… Eh oui ! Sacha va être maman ! Talam ! Elle en est à sa trente et unième semaine de grossesse. J'imagine à l'instant toutes les femmes qui ont eu des enfants s'exclamer : « Ah oui ! Trente et une semaines… », et toutes celles qui n'en ont pas encore eus se demander : « C'est combien de mois, ça ? »

Cours d'éducation prénatale de base : la gestation humaine ne dure pas neuf mois, mais plutôt environ quarante semaines (donc un peu plus de neuf mois, trois semaines et des poussières). Pour Sacha, cela nous mène en cette mi-janvier, quelque part durant le huitième mois. Mais bon, peu importe ! Je ne vais pas vous faire un calendrier explicatif du processus de gestation humaine, même si je peux vous affirmer que je suis devenue une vraie pro ! J'ai troqué, pendant quelque temps, mes livres d'Alexandre Jardin et de Nicole de Buron contre *Une grossesse heureuse* et *Vivre pleinement avant et après la venue de bébé*. C'est vraiment une grossesse d'équipe, cette affaire-là ! Coriande a même pris quinze livres ! Mais ça, c'est plutôt parce que mon frère mange mal et qu'elle ne peut résister à l'appel aérien de la patate chips ! Mais ça, c'est un autre dossier…

Commençons plutôt par le début de l'aventure fantastique que vit notre couple chéri, Sacha et Hugo.

L'été dernier, vous vous souvenez que notre chère consœur adorée avait décidé de tester nos réactions face à l'annonce d'une éventuelle grossesse en nous balançant des « je suis enceinte » à qui mieux mieux (et par la tête en plus) ? Eh bien, qu'est-ce que vous pensez qui s'est produit lorsqu'elle a voulu nous informer de la grande nouvelle au mois d'août dernier ? Eh oui ! Pouet, pouet, pouet ! Sa déclaration est littéralement tombée à plat, entre deux chaises. Elle a fait chou très blanc, comme on dit. J'irais même jusqu'à confirmer que sa mise en scène touchante a été totalement gâchée. Durant un de nos traditionnels soupers consœurials du dimanche, elle avait emballé dans un papier de soie une petite chaussette en laine, qu'elle avait déposée au milieu de la table. Curieuse, Coriande avait agrippé le paquet. En l'ouvrant, elle le lui avait presque lancé en plein visage en lui reprochant :

— Fatigante avec tes fausses annonces de grossesse !

Stupéfaite et démunie, Sacha avait répliqué, en tentant d'être la plus convaincante possible :

— Non, cette fois-ci, c'est vrai les filles !

— Bien oui, c'est ça, et moi je suis la fée des dents !

— Et moi la mère Noël ! Passe-moi le ketchup…

— Ben là ! Les filles…

— Laisse faire, t'es conne ! On te l'a dit : à cause de tes fausses annonces, on ne te croira pas quand ce sera vrai !

Tristement, elle s'était saisi du minuscule bas de laine jaune en ravalant sa nouvelle de travers (et elle m'avait tendu le ketchup). À force de nous mener en bateau, elle avait usé à la corde notre considération. Disons qu'elle avait vendu la mèche concernant la peau de l'ours bien trop de temps avant que la charrue n'arrive au pont ! Quand j'y repense, je trouve ça un peu triste. Elle devait être si excitée et nous avons totalement ignoré son annonce, tout en la ridiculisant en prime. Pauvre Sacha !

Et du côté d'Hugo ? Même genre de réaction. Elle a dû exécuter un test de grossesse devant lui, car il avait la certitude que celui qu'elle avait emballé provenait de l'hôpital et qu'il s'agissait d'une autre plaisanterie.

Pour notre part, on l'a crue instantanément la première fois qu'elle a refusé de prendre du vin. Je revois la scène :

— Bien là, coudonc ! Alcoolique comme t'es, ça doit être vrai ! Félicitations !

Hish… Quand je vous disais : « Pouet, pouet, pouet ! »

Mais, depuis ce temps, nous sommes toutes assez impliquées, merci ! Au début, nous l'étions TROP en fait. On se renseignait sur tout ; on lisait des livres et des articles parlant de grossesse, on participait à des blogues, on la soutenait, on la conseillait entre autres concernant les « interdictions » : « Ne mange pas de fromage au lait cru ni de tartare, assis-toi comme il faut pour ton dos, ne mange pas de friture et achète tous tes légumes bios… Ben non, tu ne peux pas te baigner dans un spa, voyons !» Il y avait aussi les «il paraît que» : «Il paraît que le bébé entend et qu'il faut que tu lui parles ; il paraît que les bedaines pointues, c'est signe que c'est une fille ; il paraît que, quand la maman est tendue, le fœtus le ressent ; il paraît que… ». Elle était sérieusement en train de succomber à une dépression pré-partum à cause de nous. Mais on ne voulait que son bien. Et le bien de notre bébé, heu… de leur bébé. Lorsqu'elle nous a menacées de se faire avorter (mouah…), on s'est calmé les élans-de-passion-de-matante un peu.

Il faut préciser que son tempérament depuis qu'elle est enceinte s'avère, comment dire, changeant, voire un tantinet instable… Bon, je peux bien vous avouer la vérité : elle est complètement FOLLE ! Disons que «émotive» serait plus poli : tantôt elle jubile, en symbiose totale avec sa bedaine tout en souriant aux anges, tantôt elle pleure en disant que ce pauvre enfant est bien mal tombé pour hériter d'une mauvaise mère comme elle. On entre chez elle toujours sur le qui-vive, en ne sachant jamais si on la retrouvera en pleine zénitude à écouter des bruits d'oiseaux en se flattant le bedon, assise en position du lotus, ou en pleine crise d'hystérie à fouiller dans le bottin à la recherche d'une future maison d'adoption ! Mais, on respecte ses états d'âme comme une équipe de motivatrices en suivi de grossesse.

You Go est vraiment le meilleur ! Il la complimente, la cajole, l'écoute lorsqu'elle lui parle de ses angoisses et la rassure… Il a l'air si ravi de devenir père, c'est réellement beau à voir. Ils ont emménagé ensemble au mois de juillet, donc pile-poil à temps compte tenu de la grande nouvelle. Sacha s'amuse même à croire que ladite fécondation a eu lieu le jour de leur déménagement, lorsqu'ils ont «torridement[1]» fait l'amour à travers ses boîtes

---

[1] Mot à paraître bientôt dans le dictionnaire *Le Petit Dubois Illustré*…

d'effets personnels. Techniquement (et selon son gynécologue), ce serait quelques semaines plus tôt, mais bon, c'est le moment qu'elle a choisi donc on respecte son choix. Même son médecin n'ose pas la contredire, de peur de se faire arracher la tête. Je suis certaine qu'il tentera de planifier ses vacances de golf en Floride la semaine de son accouchement ! J'exagère à peine…

Comme Geneviève continue d'avancer sans trop regarder devant elle (maudit téléphone), un jeune médecin, qui sort d'un couloir perpendiculaire à celui où nous nous trouvons, l'esquive de justesse en effectuant une rotation rapide vers la droite.

— Oh ! Excusez-moi, madame !

— Il n'y a vraiment pas de quoi. Allôôô ! gazouille Ge, qui s'immobilise complètement tout en observant béatement l'homme en sarrau qui recule de quelques pas avant de poursuivre sa route, pressé.

— OK ! C'est pour ça que tu es habillée *sexy* de même ! Pour carotter un docteur au passage ! Des carottes d'hôpital, c'est n'importe quoi… Ça n'existe même pas !

— Tu dis, que ça existe ! Pour moi, c'est vraiment un avantage indéniable lié à la grossesse de Sacha que de venir déambuler dans un centre hospitalier frétillant de jeunes médecins !

— Bon, ce doit être près d'ici…

En entrant dans le département de radiologie et d'imagerie médicale, je précise à la femme au comptoir d'accueil que nous venons rejoindre Sacha. Elle la connaît, puisqu'il s'agit de l'établissement de santé où travaille notre amie.

— Venez par ici. Je crois qu'ils vous attendent.

Je suis frappée par la sérénité qui règne dans le corridor où elle nous entraîne. Derrière les rideaux entrouverts, on aperçoit plein de petites pièces sombres, permettant ainsi de bien voir les moniteurs. La plupart sont vides, puisque nous sommes le soir. Je vous explique le but de l'activité, étant donné qu'il n'y a techniquement pas d'échographie à la semaine de grossesse où est rendue Sacha. Comme nous avons, par respect, laissez Sacha et son *chum* passer les échographies de routine ensemble, la future maman a eu la bonne idée de nous en « offrir » une pour satisfaire notre besoin extrême d'implication. Sa collègue échographiste a donc gentiment accepté de faire un spécial en effectuant une échographie durant un quart de travail où elle était de garde le soir, pour ne pas nuire au déroulement normal de cet examen le jour en raison de la liste d'attente.

Lorsque nous pénétrons dans la pièce, Coriande s'y trouve déjà avec la future maman, qui est couchée sur le dos, le chandail relevé sous les seins. En poste près du moniteur, sa collègue semble prête à procéder.

— Tabarnane ! C'était bien long ! Un peu plus, j'accouchais ! se lamente Sacha en nous voyant (enfin) entrer dans la pièce.

— Tabarnane ? que je répète, surprise de son choix de juron.

— Je lui ai dit qu'elle n'avait plus le droit de sacrer enceinte… pour le bébé. Nous autres non plus d'ailleurs, explique Coriande, très sérieuse, en lui tapotant le bras.

Ah ! vous voyez, voilà un nouveau règlement de grossesse que je ne connaissais pas.

— C'est à cause de Ge qui courait après les médecins mâles de tout l'hôpital pour se faire faire un examen gynécologique ! que j'exagère en désignant la coupable, qui éteint finalement son téléphone cellulaire pour s'approcher de Sacha, les sourcils froncés.

— T'en es à combien de semaines exactement ?

— Trente et une… donc, pour toi, ça doit bien faire quarante et une semaines puisque tu as au moins dix semaines de plus que moi, répond d'instinct Sacha en roulant des yeux.

L'échographiste jette un regard interrogateur à Sacha après avoir lorgné attentivement Ge de haut en bas. Celle-ci lui explique :

— Non, non, elle n'est pas enceinte. Elle fait un décompte de ses semaines d'abstinence sexuelle. Elle va entrer au couvent des sœurs Carmélites bientôt !

— Ben non, je me réserve pour mon futur époux, rectifie Ge en tirant sur son chemisier pour paraître chaste et pure.

— Techniquement, il ne faut pas être vierge pour se « réserver » pour son futur mari ? demande Coriande, toujours aussi pantoise devant la ténacité de Ge à bouder le sexe.

— Écoutez, ces dernières années, j'ai eu plus d'énergumènes pas normaux qu'il en faudrait pour réaliser un *remix* de film entre *La planète des singes* et *Aliens*. Je prends une pause pour vraiment être certaine de mon coup cette fois-ci, explique en détail Ge, comme si l'employée près du moniteur jugeait sa démarche.

➡ **Décompte officiel : Sacha, 31 semaines ; Ge, 41 semaines**

Dur à croire, hein ! Eh oui, Geneviève tient solidement le coup, et ce, depuis plus de quarante et une semaines (plus de neuf mois). Je n'aurais même pas cru qu'elle aurait survécu à la première semaine. Non, j'exagère, mais sans blague, l'histoire de Rick-le-fraudeur (ou plutôt de Louis) a fait beaucoup plus de dommages que l'on aurait pu imaginer. Elle a réellement remis en doute sa capacité à distinguer les « bons » des « mauvais ». Elle conserve tout de même sa forte attirance pour les hommes, mais elle s'assit dessus. Et je vous jure que ce n'est pas parce qu'elle n'a pas investi des efforts pour dénicher son futur mari. Jusqu'à présent, elle a expérimenté avec ferveur : le *speed dating* (la cloche la stressait), les soirées dansantes *dating* (la musique des années 1980, elle n'était plus capable), les déjeuners *dating* (l'art de manger du bacon avec des *morons*), le ski *dating* (elle n'en fait même pas donc elle restait dans le chalet), le sushi *dating* (ark, quessé ça ?), la pâtisserie *dating* (n'importe quoi !), la randonnée en forêt *dating* (voyons ?), la balade en calèche dans le Vieux-Port *dating* (ce n'est pas des blagues…), le allons aux pommes *dating* (sans commentaire) et finalement, quand elle nous a parlé d'une super soirée de quilles *dating*, nous sommes intervenues illico. Non mais là, il y a des maususses de limites !

Elle a donc lancé activement plusieurs carottes çà et là et elle a rencontré quelques gars depuis, mais pas de sexe. *Nada ! Niet !* Rien ! Il faut dire que ses critères sont devenus démesurément élevés étant donné qu'elle vise l'époux (alias le *big buck* ultime). Son objectif : la nuit de noces. Ses armes : des carottes de fille abstinente (hish… pas très vendeur). Eille ! Qui fait ça, de nos jours ? De prime abord, quel mec voudrait se marier avec une fille avec qui il n'a pas couché ? Notre consœurie a même inventé une « règle des cinq » pour juger du potentiel sexuel de quelqu'un. Les hommes doivent bien avoir une règle là-dessus, eux aussi, j'imagine ! Bref, gros défi en vue. Mais elle y croit dur comme fer ! Et Françoise l'a prédit…

Douce sorcière bien-aimée

Eh oui, cette chère Françoise est toujours dans le décor consœurial ! Comme je l'avais prédit (à mon tour), lorsque Ge a loué son *condo* avec option d'achat en juillet dernier à la suite de notre expulsion forcée du *condo* de la consœurie, j'ai emménagé avec elle. Coriande avec mon frère, et Sacha avec Hugo. Tout le monde a engagé Françoise pour son ménage hebdomadaire. Même Cori qui habite plus loin, sur la Rive-Sud ! La chère femme fouille donc allégrement dans les vies (et l'appartement) de tout un chacun, et ce, à son grand bonheur. Blague à part, on l'aime beaucoup. Même Coriande et Ge ont ouvert un peu plus leur esprit face à elle. Surtout Ge, à vrai dire. Depuis que Françoise a prophétisé son mariage (avec un type de la télé, en plus), Ge est convaincue qu'elle se mariera bientôt avec Bradley Cooper[2]. Pfft ! « Ben oui, c'est évident que c'est lui, voyons ! » se convainc-t-elle depuis. Bien qu'elle détienne comme seul indice le mot « télé », sa conclusion reste sans équivoque. Franchement ! Je ne l'obstine plus là-dessus, je l'ignore plutôt. Elle a même collé une photo de Bradley sur le flanc de sa table de nuit pour « aider les anges à provoquer le destin » ! La pensée crée… Heu… gênant ! Elle a trente-quatre ans, là… J'ai songé sérieusement à faire appliquer la loi P-38 pour l'hospitaliser contre son gré pour cause de santé mentale douteuse. Mais je me suis raisonnée, et j'ai décidé d'attendre encore et d'aller éventuellement rencontrer un juge de la Cour supérieure afin de demander une injonction du tribunal pour une évaluation psychiatrique préventive, si jamais je la surprends à embrasser ledit cliché. Je l'espionne discrètement par sa porte de chambre chaque fois qu'elle lit le soir.

_____

[2] Bradley… Miam ! Bon, j'avoue que je fais un peu (beaucoup) une fixation sur lui moi aussi…

Je respecte Françoise pour l'ensemble de son œuvre depuis qu'on la connaît (en oubliant ma réticence du début), mais je vous avoue que, sur ce coup-là, je me suis dit : « Un gars de la télé ? Merde, Françoise ! Tu aurais vraiment pu la boucler sur ce détail ! » Devinez qui Ge harcèle depuis ? Mon *chum*, cibole ! Eille, une vraie folle ! Elle lui a dressé une liste des chanteurs, comédiens et animateurs potentiels qu'elle accepterait volontiers de rencontrer : De Grandpré, Dupuis, Grondin, Parent, Legault, Morissette, Huard, alouette... Elle avait spécifié, au bas de sa liste, que les joueurs de hockey de la LNH comptaient aussi, étant donné que les matchs sont diffusés à RDS (et ce, malgré le lockout actuel !). La vie n'est-elle pas belle sous le soleil ? Je te fais une liste, tu me les présentes, je choisis, il me demande en mariage et on baise ! Voilà ! Pour Morissette et Huard, je m'étais férocement opposée : « Eille ! Il vient de se marier avec Véro, lui ! L'autre a eu un bébé ! Laisse-les tranquilles ! » Pour les autres, je n'avais aucune idée de leur situation matrimoniale. Vous voulez savoir le nombre total de mecs-de-la-télé que Bobby lui a présenté ? Zéro ! Il ne fréquente que très peu la communauté artistique. Son environnement masculin immédiat regorge plutôt de charpentiers-menuisiers, de briqueteurs ou encore de réparateurs de guitares. Il a proposé de tâter le terrain auprès d'un preneur de son (un peu ventru) qui remplace parfois son technicien habituel pour ses *shows*, mais Ge a refusé catégoriquement en prétextant que ce n'était pas assez « télé ». Elle garde tout de même l'œil ouvert autour d'elle en se disant que l'homme qu'elle rencontrera deviendra peut-être une vedette de la télé après le mariage. Très décourageant...

— Je veux voir notre bébé ! que je m'excite en me penchant pour être plus près de Sacha tout en apercevant bien le moniteur.

— Comme je serai la pire mère de la Terre et que la DPJ m'enlèvera probablement la garde de mon enfant durant la première année de sa vie, j'espère que vous allez vous inscrire sur la liste des familles d'accueil pour pouvoir en prendre soin à ma place…

— OK ! Ce n'est pas une bonne journée aujourd'hui, que j'en déduis à voir son air chagrin, presque au bord des larmes.

— Chaque fois que je le vois à l'écran, je deviens comme débile, se met-elle à pleurnicher avant même que l'on n'aperçoive quoi que ce soit.

— Tu l'aimes déjà à mourir, c'est pour ça !

— Et si jamais lui ou elle ne m'aime pas ?

— OK ! Arrête, on vit un beau moment là, la prie Ge, un doigt devant la bouche, en voyant la technicienne diriger un appareil rectangulaire sur le ventre de Sacha, maintenant partiellement enduit d'une gelée transparente.

Elle colle la surface de la sonde sur le ventre bien rond de Sacha et nous explique :

— Il est rendu gros. On aura de la difficulté à bien le voir.

On perçoit d'abord à l'écran le cœur qui bat assez vite. L'ambiance change instantanément dans la petite salle. C'est vrai, là ! On voit le bébé de notre amie. Il est bien réel.

— Ti-minou…, pleurniche Ge en portant sa main à sa bouche.

Je fais de même avant de saisir celle de Sacha avec l'autre main en la serrant très fort. Redevenue plus calme, celle-ci fixe le fœtus silencieusement, en inclinant la tête doucement dans tous les sens, pour bien discerner l'image floue. L'échographiste déplace le capteur et on voit apparaître l'ombre d'une main.

— Sa petite main…, commente Ge avec une voix étouffée par l'émotion.

La spécialiste propose :

— Je vais mettre le moniteur sonore.

Elle colle deux électrodes rondes en caoutchouc sur le bas du ventre de Sacha ; on entend tout à coup un bruit sourd et rapide aller au même rythme que le cœur du bébé.

— Son petit cœur de bébé…, décrit de nouveau Ge, toujours en pleine admiration devant la nature humaine.

Coriande, silencieuse, fixe stoïquement l'écran, l'air très émotive aussi. Une grande paix envahit la salle. La force de la vie, le pouvoir de ce petit être pas encore né, le monde parallèle qui se déroule dans le ventre de notre amie… Un bruit de pas nous tire de notre réflexion-admirative-groupale-profonde.

— You Go ! que je chuchote, la pièce étant encore plongée dans une ambiance sereine extrême.

Il sourit sans répondre en avançant doucement vers Sacha. Nous nous écartons pour lui laisser la place près d'elle. Elle lui susurre :

— T'es venu, finalement…

Il se penche pour lui embrasser le ventre avant de fixer l'écran.

— Ça fait longtemps que je ne l'ai pas vu, lui. Je venais juste lui dire coucou. Salut, mon bébé d'amour ! C'est ton papa.

18

Bon, ça y est ! Le groupe posté derrière (dont je fais partie) perd complètement le contrôle de l'IE ambiant (l'indice émotivationnal[3]). Même l'échographiste semble émue. Hugo est tellement vrai dans tout ça. Il n'y a rien de feint, rien de forcé ; il est juste lui, dans toute sa splendeur de futur père ultra heureux. On observe la scène, spectatrices, notre regard allant d'Hugo, qui parle tout bas au ventre de sa douce en fixant le moniteur, à Sacha qui sourit en le regardant, attendrie.

— On va t'habiller en rose ou en bleu, mon beau bébé ? demande Hugo à la bedaine de Sacha.

Il faut dire qu'ils ne savent pas encore s'il s'agit d'une fille ou d'un garçon. À partir des 19e et 20e semaines, l'échographie peut révéler le sexe du bébé. Sacha a refusé de savoir pour se donner une motivation lors de l'accouchement. Hugo en a été consterné pendant une semaine, mais il a respecté le choix de sa blonde.

— T'es juste venu ici pour tenter de voir ou non un zizi, le taquine Sacha.

— Madame, est-ce que vous voyez si c'est un gars ou une fille ? l'interroge le futur papa pour agacer à son tour Sacha.

L'employée, qui a de l'expérience dans le domaine, approuve d'un signe de tête en se retournant de nouveau vers l'écran.

— Hein ! Où ça ? réagit Ge, tout aussi curieuse, en s'approchant plus près de l'écran.

Hugo se lève aussi pour avancer son visage vers l'image, en plissant le front. Coriande et moi l'imitons.

---

[3] Dans la même famille que l'IB (indice boissonnal). Également à paraître dans *Le Petit Dubois Illustré*.

— Ça, c'est un zizi ?

— Bien non, c'est une jambe. Il serait « amanché » en simonaque, fait remarquer Ge, qui semble être la seule (avec la spécialiste) à distinguer quelque chose à l'écran.

— Comme son père ! se vante Hugo, fier de surfer sur son commentaire.

— Il n'y a pas de zizi nulle part. C'est une fille ! conclut Coriande sans trop de preuves.

— Ça ?

— Bien non, Hugo. Ce n'est pas un de ses doigts ?

— Tu te pétais les bretelles d'être bien membré… Hish…

— C'est une fille, voyons ! Son zizi, même en gestation, serait bien plus facile à voir, je vous jure. Il crèverait l'écran ! se défend de nouveau le futur papa.

— Mon amour ! T'es pas SI bien membré que ça, quand même ! rectifie Sacha en secouant un peu la tête.

— Bien voyons ! C'est quoi ? J'ai un petit mini-pénis ? s'offusque-t-il en se tournant vers elle, scandalisé.

— Dans la moyenne, mon amour, normal. Mais ça ne dépasserait pas l'écran tant que ça pour ton fils !

— Ben j'ai mon ostie de voyage ! Ma blonde vient de vous dire que j'ai une petite graine !

— Excuse, You Go : mon « ostifie » de voyage. Le bébé, on ne sacre plus devant lui dorénavant, l'implore sévèrement Cori, les yeux ronds, en désignant du menton le ventre de Sacha.

Hugo aussi n'a plus le droit de jurer à sa guise. Sacha rectifie, sans étayer son argumentaire :

— C'est pas ça que j'ai dit.

— Gros ou petit, il est efficace en tout cas !

L'échographiste tente de faire diversion en montrant l'écran de nouveau :

— Regardez, il bouge !

— Honnnnnnn ! s'écrie tout le monde en chœur.

Et le ciel se couvrit

En sortant de l'hôpital, la consœurie se met d'accord pour aller manger. Hugo nous quitte pour nous laisser papoter en paix entre filles. Voyons voir, Sacha a envie de poulet et de sushis… Ouin… Comme il s'avère laborieux de dénicher un resto offrant les deux mets combinés, nous lui demandons de faire un choix. Après plusieurs minutes de délibération (en pesant le pour et le contre, comme si c'était une décision d'envergure nationale), la poulette grise l'emporte. Direction : St-Hubert !

En se délectant gloutonnement de son troisième bol de salade « traditionnelle » en rafale, Sacha ouvre une discussion, la bouche pleine :

— Vous, comment ça va ? On dirait qu'on discute juste de bébé depuis un certain temps.

— Ça change de toujours parler de gars, souligne Ge, qui n'a vraisemblablement pas beaucoup de choses croustillantes à partager avec le conseil exécutif de la consœurie depuis un moment.

J'explique rationnellement :

— Bah… En couple depuis un bout de temps, les anecdotes pittoresques et les dénouements rocambolesques se font plus rares aussi ! Y a que toi qui pourrais être divertissante, mais tu lances des carottes d'abstinence poches !

— Mali, toujours et à jamais en quête d'aventures tumultueuses ? présume Sacha en léchant presque le fond de son petit bol de porcelaine.

— Pas si tumultueuses quand même, mais juste plus…

— Quoi ? Tu trouves ta vie de couple plate à ce point ? s'informe Ge, surprise.

— Non, pas plate, mais « très confortable » disons.

Voilà ! Je vous entends tous dire avec découragement : « Elle n'est encore pas contente, celle-là ! » Ce n'est pas si dramatique quand même, mais vous vous souvenez que, depuis le téléthon Opération Enfant Soleil, je détiens un objet bien précieux en main (sur mon trousseau, plutôt) : la clé du repaire du *big buck*. Bien que cette preuve d'amour a été pour moi à l'époque un signe de réel engagement témoignant d'une implication de sa part, il y a un effet pervers à tout. Je crois que je passe beaucoup trop de temps chez lui. Non pas qu'il ait formulé une remarque à cet effet, bien au contraire. Il aime bien que je sois chez lui lorsqu'il revient d'un spectacle ou encore que je lui cuisine un repas après une répétition de fin de journée.

J'ai noté (jusqu'à ce jour) deux conséquences fatidiques à cette habitude : la première, on ne sort plus (j'exagère à peine). Lui oui, en fait : il est toujours partout en tournée (dernière année pour cet album) et à tout instant dans les restos ; donc, lorsqu'il revient à la maison, il veut y rester et manger des patates pilées.

Pfft… La deuxième conséquence est que, la plupart du temps, tant qu'à être toute seule chez moi, et lui tout seul chez lui, on se dit : « Bah, on va se voir ! » On se voit vraiment beaucoup par rapport à avant. Ce fait entraîne aussi son lot de conséquences. Parmi elles réside une relation de cause à effet fatale : beaucoup de moments ensemble = routine. Vous vous dites alors : « C'est normal, ça fait longtemps que vous vous connaissez, plus de trois ans que vous êtes officiellement ensemble… » Mais n'oubliez pas qu'on est tous les deux allergiques à ladite routine et qu'on s'était promis de faire les choses autrement, entre autres en n'habitant pas ensemble. Résultat : je possède deux tiroirs dans sa salle de bain, deux autres dans sa commode de chambre, ainsi que presque la moitié de sa garde-robe. De plus, la table de chevet de mon côté est définitivement ma propriété légitime (au sens légal du terme, il ne reste que les papiers de notaire à signer).

J'ai aussi réorganisé stratégiquement deux ou trois armoires de sa cuisine (plus pratique pour préparer ses patates pilées). Il a dû se munir de chaudrons adéquats, se départir de son vieux poêlon qui collait (datant probablement de l'époque coloniale) et il possède désormais dans son frigo une multitude d'aliments qu'il ne s'était jamais procurés de sa sainte vie (pâte de tomates, sauce hoisin, câpres, sauce chili). Sachez que le tout a progressé en douceur, sans qu'il ne s'en rende trop compte.

Vous saviez que la routine s'avère une bête sournoise, qui s'immisce de façon sinueuse dans la vie de couple ? Quand on réalise sa présence, elle est déjà là, bien installée, les deux pieds sur le pouf du salon de notre vie conjugale !

Geneviève, qui nous connaît bien au fond, soulève un point intéressant entre deux bouchées de salade « crémeuse » (dans son cas) :

— Tu le dis toi-même, Mali, que vous vous voyez trop ; arrêtez alors !

— Je sais, ce n'est juste pas facile de même.

— Lui, il en pense quoi ?

— On n'en parle pas vraiment et tout semble correct. Comme s'il appréciait la vie de couple traditionnelle plus qu'il ne le pensait finalement.

Sacha réitère son interrogation de départ :

— Le problème est où, alors ?

— Je ne sais pas, je me sens « bonne femme à la maison ». Le lavage, les petits plats, je l'attends chez lui… Imaginez-vous que, l'autre jour, j'ai rapiécé une de ses paires de jeans au niveau de la poche arrière…

— Hish… de la couture ? Ouin, assez « poche » en effet ! fait Ge avec une moue d'écœurement, comme si ce dernier détail à lui seul justifiait maintenant toutes mes insatisfactions.

— Surtout au niveau de la « poche » ! déconne Sacha en se désignant l'entrejambe, l'air beaucoup trop fière de sa référence peu subtile d'âge préscolaire.

— L'ennui, ce n'est pas mieux je te jure, commente Coriande en observant la serveuse déposer nos repas-cuisses sur la table.

Comme elle est bien silencieuse depuis le début de la conversation, je bondis sur son affirmation :

— Chad et toi, ça va malgré la distance ?

Je vous explique : mon charmant frère, à la suite de sa mise à pied l'été dernier, a commencé à travailler pour une compagnie de Saint-Hyacinthe. On lui a rapidement offert la possibilité de se joindre à une équipe mobile effectuant des contrats de maintenance industrielle à Fermont (alias fort-fort-lointain). Depuis ce temps, il habite donc trois semaines dans le fameux « mur » de cette ville, et il revient passer sept jours consécutifs ici chaque mois. Au départ, j'avais vanté à outrance les mérites de l'éloignement à mon amie, en la rassurant que de telles périodes passées loin l'un de l'autre apporteraient une dynamique intéressante à leur couple. Aujourd'hui, je ne sais trop dire pourquoi, j'ai la nette impression que ce n'est pas ce qui se produit. D'un côté comme de l'autre, personne ne se mouille ; il paraît que tout baigne pour le mieux dans la meilleure des huiles (c'est bien ça l'expression ?). Pas certaine… car j'ai un mauvais pressentiment. Françoise déteint vraisem-blablement sur moi. Naturellement, je ne veux pas trop creuser la question avec les principaux concernés ; à cause de ma position délicate de sœur et d'amie, mais surtout, je crois que j'ai peur de ce que je pourrais découvrir dans le pot aux roses.

Coriande répond à ma question en arrachant d'un mouvement décidé la peau de sa cuisse de poulet :

— Bah, c'est comme tu dis ; on n'est plus des jeunes couples frivoles.

Elle avale la peau grillée et dégoulinante d'huile d'une seule bouchée, sous le regard écœuré de Ge et du mien. Sacha fait de même avec la sienne. Plus gras que ça, tu meurs d'un blocage des artères ! Sacha lorgne ensuite le morceau de peau graisseuse (mais bien épicée) qui repose sur le bord de mon assiette. Ge, qui la voit convoiter de la sorte le morceau de gras trans pur, la sermonne :

— Non, Sacha, ne mange pas de peau de poulet, toi, c'est vraiment pas…

Trop tard. Le bras de celle-ci, telle une langue de lézard véloce, s'allonge d'un seul coup pour attraper le morceau qui gît dans mon assiette, puis pique tout de suite après celui que Ge avait également délaissé dans la sienne. Elle s'enfonce le tout dans la « gueule » et referme rapidement ses lèvres, comme si elle craignait qu'on le lui enlève de force.

— Franchement ! s'impatiente simplement Ge en reprenant sa fourchette, qu'elle avait déposée pour s'essuyer les mains.

— Tu vas remettre ton cachet à la Fondation des maladies du cœur, j'espère ? que je suggère en faisant référence aux annonces publicitaires télé de cette chaîne de restauration populaire.

— On a le droit de manger de la peau de poulet si on veut ! râle Coriande, complice autant que Sacha dudit crime.

— Ouin, ce n'est pas parce qu'on est grosses qu'il faut manger juste de la salade !

Notez ici une intéressante particularité (mais tout de même délicate) dans notre relation d'amitié : chaque fois qu'une des filles prend du poids, on ne fait pas semblant que ça n'existe pas (comme beaucoup de femmes font). « J'ai pris dix livres. Hein ? Ça ne paraît pas ! » Parfois, on ne le voit vraiment pas, je vous l'accorde, mais la plupart du temps, les femmes mentent pour être diplomates. Vous vous souvenez de mes « facilitants aux relations humaines » ? « Tes cheveux sont superbes ! » (lancé à notre belle-mère qui porte encore fièrement un *brushing vintage* affreux) ou encore : « Tu viens d'appeler ? J'étais en train de sortir les poubelles ! » (au lieu de dire : « J'étais sur la toilette »). Ce sont donc de petits mensonges, pour ne pas dire de légères omissions, pour éviter les détours inutiles. Je vous parle de ça en raison de la prise de poids de Coriande, et non de celle de Sacha.

Le jour où Coriande m'a dit : « Simonaque que je suis rendue toutoune ! », j'ai répondu : « Comment ça ? » Remarquez que je n'ai quand même pas dit : « Je te trouve énorme aussi ! », ce qui n'est pas le cas de toute façon, mais j'ai tout de même approuvé de façon détournée en la questionnant. Notez que cette franchise ne s'applique pas dans le cas d'une femme-enceinte-hystérique-complexée : Sacha n'a pas pris une once (selon notre beau déni collectif visant à maintenir son humeur à un niveau acceptable).

Mais vous savez le pire (voire le mieux) ? J'exagère un peu concernant le cas de Sacha : on ne lui ment pas relativement à sa prise de poids, parce qu'en vérité elle est si belle. Incroyable ! Si vous la voyiez ! Elle est déjà assez musclée, donc sa bedaine vient comme parfaitement équilibrer sa silhouette en mettant en évidence ses fesses bombées (à la Lopez) qui ressortent depuis que son ventre gonfle. Sa peau paraît parfaite, immaculée. Elle-même qui s'est toujours plainte de boutons, de points noirs, de pores dilatés, elle reconnaît aujourd'hui n'avoir jamais arboré une mine si radieuse de toute sa vie. Ses cheveux blonds sont épais et différents de sa chevelure d'avant ; son médecin lui a dit que ce genre de changement se produit souvent à cause des hormones, et de plus, elle mange bien, ne boit pas d'alcool, etc.

Pour ma part, j'ai toujours craqué pour les femmes enceintes. Quasi une obsession ; je les épie souvent du coin de l'œil, un peu en admiration, l'air complètement dingue. Je ne me souviens pas du nombre de femmes enceintes que j'ai croisées qui se rendaient bien compte que mon regard était complètement figé sur elles et qui me faisaient un sourire en voulant dire : « Euh, on se connaît ? » Certaines ont sûrement dû penser que j'étais une psychopathe maniaque incapable d'avoir des enfants qui cherchait une maman enceinte pour organiser un kidnapping de bébé. Bref, tout compte fait, Sacha est réellement superbe !

Vous comprenez maintenant pourquoi elle a formulé ainsi sa phrase : «ce n'est pas parce qu'*on* est grosses»… Elle incluait tout bonnement Coriande !

— C'est pas une question d'être grosse ou pas, c'est une question de bien nourrir son bébé, rectifie Ge en trempant un morceau de poulet dans la sauce barbecue.

— Enceinte, on a tout le temps faim et on se sent presque coupable de manger. Tout le monde nous parle de poids. C'est comme un concours planétaire secret de « celle qui prendra le moins de livres durant sa grossesse ». Mes collègues, avant que je quitte l'hôpital, en parlaient sans cesse : « Moi, durant la grossesse de Tristan, j'ai pris juste trente-quatre livres ; ma voisine, enceinte presque en même temps, en avait pris soixante-seize. Eille, soixante-seize livres ! Bon, parions maintenant sur la grosse Sacha : elle va prendre cinquante livres. Qui dit mieux ? »

— Sacha, arrête de te sentir coupable comme ça.

L'air tristounet, elle s'empare de quatre frites qu'elle trempe dans la sauce avant de les engloutir en même temps. Nous la fixons un peu curieusement. Elle panique, la bouche encore pleine :

— Vous voyez ! Je sens que vous me jugez parce que je mange des frites !

— Eille, tu t'es presque emplie la bouche avec le contenu d'une friteuse au complet ! T'as de la misère à tout mastiquer ; trouve un équilibre, cibole !

— Je suis excessive depuis que je suis enceinte.

«Juste depuis que tu es enceinte ? », que je me dis sans formuler ma pensée tout haut.

— Nous, on t'aime n'importe comment ; la bouche pleine de frites, l'humeur massacrante, pas de problème, on t'accueille.

— Ark ! « Accueille » ? Ça fait je-ne-sais-quoi-anonyme.

— OK, pas « accueille » d'abord, comme tu veux…

Quand je vous dis qu'on se déplace constamment sur des œufs !

Le bébé-gars à sa maman

— T'es certaine de ne pas vouloir dormir à la maison ? demande de nouveau Ge à Coriande.

— Non, je n'ai pas de vêtements de rechange et je travaille tôt demain matin…

— Bon, comme tu veux, mais tu ne te gênes pas si tu veux venir demain pour passer le reste de la semaine, OK ? T'as toujours ta chambre !

Après les embrassades (ou plutôt les poings à poings virils de joueurs de football), tout le monde se quitte dans le stationnement. Coriande avait encore la mine morose ce soir. C'est bizarre, on ne sait pas de quelle façon agir avec elle. Si secrète, notre belle Cori, si introvertie ; il est difficile de percer sa carapace (dure comme le roc) lorsque la situation semble émotive ou éprouvante. Pour la première fois, je partage mes craintes avec Ge dans la voiture en revenant à son *condo*.

— Je suis inquiète…

— Coriande ? Moi aussi, c'est clair que ça ne va pas, répond d'emblée celle-ci, comme si elle semblait très soulagée d'enfin me faire part de ses propres impressions.

— Elle n'est pas heureuse.

— Je pense la même chose que toi. Tu crois qu'ils se chicanent depuis que ton frère travaille là-bas ?

— Je ne sais pas, mais elle ne va pas bien et c'est probablement relié à ça.

Vraiment délicat comme situation. Avouez que, dans la vie, on ne veut tellement pas être la personne qui dit : « Bon, je crois que tu n'es pas heureuse ! », par peur que l'autre réponde : « T'as raison ! J'avais juste besoin que quelqu'un me le confirme, je vais le quitter »… « Euh, non-non, attends… » Dans mon cas, on peut ajouter que la partie adverse pourrait répondre : « Voyons, t'es ma sœur ? Pourquoi tu as encouragé ma blonde à me quitter ? » Misère…

Je ne crois pas que le couple en question soit rendu à l'étape de la rupture, mais quelque chose cloche avec l'anguille sous la roche.

En mettant un pied dans le *condo* de Ge, nous devenons instantanément deux vraies demeurées au quotient intellectuel très réduit, et ce, en l'espace de trois secondes :

— Allôôôôôô le petit bébé-gars de sa mamaaan ! Ti-amour, c'est le bébé-gars qui aime sa maman, et sa maman l'aime son bébé-gars…

— C'est Subban ! Le petit bébé chaaaat !

— Viens ici mon ti-amour…

— Il est beau, le petit cœur de sa mamannn…

Subban, le petit siamois (couleur crème et chocolat) le plus adorable du monde, tournoie sur lui-même en miaulant pendant que nous enlevons manteau et bottes. Bon Dieu, que c'est de l'amour brut quand on s'attache à un animal, hein ? Bobby avait un vieux matou lorsque je l'ai rencontré, mais il n'est plus de ce monde. De toute façon, il se cachait toujours sous les divans et voulait de l'affection juste quand on dormait. Je ne l'aimais pas aussi inconditionnellement que Subban. Je ne lui parlais pas en débile comme ça non plus (crédibilité devant son homme). J'avoue que Ge et moi sommes un peu (beaucoup) gagas…

Ge le prend :

— Le bébé-gars veut se faire flatter par sa mamaaaan parce qu'il aime sa mamaaan…

Techniquement, le félin en question appartient à Ge. Elle se l'est procuré à la suite d'un élan de passion et d'un trop-plein d'affection incontrôlable (probablement en raison de son abstinence sexuelle qui s'éternise). Encore techniquement, le « bébé-gars » en question a deux mamans. Nous l'élevons de notre mieux comme un couple de lesbiennes assumées. Hugo et Bobby lui servent de figures masculines (et paternelles) en venant faire des jeux plus moteurs avec lui (en le balançant dans tous les sens à bout de bras ou en le lançant sur le divan pour qu'il contre-attaque ensuite !). Nous avons cependant un peu de difficulté à lui établir un cadre rigide concernant les règlements (il est trop adorable). Il monte sans cesse sur la table ou sur les meubles et se couche souvent dans l'évier. À l'âge qu'il est rendu, nous savons bien qu'il ne devrait plus dormir avec ses parents (alias nous), mais comme nous sommes incohérentes dans nos interventions, il passe chaque nuit à faire des allers-retours entre le lit de Ge et le mien. Aucune maman n'est parfaite, hein ! Il communique beaucoup ; en fait, Subban parle ! C'est caractéristique de cette race de félins. Bon, il ne nous élabore pas des discours concernant la crise sociopolitique qui sévit au Moyen-Orient, mais il répond quand on s'adresse à lui. On comprend toujours ce qu'il veut nous dire, étant donné que nous sommes ses « mamans ». Ça va de soi ! Il s'adresse justement à moi à l'instant avec ses grands yeux bleus, toujours juché sur l'épaule de Ge : « J'ai faim... »

— Il a faim le bébé-gars de sa maman ?

— Faim ! Faim ! Faim !

Deux vraies folles ! Je redoute même le jour où je quitterai l'appartement de Ge. Nous n'avons jamais vraiment discuté des éventuelles modalités d'une garde partagée. J'aspire au moins à avoir droit à une fin de semaine sur deux, et ce, sans payer de pension alimentaire. Quoique je pourrais toujours débourser pour les Whiskas Temptations – Saveur de thon délicieux (ses préférés). J'espère que Ge obtempérera pour éviter qu'on ait à se rendre en cour... Médiation féline familiale, peut-être ?

De la prison au CPE

Je travaille encore pour le cégep de Lanaudière, mais présentement je n'enseigne pas. Vous vous souvenez que l'année dernière je supervisais des stagiaires en prison ? J'avais adoré ça, mais comme ce stage n'a lieu qu'une fois par année, ma patronne m'a offert de nouvelles supervisions de stage dans un tout autre domaine : en technique d'éducation à l'enfance. Pourquoi ? Comme mon baccalauréat en psychologie fut au départ orienté en développement de l'enfant, je réponds aux exigences d'embauche pour ce programme. Bien différent comme monde, pour ne pas dire à l'opposé ! Au lieu de parler avec mes étudiants de l'importance de bien cerner les comportements antisociaux ou les indices de consommation de drogues injectables chez les détenus, je discute de la façon d'intervenir lorsqu'un enfant vole l'ourson en peluche d'un autre et de la rapidité avec laquelle on doit injecter une dose d'EpiPen en cas de symptômes d'allergie. Quand même !

En visitant mes milieux de stage, j'ai dû (de façon radicale) troquer ma voix grave de fille sûre d'elle, pas du tout impressionnée par le bras droit de la mafia italienne, contre la voix douce et charmante de Passe-Partout. Re-quand même ! Qu'est-ce que je préfère ? Je ne sais pas. J'aime les deux. Dans ma recherche constante de « non-routine », ça fait bien mon bonheur de devoir gérer les deux types de milieu de stage en alternance durant l'année scolaire. Avec la grossesse de Sacha en plus, j'avoue que de me retrouver entourée d'enfants tous les jours me fait étrange ; j'ai tellement hâte de voir le bout du nez de bébé !

Cela dit, j'ai aussi dû adapter mon attitude de superviseure face aux étudiants. Stage en prison = gars. Stage en garderie = filles. Vous comprenez ? Avec mes « ga-gars », j'avais tendance à laisser mes gants blancs de côté pour leur faire part de mes observations assez directement. Avec mes « fe-filles », j'en mets deux paires, une par-dessus l'autre, et ce, dans chaque main. Eh oui, je me suis même remise en question la fois qu'une étudiante a fondu en larmes après mes trois premiers commentaires (peut-être un peu trop directs, avais-je réalisé), mais maintenant, je crois avoir trouvé un équilibre. Personne n'est parfait ; et s'il y a quelqu'un qui reconnaît ça dans la vie, c'est bien moi (avec maintenant deux cahiers de deux cents pages remplis de commentaires relatifs à ma santé mentale précaire, voire douteuse…).

Parlant de mon livre de thérapie, il comporte toujours deux parties bien distinctes : la mienne et celle du cher *big buck*. Deux thérapies en parallèle, l'une étant fondée sur un processus thérapeutique rigoureux (avec ma psy), l'autre sur la simple base d'observations et de spéculations. Je vous jure qu'il ne faudrait jamais (au grand jamais) qu'il feuillette ce livre un jour. Misère !

Comprendre le problème d'abord

La patiente – qui éprouve, toujours et à jamais, des peurs latentes que la monotonie anéantisse sa vie de couple – doit passer à l'action. Mme Allison a démontré dans les dernières années sa capacité émergente à mettre en action des pensées pour être proactive dans son évolution. Dernièrement, je sens un relâchement chez la patiente et une passivité qui se réinstalle tranquillement. Je ne comprends pas cet état de stagnation, compte tenu de sa conscience bien lucide du problème.

Le BIG BUCK semble heureux dans le meilleur des mondes. Les hommes, ayant moins tendance à analyser l'évolution de leur relation de couple ou l'attitude de leur partenaire, ressentent toujours une certaine paix lorsqu'il n'y a pas de tension particulière. La tranquillité les apaise et leur permet de vaquer à leur occupation sans stress concernant les aspects routiniers de leur vie. Mars et Vénus, ne l'oubliez jamais.

Vous croyez que j'ai fait un copier-coller d'un passage déjà écrit de mon livre ? Eh non ! J'en suis encore là après tout ce temps. Bordel ! Je commence à croire que les efforts à déployer pour être bien et en paix dans son couple sont toujours à recommencer.

Cependant, je ne m'invente pas de chimères ; je ne cherche pas de problèmes où il n'y en a pas ; je constate les faits, simplement. À partir de ça, je dois faire quelque chose.

Un message texte entre :

(Salut, belle fille. Viens-tu dormir chez moi ?)

Bon, vous voyez ? On s'est vus hier, avant-hier, et le jour d'avant, et il veut que je retourne dormir chez lui. Ce n'est pas moi qui mène notre couple à la dérive !

Je descends rejoindre Ge au salon, affolée comme si le texto en question annonçait le déclenchement de la Troisième Guerre mondiale, à la seconde près. Je brandis mon portable sous ses yeux, comme si celle-ci allait d'emblée comprendre ma panique.

— Qu'est-ce qui se passe ?

— Encore et à jamais la même chose, le même *pattern* récurrent, la même situation destructrice qui se présente, la même tendance dramatique qui finira par nous anéantir tous…

— Mon Dieu ! Ç'a l'air grave… Les Mayas ? La fin du monde ?

Ge me dévisage avec ses grands yeux en laissant en plan son émission d'information sur les développements environnementaux en énergie propre. Je me rends compte aussitôt de mon intensité exagérée et je me laisse finalement choir près d'elle en soufflant :

— Il m'invite ENCORE à dormir chez lui.

— Ah ! fatigante ! Je croyais qu'une comète destructrice s'était détachée de la Voie lactée pour foncer droit sur la Terre… Relaxe, pauvre toi !

— Ge, comprends-tu que si on ne fait rien, ça va devenir de pire en pire ?

— Regarde : n'y va pas, c'est tout ! Voilà ! Le drame planétaire est évité.

Elle retourne à son documentaire, qui explique les différents dangers reliés à l'exploitation des gaz de schiste pour la population. Je soupire bruyamment pendant qu'un autre texto entre :

(Allô ? La Terre appelle la Lune ?)

Décidément, la barquette de sujets tourne autour de la Galaxie et des astres !

Ge a raison : une soirée de pause, ce n'est pas si difficile. Je lui réécris :

(Non, bébé. Je vais travailler ici ce soir. Il est tard de toute façon.)

Il termine la conversation :

(D'accord. Mon lit va être grand… Si tu changes d'idée, t'as la clé… xxx)

Bon, regardez-le faire de la manipulation par les sentiments. Je reste là, pensive, à me dire : « Bah, ça change quoi que je dorme avec lui ou pas… On ne va pas se voir tant que ça et juste faire dodo… » Encore une fois l'attitude « ce n'est pas si grave dans le fond ». Non, je reste ici ce soir. Je lui renvoie par texto une série interminable de becs avant de taper l'épaule de Ge.

— Qu'est-ce qu'on fait ?

— Moi, je regarde ça. Toi, je ne sais pas.

— Je ne vais pas chez lui, alors divertis-moi !

— Écoute, là, l'enfant-qui-a-besoin-de-se-faire-prendre-en-charge ; tu habites ici, je ne suis pas ta babysitter de service. Le prix de ton loyer mensuel inclut le chauffage et l'eau chaude, pas le divertissement !

— T'es plate, t'es plate, ton émission est plate, que je lui lance en trépignant sur le divan comme une enfant gâtée.

— Lis un livre.

Je retiens sa proposition et monte à ma chambre. En effet, il y a quelques livres que je voulais feuilleter depuis un bout de temps. Je tombe sur *L'amour dure trois ans* de Frédéric Beigbeder. Non, je ne lis pas ça ! Ça fait trois ans pour nous deux, et je me souviens que ce livre dépeignait un portrait peu reluisant du couple et de son évolution au fil des années. Qu'est-ce que j'ai d'autre ? Pendant que je poursuis mes recherches, Ge entre dans ma chambre.

— Tiens, lis ça pour t'éduquer.

Elle lance sur mon lit un petit roman de poche et ressort de la pièce aussitôt après m'avoir envoyé un clin d'œil. Le titre : *Pourquoi les hommes n'écoutent jamais rien et les femmes ne savent pas lire les cartes routières ?*[4] Bon, voilà une drôle de façon de voir les choses.

Je l'ouvre, assise sur le coin de mon lit, et je débute par le premier chapitre…

---

4 De Allan et Barbara Pease, 1999, First Éditions.

Après une heure de lecture (et parce que mon dos commence à me faire souffrir étant donné ma position peu ergonomique – entendre : coude sur les cuisses), je me redresse un peu pour aller faire ma toilette avant de dormir.

« Le tunnel de vision des hommes est plutôt étroit et longitudinal pour voir la proie (probablement un mammouth) à atteindre tandis que les femmes ont une vision périphérique de près plus développée pour veiller au bien-être de leurs petits (probablement en une douzaine d'exemplaires) près de la grotte... » Ouin, ça explique pourquoi ces chers mâles ne trouvent jamais la mayo dans le frigo et que les femelles ne voient pas un chevreuil sur le bord de la route tant qu'il n'a pas bondi sur la voiture ! Comique, ce livre qui décrit le comportement des hommes et des femmes par le truchement de leur génétique archaïque. Par contre, ça ne m'explique pas : pourquoi les hommes se contrefoutent de la perte de passion dans le couple et que les femmes capotent à la simple vue d'une baisse de régime affectif ?

Ge, qui passe en coup de vent chercher un truc dans la salle de bain, me balance avant de sortir :

— Cibole que je suis en manque de cul !

Un texto de Sacha entre au même moment :

(Je vais être une maman merveilleuse. Je suis si heureuse !)

Bon, voyez la belle consœurie de femmes équilibrées dans toute sa splendeur ! Misère, on ne s'en sortira jamais !

Un « Chut ! » suivi d'un « Grrr ! »

➡ **Décompte officiel : Sacha, 32 semaines ; Ge, 42 semaines**

En cette fin de janvier plus que glaciale, je me rends chez Bobby après une journée de supervision de stages. Ma deuxième étudiante a eu droit à deux cas extrêmes de gastro dans son groupe. Pauvre elle ! Naturellement, j'ai analysé ses capacités à gérer avec urgence les vomissures des tout-petits, mais comme c'était une première pour elle, je reste indulgente quant à l'aide qu'elle a dû requérir à son éducatrice-guide. Pas évident ; il faut appeler les parents pour qu'ils viennent chercher leur enfant malade et tenter de les isoler (les enfants, pas les parents !) un peu pour éviter la contamination des autres et de l'ensemble du personnel, tout en donnant du réconfort et de l'amour à tout le monde. Tout un boulot que celui d'éducatrice à l'enfance. Chapeau !

En entrant dans l'antre de l'homme, je cours me laver les mains pour une quatrième fois afin de ne pas contaminer à mon tour le chanteur-populaire-toujours-en-pleine-tournée ! Je ne l'ai pas vu jeudi dernier, comme vous le savez, mais le lendemain, je suis allée chez lui, le surlendemain aussi et dimanche également… Pfft… Difficiles à tenir, les résolutions ! Bobby me regarde à peine passer devant lui lorsque je reviens au salon. Je m'informe tout de même :

— Ça va ?

— Ouais… Chut, bébé, j'écoute les nouvelles…

« Chut, bébé » ? Je pianote nerveusement sur l'accoudoir du divan. J'ai décidé aujourd'hui d'aborder le sujet de notre vie de

couple plate. Ç'a bien l'air que ce sera après les nouvelles...
J'écoute le présentateur parler de la situation au Moyen-Orient,
de l'adoption ou non d'un registre public de pédophiles condam-
nés dans le passé, de la corruption dans le milieu de la construction, le tout avec peu d'intérêt. Comme les infos n'en finissent
plus de finir (on parle maintenant d'une quantité de bancs de
parc vandalisés...), je tente d'amorcer un sujet plus général :

— Il y a eu deux gros cas de gastro au CPE où j'étais
aujourd'hui. Pas drôle...

Il ne me prête aucune attention, toujours hypnotisé par les
nouvelles (concernant les parcs saccagés ?), la bouche un peu
entrouverte.

Je poursuis :

— Ensuite, un éléphant a surgi de nulle part en fin d'après-midi
et il a détruit la moitié du CPE...

— Ah ouin..., commente-t-il stupidement sans m'écouter.

— Une chance : Tarzan est arrivé sur son cheval blanc pour
insérer une bombe dans la trompe du mammouth, on a pu ainsi
éviter le pire...

— Hum...

Vous voyez à quel point on communique bien et de façon
efficace ? Quoiqu'en rivalisant avec une nouvelle-choc de bancs
de parc endommagés, je peux comprendre. N'importe quoi !
J'essaye quelque chose de plus accrocheur :

— Ils ont annoncé officiellement le retour des Nordiques à
Québec !

— QUOI ?

Il se tourne vers moi, l'air scandalisé de ne pas avoir entendu ça avant. Ah bon, là il m'écoute !

— Ce n'est pas vrai…

Il me regarde maintenant, terriblement déçu, avant de relâcher les épaules.

— Pourquoi tu dis ça, alors ?

— Pour que tu m'écoutes, Gaétan.

— Je t'écoute… tu parlais de… euh… ton CPE… et du cours que tu enseignes…

— Hein ?

Bon, observez maintenant le mâle-pas-attentif-à-sa-blonde dans toute sa splendeur. Je pense que, dans ce cas, j'aime vraiment mieux les consœurs «affectivement» déséquilibrées ! C'est quoi ? Mon *chum* ne sait pas que je n'enseigne pas du tout pour le moment ? Voyons, même Notre Sainteté le pape est au courant !

— Tu penses que je fais quoi, toi, dans la vie comme travail ?

Sentant mon ton légèrement irrité et mon attitude dramatique, il pivote finalement un peu plus vers moi (gestuelle d'ouverture ?). Il arbore une mine de petit gars surpris d'avoir omis de bien écouter les consignes de sa maman concernant la marche à suivre pour faire fonctionner correctement le lave-vaisselle : «J'ai mis le savon et j'ai appuyé sur START… » (Soupir éloquent de la mère.) «Tu as oublié de mettre la vaisselle dedans, comme je te l'avais mentionné. Encore une fois, tu n'as pas écouté maman ! »

— Bien… tu travailles au cégep ; tu donnes des cours et tu vas dans les garderies aussi…

— Je n'enseigne pas présentement, je supervise seulement des stagiaires.

— Bon, Mali, tu joues à quoi ? Prendre ton *chum* en défaut ?

— Non, mais des fois, j'ai vraiment l'impression que tu ne m'écoutes pas !

— Tu me parles toujours pendant les nouvelles ; je suis super concentré.

— Bien oui, mais tu regardes les nouvelles le matin, le midi, le soir, en plus de les écouter en voiture…

— Bon ! Tu me reproches de me tenir informé, maintenant ?

— Pfft…

Plutôt : « Grrr ! » Je me lève d'un bond. Encore une fois, il a habilement fait bifurquer le sujet. Je me dirige vers la cuisine pour commencer le repas. Il continue de regarder le téléviseur, l'air satisfait que je sois partie plus loin. La paix. Eille ! L'HOMME : cours-moi après dans la cuisine pour rectifier la situation ! Non ? Tout va bien pour lui ! En réaction à sa passivité titanesque, je décide tout bonnement de ne pas me la fermer ; je suis trop offusquée, de toute façon. Comme les pièces sont à aire ouverte, il peut m'entendre du salon et je le vois de dos.

— Je trouve que c'est rendu plate ! On ne fait jamais rien sauf rester ici. J'ai l'impression que tu ne m'écoutes pas, que tu ne t'intéresses pas à ce que je te raconte, que tu me prends pour une pantoufle…

Bon, ici ma psy m'aurait fortement conseillé de formuler mes reproches au « je » pour ainsi éviter d'accuser l'autre directement. Vous voyez que j'avais bien débuté, mais ça a dérapé vers la fin…

Qui, dans la vie, est capable de se chicaner de façon polie ? PAS MOI !

Il expire de façon bruyante en marmonnant un interminable :

— Boooonnnn…

Je ne réponds rien à son propos masculin vide de contenu et continue de préparer mon repas de bonne-femme-à-la-maison. Il poursuit son visionnement de plus belle. Quoi, c'est tout ? Les nouvelles du sport débutent. J'avoue que, contre celles-là, je n'ai aucune chance. Comme nous mangeons du macaroni (il a oublié d'acheter des spaghettis), je verse, sans trop d'attention, la sauce bolonaise dans un chaudron et je sale l'eau des pâtes. Comme il m'énerve au point où j'ai envie de lui adresser encore plein de reproches commençant par « tu », je prends une bonne décision. En me voyant me diriger vers la garde-robe de l'entrée, il maugrée :

— Boonnn, t'es SPM, là ? C'est ça ?

Le syndrome prémenstruel de marde ! Plus capable ! En plus, il abuse encore du « boonnn » dans ses répliques.

— Je vais prendre l'air. Pour faire changement, prépare donc le souper. La sauce est déjà sur le rond. Il faut que tu la brasses, sinon ça va coller…

Le manteau non boutonné, les bottes non lacées et la tuque à moitié enfoncée, je sors sans rien ajouter de plus. Non mais, suis-je toute seule dans l'Univers à avoir un *chum* qui prend tout ce que je dis à la légère ou comme étant le résultat d'un dérèglement hormonal ? Celui (ou celle) qui a divulgué publiquement que les hormones influençaient l'humeur a terriblement nui à la crédibilité des femmes de la terre entière puisqu'elles ne peuvent plus vivre leurs insatisfactions comme bon leur semble.

Les hommes n'avaient vraiment pas besoin de savoir ça ! Bon, j'avoue que sur ce coup-là, je n'ai pas été la plus délicate ; mais cibole, je suis tannée que ce soit plate. Tannée de regarder la télé (et pourquoi faudrait-il que ce soit moi qui enfile un déshabillé *sexy* pour divertir l'HOMME de la maudite boîte à images ?).

Sur le chemin, je rage en me vengeant sur la neige que je pousse agressivement avec mes bottes. Je m'assois finalement sur un banc de parc (non vandalisé, celui-là) et je respire trois bons coups. « Mali Allison, on se calme les nerfs... »

Macaroni tout garni

De retour chez Bobby (après avoir finalement déneigé les trois quarts de sa rue avec mes bottes), je constate que la table est mise, que le repas est presque prêt, qu'il a ouvert une bouteille de rouge (un lundi ?), qu'il a fermé la télé et mis un bon CD. Bon, il me prend par les sentiments et me tapisse au mur pour me faire sentir ridicule d'avoir pété les plombs. Dans le contexte, me voyez-vous continuer à me plaindre : « Tu ne prépares jamais le souper (sauf ce soir), tu ne prends jamais de temps avec moi (encore sauf ce soir), on ne mange jamais tranquillement tous les deux (idem...). » Les hommes utilisent souvent ce genre de stratagème pour nous faucher l'herbe sous les talons hauts ! Mais est-ce que ça dure dans le temps ? Là est la question existentielle...

Comme je me suis parlé durant ma marche de santé (mentale), j'emploie une stratégie, moi aussi :

— Excuse-moi pour tantôt. Je communique mal, je pogne les nerfs...

— C'est correct, t'es une femme !

Comment ça : « UNE FEMME ? » Je ravale mes émotions négatives en les noyant avec une généreuse gorgée de vin, une mimique de rigolade jaunâtre peinte sur le visage. Bon, allons-y point par point pour ne pas partir dans tous les sens comme on sait si bien le faire.

— Parfois, je crois que l'on se voit trop.

Bravo, Mali, pour l'utilisation du « je » et de l'adverbe « parfois » qui atténue la puissance du « je crois ».

— Bien non !

Heu… j'attends qu'il développe sa pensée ou je l'interroge ? Il a terminé son argumentaire, vous croyez ? S'il me complète le tout avec un autre « boonnn », je l'étripe avec ma serviette de table ! Il égoutte les pâtes (probablement trop cuites) dans l'évier. J'opte pour une paraphrase floue (afin de l'inciter à développer davantage) :

— Non ?

— Bien non !

Il répète, maintenant… Bon, d'après ces propos réfléchis et pertinents, tout semble donc réglé. Soûlons-nous et faisons l'amour dans les macaronis !

Je reviens à la charge :

— Je trouve qu'on ne fait rien ensemble ; on reste ici, je t'attends, on écoute des films…

— Boonnn… T'es pas obligée de m'attendre ici, tu sais.

Ah non ? Eh bien, avoir su ! Je ne l'étripe pas tout de suite, étant donné qu'il a ajouté une réplique supplémentaire à son « boonnn »…

— C'est pas précisément le fait de t'attendre ici ou pas…

— C'est ça que tu viens de dire.

Eille ! Que l'on est bons pour discuter, hein ? Il ne comprend jamais les nuances, on dirait. Il fait exprès, vous pensez ?

— Non, mais il manque de… heu…

— De quoi ?

— Je ne sais pas, de passion, d'amour…

— D'amour ? Tsé, Mali, tu sais que je ne suis pas monsieur « je t'aime » en personne.

— Je sais, mais de l'amour, ce n'est pas juste des « je t'aime », justement.

— Veux-tu plus de pâtes, demande-t-il en me présentant ce qu'il a déposé dans mon assiette.

— Non, ça va.

Je lui donne un coup de main pour la suite et reviens vers la table avec ma platée. Je goûte tout de même le repas du *big buck*.

— Merci, c'est bon !

Les pâtes sont vraiment trop cuites, mais il ne s'agit pas d'un point prioritaire à l'ordre du jour. Je le laisse aller un peu, histoire de voir s'il va revenir de lui-même sur le sujet. Il attrape la bouteille de vin.

— C'est un vin de Bulgarie. Pas pire, hein ?

— Oui, très bon.

Silence. Je lui laisse encore une autre chance de revenir sur le sujet inépuisé.

— La sauce vient de la boucherie juste à côté de la boulangerie où je t'ai emmenée l'autre fois. Elle est bonne, hein ?

— Oui, super.

Bon là, avouez que je dois intervenir ! Quelle sera la prochaine étape ? Me décrire d'où proviennent les pâtes ? M'expliquer les circonstances exceptionnelles entourant l'achat du fromage parmesan ?

— Bébé, je veux que l'on reparle de ce que je disais tantôt…

— Bien, Mali, je sens juste que tu me fais des reproches ! Si tu ne veux pas rester ici pendant que je suis en *show*, viens avec moi, c'est tout !

Colonel rationnel revient à l'exemple futile que j'ai donné précédemment.

— C'est pas juste ça…

— Quoi ? Tu trouves que ça va si mal que ça, nous deux ?

— Non, mais des fois, je crains qu'on se perde dans la routine.

— Ah là, tu me parles de « crainte », d'appréhension pour le futur. Ça t'appartient, ça, Mali. Tes angoisses, tes peurs, la façon que tu anticipes la suite ; je ne peux malheureusement rien faire pour stopper tes pensées.

Vous voyez ? Il finit toujours par me sortir quelque chose de super sensé après avoir fait mine de ne rien comprendre depuis le début. Je ne sais pas quoi répondre à son commentaire.

— J'ai une tendance paranoïaque…

— S'il y a des choses concrètes que tu veux, dis-le-moi. Je suis ouvert. Mais je n'envisage pas la situation aussi négativement que toi, je pense. On est bien, heureux ensemble.

Pourquoi je me sens conne et ridicule, comme si j'avais encore créé un tsunami dans un verre d'eau ? Poursuivant sur sa lancée fulgurante, il me dit :

— Si tu veux passer plus de temps chez toi parce que tu crois qu'on se voit trop, je comprends aussi.

Il m'adresse un grand sourire en s'enfournant une grosse bouchée de macaroni. Je l'informe d'un détail crucial :

— T'as quelque chose sur la dent.

— Celle-là ? me demande-t-il en me désignant son incisive du mauvais côté.

— Non, la deuxième, celle de l'autre côté.

— Ici ? C'est correct ?

— Non, attends.

Je m'avance vers lui et lui enlève le morceau d'épice indésirable avec ma serviette de table.

— T'es fine, toi !

Il me rapproche un peu de lui et me fait basculer pour m'asseoir sur ses genoux. Je le regarde avec les petits yeux tristes du Chat botté dans *Shrek*.

— Tu t'en fais toujours trop pour rien, mon bébé !

Il m'embrasse…

Comment, dans une même soirée, peut-on passer de la déception à l'insatisfaction et à la colère pour changer toute cette frustration en désir de discussion et de réconciliation pour finir par enlever tout bonnement une saleté dans la dentition de son homme bien-aimé ? Une belle soirée toute garnie, oui !

Fidèle disciple de Françoise

Lorsque je rentre chez moi le lendemain matin, Françoise s'y trouve déjà. Hourra ! J'ai besoin d'une consultation express. On la paie pour le ménage, oui, mais je dois avouer qu'une heure (au minimum) de sa demi-journée est consacrée à placoter avec nous. Moins avec Coriande qui travaille rarement à la maison, mais pour les autres, c'est un *must* ! Cependant, quand on discute avec Françoise, il faut savoir que tout ce que nous lui confions sera largement diffusé à tous les bénéficiaires du service ménager. Aucune discrétion. Notre Jojo Savard s'avère une vraie passoire ! En fait, après les salutations, elle enchaîne toujours d'emblée avec les nouvelles des autres pour ensuite en recueillir des fraîches qu'elle propagera allègrement, et ainsi de suite. L'ordre des ménages de la semaine est le suivant : Ge et moi le mardi, le mercredi chez Sacha et Hugo, le jeudi chez une femme de Westmount qui trompe son mari avec un conseiller municipal de l'arrondissement (ils se voient habituellement chez elle les lundis et jeudis en après-midi, car son mari est toujours en *meeting* et le conseiller le sait, car c'est son collègue…) et le vendredi, elle va chez Cori et mon frère.

— Allô !

— Bonjour, madame Mali !

Elle nous appelle encore et toujours en disant un « madame » suivi de notre prénom, exactement comme dans les écoles primaires aujourd'hui. Elle nous vouvoie aussi. On a beau lui répéter que ce n'est pas nécessaire, elle y tient. Elle exige par contre qu'on la tutoie en retour.

— Tu vas bien ?

— Oui, oui, merci. Vous savez quoi ? La femme de Westmount a bien failli se faire prendre les culottes à terre lundi dernier lorsque son mari est revenu chez lui pour venir chercher sa prise de cellulaire qu'il avait oubliée par mégarde ; elle a dû cacher le conseiller municipal dans la garde-robe, le temps qu'il trouve l'objet.

— Oh non ! Pas vrai !

Remarquez ici que je me montre intéressée, pour de vrai. On suit cette histoire d'adultère depuis presque huit mois comme un *soap* américain à succès. *Les feux de l'amour de Westmount* ! Je vous jure, quand on n'a pas de détails pendant un bout de temps, on en demande !

— Et ensuite ?

— Elle a toujours peur du divorce, vous comprenez. Ses deux enfants sont partis de la maison. Son fils est ingénieur pour une compagnie en aéronautique et sa vie va bien. Mais sa fille, qui a déjà eu des problèmes de drogue, ne s'en sort pas si mal depuis quelque temps, donc la pauvre femme ne voudrait pas d'un drame familial par-dessus le marché. Mais vous savez, comme elle n'a plus de relations sexuelles avec son mari depuis maintenant presque quatre ans, elle est convaincue que celui-ci a recours aux services d'une escorte régulièrement. J'ai même déjà trouvé une carte d'affaires suggestive dans la poche de son pantalon en faisant le lavage…

— Ah oui ! Une carte de prostituée ?

— Non, un salon de massage coquin…

— Pas vrai !

C'est toujours croustillant comme ça ! Non mais, la madame riche qui trompe son mari avec le collègue de celui-ci pendant qu'ils n'assistent pas aux mêmes réunions, c'est quelque chose !

— Mais le pire a été évité ! Sinon, à part ça, Coriande n'était pas là vendredi dernier, et il y avait plusieurs bouteilles de vin vides dans son bac de récupération…

Bon, Coriande noie quelle peine ?

Elle poursuit :

— Et Sacha et Hugo ont presque terminé la chambre de bébé. C'est beau ; un beau jaune clair. Elle allait bien, elle est si radieuse, mais elle prend beaucoup de poids, la belle. Il faut qu'elle fasse attention !

On a fait le tour, je pense, mémère Bouchard !

— Et vous, madame Mali ? Sacha m'a dit que vous viviez des insatisfactions relativement à votre couple ?

Dans tous les sens, les potins, je vous jure. Tant que ça reste dans la famille ! Famille très élargie, il faut le dire ! Bien que je sois certaine que la femme infidèle de Westmount se délecte de nos histoires elle aussi ! Je l'imagine parler de nous chez son coiffeur : « Les quatre filles vivaient ensemble comme des lesbiennes, et là, une est tombée enceinte de l'ami gai de l'autre qui sort avec le chanteur qui chante *L'amour voyage*, tout juste après qu'une autre des filles se soit fait voler par un maniaque maintenant en prison. La dernière vit une relation incestueuse assumée avec son frère, je pense… » Misère !

— Oui, c'est dur la vie de couple, Françoise. Je n'y comprends rien, je ne suis pas bonne, je pense…

Je lui explique mes inquiétudes de long en large, mais elle m'arrête après à peine deux minutes :

— Madame Mali, vous attendez après lui pour agir. C'est vous qui êtes passive ! Ne comptabilisez pas ses efforts versus les vôtres, et foncez. Et ne vous attendez surtout pas à ce que ses espérances et comportements soient les mêmes que vous. C'est un homme et vous, une femme.

— Je sais ; il ne trouve pas la mayo dans le frigo parce que ses yeux sont faits pour voir le mammouth au loin…

— Hein ?

— Ah, rien… Mais tu me dis de ne pas me soucier de ce qu'il fait et de me charger de tous les efforts ?

— Instiguez-les, du moins. Il répondra. Vous avez tout pour être heureux ensemble. Vous connaissez très bien ce qui vous convient en tant que couple, faites-le !

— Je n'en suis plus certaine, justement…

— Oui, mais vos peurs vous freinent ; vous traînez un lourd sac du passé rempli de peurs et d'angoisses. Videz ce sac ! Vous serez plus légère pour penser, agir et avancer.

Je la fixe, les sourcils froncés. Un sac rempli de peurs…

— Madame Geneviève va bien ?

— Oui, mais elle n'a pas rencontré son mec de la télé encore !

— Ça viendra…

Vous voyez ? Elle est si convaincue de cette histoire, difficile de ne pas la croire !

Je me rends à ma chambre pour continuer la lecture des travaux de mes étudiantes. Peu concentrée sur la tâche, je songe aux propos de Françoise. J'agrippe mon livre.

> *La patiente se fait confronter à sa passivité par une tierce personne autre que moi et j'en suis bien heureuse. Cette personne a soulevé un point intéressant concernant le fait de prendre en main la situation et de ne pas attendre ou appréhender les réactions de l'autre. Je conseille à la patiente d'écrire les idées qui lui viennent en tête quant à la marche à suivre pour redonner de la vitalité à son couple. L'action concrète doit débuter par un processus concret.*

Subban entre dans ma chambre en miaulant. Il grimpe d'un bond sur mes genoux. Je lui gratte un peu la nuque et remarque du coup que ma manucure laisse vraiment à désirer. Comme je songe à rectifier la situation sur-le-champ, le bébé-gars me ramène à l'ordre en me disant en langage félin : « Laisse faire tes ongles et commence ta liste ! Mais gratte-moi encore un peu d'abord… miaou… »

— Je sais, je sais, que je lui réponds à voix haute comme une débile mentale, en avançant ma chaise à roulettes plus près de mon bureau de travail.

La tête de Subban frappe accidentellement le bureau. Il saute en bas de mes cuisses pour se faufiler sous mon lit en me miaulant par la tête : « Putain ! T'es dingue ? Je me casse ! » (Quand il est froissé, il parle avec un accent français.)

Peu émue par sa crise (ça arrive souvent), je réfléchis. Voyons voir. Je soustrais une feuille de papier de mon imprimante et je saisis un crayon.

Stratégie # 1 = Passer moins de temps chez lui pour provoquer un ennui réciproque.

Ça, c'est clair.

Stratégie # 2 = Planifier des sorties.

Ça aussi.

Stratégie # 3 = Raviver la flamme sexuelle.

Hish… ça se corse.

Stratégie # 4 = Trouver des activités qui se substituent à la télé et aux films.

Imagination !

Stratégie # 5 = Garder mon calme lors des dialogues et parler au « je ».

Contrôle !

Stratégie # 6 = ?

Je n'ai plus d'idées…

Je reçois un message texte de Sacha :

(J'ai le goût de manger du chinois. On va chez Jy Hong vendredi entre filles ?)

Nous avons gardé l'habitude de nous rendre régulièrement dans notre ancien quartier pour manger à notre resto favori.

(Oui, bonne idée ! Confirme avec les autres.)

(D'accord !)

Deux bedaines ?

Jy Hong nous rejoint en sautillant lorsque nous pénétrons dans son restaurant.

— Madame ! Madame !

Il est visiblement exalté ce soir ! Il observe Sacha de haut en bas et pousse un cri typiquement asiatique :

— Ennnnnn !

Pourtant, il l'a vue il y a quelques semaines…

— Me voilà : la grosse baleine !

Il s'esclaffe généreusement et réplique du tac au tac :

— J'ai lu quelque part : « Si la natation est bonne pour la ligne, pourquoi les baleines sont-elles si grosses alors ? » Ha ! ha ! ha !

Et il est parti, complètement crampé. Hish… Les filles et moi échangeons des regards chargés de frayeur, en épiant Sacha du coin de l'œil. Elle ne dit rien. Est-elle offusquée ? Va-t-elle tenter de le frapper à la tête avec un récipient de sauce soya ? Ou optera-t-elle plutôt pour lui enfoncer une baguette dans l'œil ? Pendant quelques secondes, plein d'images troublantes (dignes d'une œuvre de Patrick Senécal) défilent dans ma tête – comme dans les films lorsque les personnages anticipent des scènes dramatiques qui ne se passent jamais en réalité.

— Ha ! ha ! Sacré Jy Hong ! Est bonne…

Elle rigole. Ouf ! Nous relâchons toutes les épaules, soulagées de ne pas devoir lui faire un contrôle articulaire léger pour l'empêcher de tuer notre restaurateur préféré.

Il s'éloigne pour travailler. Sacha nous confie en chuchotant :

— Sérieusement, hier, sa citation de « grosse baleine » n'aurait pas passé pantoute ! Je lui aurais probablement enfoncé une baguette dans chaque oreille pour l'embrocher vif ! Mais, aujourd'hui, c'est une très belle journée ! Il fait soleil dans mon cœur !

Vous voyez ? Je n'étais pas trop dans le champ avec ma baguette dans l'œil ! Je me suis juste trompée d'orifice…

En prenant place à une table, je questionne Coriande, l'air un peu innocent, comme si je ne connaissais pas la réponse.

— Mon frère revient bien demain, hein ?

— Oui.

Je le savais, ma mère me l'a dit, mais bon, je voulais juste ouvrir la porte sur le sujet. Comme elle saisit le menu et le scrute en silence, je tente de nouveau :

— Et puis ?

— Et puis quoi, Mali ? m'envoie-t-elle, les yeux toujours rivés sur le cahier de feuilles plastifiées.

— T'as hâte de le voir ?

— Oui… Je ne sais pas quoi manger. Vous prenez quoi ?

Rien à faire. Je me sens presque mal de l'interroger. Je ne suis pas la seule à ressentir le malaise, car personne d'autre ne le fait. Aucune solidarité de consœurs sur ce coup-là ! Coriande arbore toujours cet air un peu bête lorsqu'elle ne veut pas discuter d'un sujet chaud. Air qui nous fait presque regretter d'avoir abordé ledit sujet. Comme je sais qu'il ne faut pas trop la pousser, je jette l'éponge et plonge la tête la première dans le menu alléchant.

— Je vous avais dit que la chambre de bébé est jaune finalement ?

— Non ! Mais c'était prévisible étant donné la nature encore inconnue de son sexe, remarque Ge.

— Pour ma part, je savais ; Françoise me l'avait dit.

Profitant du fait que je l'ai vue en début de semaine, les filles s'informent des derniers détails concernant la femme de Westmount, et Ge se met ensuite à nous parler d'une téléréalité (probablement insipide) diffusée sur la chaîne V. Au milieu de son discours, Sacha se lève pour aller aux toilettes.

Ge poursuit sans tenir compte de son absence :

— … donc le participant ou la participante de la semaine rencontre un candidat par soir et leur donne une note…

Je la coupe brusquement au moment où je constate que la future maman est bel et bien entrée dans les toilettes.

— Excuse-moi, Ge, mais là il faut parler du *shower* de bébé !

Les filles s'approchent légèrement vers le milieu de la table pour comploter avec moi.

— Oui, ça fonctionne pour le gâteau de couches, la mère de Sacha connaît quelqu'un qui en fait, confirme Ge.

— Super ! Je vais reparler avec Hugo pour fixer l'heure exacte, que je spécifie à mon tour.

— OK ! Parfait !

— On lui achète ce qu'on s'était dit ? valide Coriande.

— Oui !

J'ajoute un détail technique :

— Pour la bouffe, j'ai confirmé ; tout le monde apporte un plat et on va juste boire du moût de pommes sans alcool par respect pour la maman !

— C'est correct. On devrait toutes porter un vêtement jaune pour faire référence au bébé de sexe inconnu ! propose Ge, en tapant des mains.

— Oui, c'est drôle.

— J'ai hâte !

Comme la « future » sort des toilettes, nous revenons de façon peu naturelle au sujet abordé par Geneviève quelques minutes plus tôt. Je demande, pas du tout au courant :

— Donc les participants habitent dans un loft, c'est ça ?

— Pantoute ! Tu te trompes d'émission, Mali..., se désole Ge, qui réalise que je ne l'écoutais visiblement pas (comme Bobby ?).

Sacha, qui arrive tout près de la table, propose une idée, faisant ainsi à son tour dévier le sujet :

— On va magasiner demain ?

— OUI !

— Non, pour ma part, je vais passer du temps avec mon *chum*, explique Cori.

Sacha nous énumère alors les trucs qu'il lui manque ainsi que ceux qu'elle a déjà en double pour mieux évaluer ses besoins. Le fils de Jy Hong, Sam Lee, sort, telle une minuscule souris, par le rideau de la cuisine. Cher petit bonhomme ! Il doit avoir environ cinq ans, mais il est vraiment tout menu. Il sourit à Sacha et s'approche en direction de notre table. Elle nous chuchote avant qu'il ne soit trop près :

— Je suis venue manger l'autre midi avec Hugo ; le petit capote raide sur ma bedaine.

Comme de raison, il trottine vers elle, l'air gêné ; sans rien demander, il approche sa main et la pose à plat sur le mystérieux bedon rond. Sacha lui passe doucement la main dans ses courts cheveux noirs et écarte un peu les bras en signe d'assentiment. Il semble visiblement très intrigué par ce qui se trouve là-dedans. Trop adorable, il appuie finalement son oreille directement sur l'abdomen.

— Honnnn ! réagit Ge, attendrie par le comportement du jeune Asiatique.

— Est-ce que je peux entendre si bébé parle ? demande Sam Lee, attentif, toujours l'oreille bien posée sur la bedaine.

Trop craquant ! Sacha lui explique avec douceur que son bébé n'est pas assez grand. Semblant un peu déçu d'apprendre que le bébé de Sacha ne parle pas encore, il nous fait une moue en révélant :

— Maman aussi a un bébé qui ne parle pas dans son ventre...

— Ah oui ?

Nous questionnons Jy Hong qui arrive justement avec nos rouleaux impériaux. Il acquiesce timidement à notre question de groupe, en bridant des yeux presque aussi loin qu'en arrière des oreilles.

— Félicitations ! Cachottier, va !

— Vous savez, madame : « En amour, à l'exception des ébats, la première qualité est la discrétion… »

Sam Lee, qui fronce les sourcils, demande d'emblée à son papa :

— C'est quoi : « ébats » ?

Nous dévisageons Jy Hong, amusées à souhait de le voir se dépêtrer publiquement avec les questions embarrassantes de son fils.

— Euh… Un autre proverbe dit : « Sam Lee est un petit garçon beaucoup trop curieux pour son âge… » Rejoins ta maman à la cuisine. Va !

Il pousse son fils délicatement dans le haut du dos en direction du rideau. Il s'incline le torse vers nous en guise de « bon appétit ». Je lui demande, avant qu'il ne tourne les talons :

— Demande à Suzy Kha de venir nous voir quand elle aura une minute, d'accord ?

— Oui, madame !

Ge nous confie un truc récurrent :

— Je commence sérieusement à être en manque de sexe rare…

— Tu pensais au sexe, maintenant, là ? souffle Cori, surprise.

— Tout le temps !

— C'est pour ça que tu nous parles de téléréalité et de gens qui n'ont pas de vie qui baisent dans les spas ! que je déconne.

— Non, Mali, tu mêles toutes les émissions.

— Je ne sais pas. La seule téléréalité que j'aime, c'est *Les Chefs* et, de temps en temps, *Qui perd gagne* ; j'adore voir les transformations à la fin !

— Peut-être que je pourrais m'inscrire à *Qui perd gagne ?* lance Sacha, exaltée par son idée.

— En tout cas, tu ne peux pas t'inscrire aux *Chefs*, c'est certain ! précise Ge, tout à fait gratuitement.

— Excusez, pardon ! Je m'améliore de jour en jour en cuisine. L'autre fois, j'ai expérimenté une recette de purée d'avocat et courgette pour le bébé et Hugo m'a dit que c'était extra bon !

— Bien oui…, répond Cori en faisant mine d'avoir un haut-le-cœur.

Un texto entre sur mon portable. C'est Bobby.

(Bonne soirée, belle femme ! Je m'ennuie de toi… Pfft ! J'ai même pas écrit ça. xxx)

Je souris aux anges et reviens à la conversation de Sacha à propos de sa purée.

— Ark ! Avocat et courgette ? Pourquoi prends-tu les deux légumes les plus dégueulasses du monde pour les mettre ensemble ?

— Toi, Mali, t'aimes rien sauf les pads thaïs et la pizza…

Notre discussion qui ne mène à rien est interrompue par Suzy Kha, qui sort à son tour par le rideau.

— HONNNN ! font les filles en l'apercevant si radieuse.

En effet, en le sachant, on peut voir pointer sa minibedaine. Elle est si mince qu'il s'avère difficile de la cacher. Elle nous confie être enceinte d'un peu plus de quatre mois. Elle et Sacha discutent de quelques trucs techniques de grossesse. Je regarde les deux femmes l'une après l'autre et tombe dans la lune…

Et moi ? Est-ce que je veux des enfants ? J'ai toujours dit non… Pourquoi ? Par peur de devoir les élever dans le cadre d'une garde partagée tumultueuse ? Par crainte de ne pas être une bonne mère ? Parce que je suis trop égoïste et instable ? Pourquoi suis-je si intriguée par le ventre des femmes enceintes, alors ? Pourquoi le cœur me fait-il quatre tours lorsque je prends un nourrisson dans mes bras ?

— Mali ? me crie Coriande en me tapotant l'épaule.

Je sors immédiatement de ma réflexion profonde.

— Mali, Suzy Kha te parle…, me rappelle à l'ordre Sacha.

— Excuse-moi, j'étais partie me promener dans ma tête !

— Vous ? C'est pour quand les enfants ? me redemande-t-elle en inclinant la tête de côté.

Vous vous souvenez que je vous disais détester ce genre de question qui survient à tout coup lorsqu'on est en couple depuis un moment. La première étant : « Quand est-ce que vous emménagez ensemble ? » Suivie de près par : « Les enfants, est-ce pour bientôt ? »

— Mali est bien trop occupée à chercher des bibittes dans son couple-qui-va-bien pour penser à avoir un enfant, rétorque Coriande à ma place, avec un léger ton de reproche dans la voix.

— Booonnnn !

Misère ! Je viens de dire un « booonnn » comme Bobby !

Je ne réponds finalement pas à la question de Suzy Kha, préférant plutôt la féliciter de nouveau.

— Plein de bonheur à vous deux, en tout cas !

Elle sourit, flatte son ventre replet et nous dit :

— Je ne veux pas parler en paraboles comme mon mari le fait si bien, mais vous savez : « L'enfant commence en nous bien avant son commencement. Il y a des grossesses qui durent des années d'espoir avant d'être, réellement… »

Nous lui sourions. On comprend toutes à cet instant que ce petit être était probablement espéré depuis bien longtemps.

Je réécris à mon homme :

(Étrangement, je pensais justement à toi… xxxxx)

Magasinage pour la « 32 » ou la « 42 » ?

La patiente est un peu dure à suivre… D'un côté, elle se plaint de sa situation matrimoniale et, de l'autre, elle songe à la possibilité ou non d'avoir un jour des enfants. Pourquoi se questionne-t-elle à ce sujet à ce moment précis ? Je crois que l'objectif sous-jacent,

mais inconscient, de Mme Allison reste de redresser son couple pour
en venir à procréer. Elle craint juste de se l'admettre.

Pfft ! Voyons ? On se calme les interprétations faciles, là ! Je trouve que ma psy émet une conclusion facile en se basant sur peu de faits…

Pour ma stratégie # 1, ça va bien ! Je ne suis pas allée chez lui vendredi et il m'a textée trois fois durant la soirée ! Quand même ! Mais je m'ennuie, ce n'est pas facile. Je cherche maintenant une idée pour ma stratégie # 2 afin de planifier une sortie le dimanche. Je ne sais pas encore quoi.

Geneviève entre dans ma chambre, avec une face de « panique à bord du *Titanic* ». Je fais un saut.

— Mon Dieu ! Défonce la porte, tant qu'à y être !

— Ça fait quatre fois que je t'appelle comme une déchaînée !

Rien entendu. Décidément, je suis vraiment dans ma tête ces jours-ci !

— Excuse-moi, je…

— Embraye, on part. Sacha attend et, comme moi, tu ne veux pas subir les conséquences possibles si on arrive trop en retard.

— Oh *boy* ! En effet… Vite !

On s'amuse à toujours anticiper négativement son attitude, mais elle n'est pas si pire dans le fond ! Son caractère s'avère même de mieux en mieux, plus la grossesse avance. Certaines femmes m'ont déjà avoué que le temps de la gestation ne sert pas juste à former le bébé, mais aussi à se faire à l'idée !

Avant de partir, nous proférons les recommandations d'usage à notre «enfant».

— Sois gentil bébé-Subban à sa mamannnn…

— Le bébé-gars à sa maman ne fait pas de mauvais coups de chat dans la maison de sa mamannn…

Il nous répond : « Arrêtez de me casser les pieds, bordel, j'en ai marre… », l'air très louche. Pourquoi parle-t-il à la française ? Il n'est pas en colère. De toute façon, on ne le croit pas. En revenant du restaurant de Jy Hong hier, nous avons agréablement constaté qu'il avait déroulé le papier hygiénique presque au complet dans la salle de bain, en bas. Il y en avait jusque dans l'évier !

En automobile, Geneviève (toujours à sa 42e semaine de torture, heu… d'abstinence) me pose cette fois une question-choc (toujours pigée dans la même barquette de sujets récurrents).

— Tu te masturbes combien de fois par semaine, toi ?

Réellement obsédée, elle !

— Hein ? que je réponds, en faisant de gros yeux dans le vide et en fixant le tableau de bord.

— Bien quoi ? C'est pas comme si on n'avait jamais parlé de sexe ensemble…

Elle n'a pas tort, mais on dirait que parler du sexe qui se passe à deux, c'est une chose, mais de ce type de sexe solitaire, c'en est une autre. Comme je semble évaluer longuement la question (comme si elle me demandait de lui réciter par cœur toutes les colonnes de ma déclaration de revenus), elle autorépond finalement à sa propre interrogation :

— Bien moi, je me masturbe tous les jours ces temps-ci ! Souvent, deux fois par jour ! Voilà !

— Pas moi…, que j'avoue finalement étant donné que je me situe plutôt diamétralement à l'opposé en termes de fréquence de « la chose ».

— Tu le fais des fois quand même ?

— Pas souvent. Je vais t'avouer que dernièrement je me sens un peu à *off* de ce côté-là. Bobby et moi faisons moins souvent l'amour, et quand ça arrive, on dirait qu'on est comme un peu lâches…

— Lâches ?

— Bien, on sait quoi faire et quand. On connaît le corps de l'autre, on ne s'enfarge pas dans des positions abracadabrantes…

— Si vous êtes comblés comme ça…

— Oui, c'est satisfaisant au niveau du corps, mais je trouve qu'on en arrive vite au « moment crucial », tu comprends ?

— Pas trop de préliminaires, vous baisez, tout le monde vient et on se couche ?

— Exact. On entend toujours : « Il faut raviver la flamme continuellement… » Comment ? Tsé le déshabillé *sexy*, je l'ai utilisé à quelques reprises, surtout lorsqu'on couchait à l'hôtel, mais après plusieurs fois, c'est déjà moins spécial.

— Il te faut trouver autre chose.

— Facile ! Quoi ?

— Je ne sais pas…

Notre arrivée chez Sacha met fin à notre conversation. Nous montons chez elle pour saluer You Go au passage. Je cogne deux petits coups rapides à la porte avant d'ouvrir. En mettant un pied dans le logis, j'entends le futur papa crier presque au meurtre.

— Aïe ! Non, promis, je ne le referai plus. PITIÉ MON AMOUR !

Mon Dieu ! Que se passe-t-il ?

Hugo arrive debout vers nous en chancelant comme s'il allait perdre connaissance. Il se tient le front en gémissant. Coudonc ! Que s'est-il passé ? Il enlève sa main, toujours en se plaignant de douleur. Aïe… il a une grosse plaie en plein milieu du front.

— Sacha m'a blessé en me frappant, criss que ça fait mal !

— BEN VOYONS ! crie Ge, hystérique.

Sacha surgit tout bonnement dans le vestibule et, de la main, pousse un peu son *chum* sur l'épaule afin d'accéder à la garde-robe.

— Il manque beaucoup d'attention, envoie-t-elle calmement en prenant son manteau.

— Je ne fais jamais rien de correct… je suis tanné de manger des coups, pleurniche encore celui-ci.

Nous restons là, stoïques, à fixer Sacha avec effroi sans rien dire. Silence. Malaise. Hugo nous regarde avec des yeux misérables, implorant visiblement notre pitié (ou espérant que l'on appelle un centre d'aide aux victimes de violence conjugale). Il éclate finalement de rire en se tournant vers sa blonde.

— Estie qu'est bonne ! Elles m'ont cru…

Confuses, on le dévisage sans mot dire.

— Je me suis cogné solide sur le cadre de porte, cette nuit, en allant à la salle de bain à moitié endormi ! Regardez ça !

Je soupire en observant sa bosse. Pour deux raisons : la première, je suis soulagée qu'il ne soit pas victime de violence de la part d'une femme enceinte hystérique, et la deuxième, parce que je le trouve con en cibole !

— Vous ne l'avez pas cru pour vrai ? s'inquiète Sacha, qui nous fusille maintenant du regard.

— Pfft ! Bien non ! Et arrête donc de sacrer devant le bébé, You Go !

— Oui, oui, elles m'ont cru, s'amuse le comédien en herbe.

La vérité : pendant une seconde, j'ai effectivement pensé que Sacha avait pu perdre les pédales. Franchement ! J'ai un peu honte… Mais depuis toujours, je ne fais pas confiance aux hormones (surtout aux miennes).

— Bon, on s'en va ? demande Ge, encore un peu sous le choc elle aussi.

Nous prenons d'assaut le centre-ville en stationnant la voiture non loin des boutiques, pour ne pas que Sacha marche trop.

Après plus d'une heure de magasinage, Sacha a effectué beaucoup d'achats : des minipyjamas pour la sortie d'hôpital de bébé (c'est si petit un fripon naissant), des jeans qui coûtaient une fortune (avec une grosse bande élastique à la ceinture), un tire-lait semblant calqué sur un modèle de trayeuse à vache (faudrait que je voie une démonstration pour bien en comprendre le fonctionnement…) et quelques autres babioles pour le futur bébé. Satisfaites, nous reprenons le chemin vers la voiture lorsque Ge pousse un cri d'engouement :

— Venez, on entre ici !

En levant les yeux, j'aperçois l'enseigne lumineuse criarde d'un *sex-shop* (qui paraît fort miteux).

— Euh…, que j'hésite.

— Allez !

Sans se faire prier, Sacha pousse la porte l'air impassible. Je suis le groupe en regardant de gauche à droite, avant d'entrer à mon tour, afin de m'assurer de je ne sais quoi. Des témoins oculaires ?

La boutique (si on peut se permettre d'appeler l'endroit de cette façon) est un peu sombre à cause du manque évident de fenestration (probablement le local le moins cher du centre-ville). L'ergonomie des lieux paraît également douteuse. Il y a beaucoup trop de choses partout ; on dirait de grandes rangées d'épicerie (insalubre) trop tassées les unes sur les autres. D'énormes paniers au sol semblent contenir divers articles légèrement poussiéreux, mais en solde. L'employée (ou la propriétaire) fume une cigarette au comptoir (crime national…), en regardant un minuscule téléviseur posé sur une table d'appoint à deux mètres d'elle. Elle jette à peine un regard vers nous et pousse les mégots avec le bout de sa cigarette (dans un cendrier visiblement trop plein) afin de pouvoir l'éteindre.

— Bonjour !

Elle nous grogne quelque chose en guise de réponse sans qu'un seul mot soit perceptible en français (langue d'usage).

Geneviève, qui se contrefout de cet accueil rustre, arpente rapidement une rangée et se retrouve au fond du magasin, où s'étend un mur complet de gentils vibrateurs.

Elle jubile.

— La caserne d'Ali Baba ! Oui, madame !

— La caverne, Ge. Et pas d'Ali Baba, mais de l'Imperial Tobacco. Pfft..., souffle Sacha, importunée, en s'éventant le visage pour éviter d'intoxiquer son bébé à tout jamais.

La femme, dissimulée derrière une rangée de produits divers, tousse maintenant bruyamment. Elle semble ensuite « évacuer » quelque chose (d'assurément gluant) de sa bouche en crachant.

— Je vais vomir, confie notre sensible Sacha, maintenant la main devant la bouche.

— On dirait que, dans mon image mentale, les propriétaires de boutique de ce genre sont des espèces de cochonnes cinquantenaires bien entretenues et obsédées par le sexe qui font des *trips* échangistes tous les samedis soir. Pas une réplique de la mère Bougon comme elle ! que je chuchote, très déçue.

Geneviève, comme une enfant devant un mur de jouets qui clignotent, ne nous écoute pas du tout, les yeux ronds comme des billes, tenant déjà deux modèles de vibrateur dans les mains. Elle en agrippe un troisième, puis un quatrième qu'elle place malgré moi entre mes mains. Elle observe tour à tour les différents produits. Docile, je reste en place, les objets à la hauteur des épaules.

— J'aurais besoin de conseils, fait-elle en levant le nez en l'air.

— Pas de madame Craven A, j'espère ?

— Je ne veux pas porter de jugement précipité, mais, de ce qu'elle dégage, on dirait qu'elle ne semble pas avoir beaucoup de compétences en matière de vibratos !

— Ouin, j'avoue…

Ge commence à lire les informations à l'arrière de la boîte d'un des produits. Je lui redonne finalement les «jouets», qu'elle retient sous son bras. Sacha et moi nous dispersons dans les autres rangées pour explorer les lieux. Un homme entre dans le magasin, sans dire un mot. Je l'espionne entre les tablettes de la rangée où je me trouve. Il offre de l'argent à madame Export A *king size*, toujours en poste derrière son comptoir, sans n'avoir rien acheté à ma connaissance. D'un pas rapide, il se rend au fond du magasin et entre par une porte fermée. Après s'y être engouffré, il la referme derrière lui. Quoi ? Un bordel ? Il y a sûrement des escortes à l'arrière. Cibole ! C'est dégueulasse. J'avoue : je le juge !

Je rejoins Sacha sur la pointe des pieds. Elle lorgne un genre de tube de lubrifiant, qu'elle me décrit ainsi :

— Regarde, ça fait chaud et froid, selon le mouvement de va-et-vient du pénis…

— Un gars est entré par cette porte, que je lui dévoile en bonne enquêteuse de police.

— Et après ?

— Je ne sais pas, j'ai l'impression que ce ne sera pas propre…

— C'est peut-être juste les toilettes, ou bien il travaille ici.

— Je n'ai pas cette impression-là…

Nous rejoignons Ge, qui semble finalement avoir fixé son choix de compagnon de vie en caoutchouc.

— J'y suis allée avec un classique : le dauphin ! Le modèle le plus récent.

— Tu connais donc bien ça ! que je m'étonne, en regardant l'objet dans les tons bleutés (et, effectivement, appelé « le dauphin » sur l'emballage).

— Une collègue au travail a celui-là aussi, et elle l'aime bien ! appuie Sacha, également au courant du modèle en question.

— C'est quoi l'affaire ? Je suis donc bien peu informée des « tendances vibrateurs dernier cri » ! C'est comme les voitures ; voici le nouveau modèle de l'année, on liquide ceux de l'an passé ! que je m'indigne, comme si je n'étais réellement pas dans le coup.

— Mali ne se masturbe presque jamais, lance Ge à Sacha, comme si je me trouvais loin d'elle.

— Pour vrai ? Hugo et moi, on se masturbe ensemble souvent.

Ensemble ? Pourquoi je me sens comme la dernière demeurée de la terre en ce moment ? J'ai une libido d'escargot ou quoi ? Faut que je valide avec Coriande pour au moins avoir une « non-branleuse-compulsive » dans mon camp... On n'a jamais vraiment parlé de ça avant, et là, boom ! tout le monde se gâte à toute heure du jour ou de la nuit sans gêne, et on le crie sur tous les toits !

Sacha observe le vibrateur de Ge et semble tout à coup prise d'une illumination :

— Mais, j'y pense, tu n'en avais pas un vibrateur, Mali ?

— Pfft…

— Oui, c'est vrai, moi aussi je me rappelle. Tu lui avais même donné un nom drôle, se souvient à son tour Ge.

Bon, c'est vrai que j'ai déjà acheté ledit phallus en caoutchouc dans mon jeune temps. À vrai dire, c'était durant mon épopée universitaire où j'avais assisté à une démonstration érotique. Je m'étais sentie un peu obligée d'en faire l'acquisition, étant donné que presque toutes les filles présentes s'en étaient procuré un (comme si elles s'achetaient tout bonnement un plat Tupperware). Il me semble qu'il s'appelait « dauphin-machin » aussi… ça fait longtemps. Nous avons partagé de bons moments (plein de complicité) à l'époque, mais notre relation a, au fil du temps, perdu de ses étincelles. J'ai fini par le quitter… Je lui avais effectivement donné un nom pour faire ma comique, et c'est ce qui avait inspiré le pseudonyme de mon chanteur pour préserver son anonymat…

— Bobby Breton, que je murmure à voix basse, en regardant par terre, honteuse.

— Tu peux bien faire ta sainte-nitouche !

— Il est chez mes parents, pour te donner une idée de ma grande dépendance.

Un bruit de fond, justement dans le ton de nos propos, perturbe notre intéressante conversation.

— Chut ! Écoutez…

Gémissements d'homme, de femme, plaintes, soupirs…

— Je vous l'avais dit ! Il s'envoie une escorte juste de l'autre bord de la porte ! Je n'ai vraiment pas à vivre ça ! que je siffle, les mains en l'air, affolée.

— Non, attends, fait Ge, curieuse, en s'approchant de quelques pas.

Nous écoutons attentivement, l'oreille bien tendue.

— C'est juste un film, Mali, confirme Ge, certaine de son coup.

— Comment ça, un film ?

— Ouin ? hésite aussi la future maman en se grattant le bedon.

— Ah ! J'ai vu un reportage à la télé. Ce doit être un salon de masturbation, justement ! Tu paies et tu vas regarder un film en te...

— ARRRRK ! Imaginez l'état du mobilier !

— Collant...

— Ouache ! Là, je vais vraiment vomir... Je vous attends dehors, gémit Sacha, la main devant la bouche.

Elle revient sur ses pas pour donner brusquement son lubrifiant « pôle Nord, pôle Sud » à Ge.

— Je vais te le repayer.

Je rigole tout de même en suivant mon amie à la caisse. Madame Marlboro, qui nous regarde pour la première fois, reste silencieuse et calcule le prix des deux articles sur une simple calculette.

— Tu n'as rien trouvé ? me demande Ge.

— Non...

Elle tend les billets à la femme.

— Je vais prendre un sac, svp.

Madame du Maurier (encore la cigarette au bec) fait non de la tête. La cendre qui pendouillait au bout tombe sur le comptoir. Elle balaie le tout du revers de la main et refocalise son attention sur son feuilleton américain petit budget mal traduit. Je souris en voyant mon amie se saisir des deux objets.

— Ayoye ! C'est toujours le *fun* de sortir d'un *sex-shop*, en plein centre-ville de Montréal, avec un vibrateur géant et du lubrifiant dans les mains ! Prends un des deux, j'aurai l'air moins obsédée.

— Pfft ! Laisse faire ! Expose publiquement tes grandes habitudes de masturbation ! que je dis pour la narguer, satisfaite de la voir un peu moins assumée dans tout ça.

— Arrête de niaiser, Mali ! Prends le lubrifiant.

— Non ! Ton beau dauphin t'a demandée en mariage, j'espère ? Sinon, tu ne pourras pas y toucher, que je blague en ouvrant la porte toute grande pour sortir.

Lorsque nous arrivons près de Sacha assise sur un banc, je lui annonce, tout en parlant très fort :

— Elle a acheté son gros VIBRATEUR, finalement !

Trois passants se retournent et dévisagent Ge, maintenant rouge tomate, le vibrateur bien en évidence dans les mains, et dont l'emballage est en plastique transparent.

— Ta gueule, Mali, t'es conne…, me crache celle-ci, en tentant de dissimuler tant bien que mal les objets en question dans un des sacs de Sacha.

Comme elle est trop pressée et que le sac est plein presque à ras bord, le dauphin et le tube de gelée tombent dans la « sloche », au milieu du trottoir.

Je crie presque à tue-tête :

— Hon ! hon ! hon ! T'as échappé ton VIBRATEUR dans la rue ! Et ton LUBRIFIANT aussi !

Deux autres passants se retournent et fixent l'objet bleu non identifié au sol. Je succombe à un état d'hilarité totale. Incapable d'ajouter quoi que ce soit, je m'assois sur le banc en me tenant le ventre. Vous devriez voir la tête de Ge : elle regarde partout en essayant de réagir le plus rapidement possible. Ça vaut de l'or ! En un clin d'œil, elle ramasse les deux objets, qu'elle cherche une fois de plus à enfouir dans le sac. Sacha, qui se lève, s'y oppose :

— Non ! Ne mets pas ça dans mon sac de vêtements : c'est plein de « sloche » !

J'aimerais crier encore une fois le mot « vibrateur » très fort dans la rue, mais je suis trop tordue de rire pour en rajouter. Débrouillarde, Sacha extirpe des Kleenex de son sac à main pour nettoyer sommairement leurs objets sexuels. Elle et Ge s'exécutent en toute hâte, toisées bizarrement par les passants. Vraiment, la scène s'avère délicieuse ; c'est beau à voir !

Ge soupire en constatant que je ris toujours aux éclats.

— Est fatigante, elle !

Comme je me calme un peu, je me gâte une dernière fois :

— Booonnnn ! Tout propre ton beau VIBRATEUR !

Une fois de plus, Ge a droit à trois ou quatre regards dignes du Jugement dernier avant qu'elle ne parvienne finalement à glisser le tout dans le sac.

— T'en reviens pas pantoute, toi, hein !

— Non mais, c'est drôle ! Pour deux filles qui me regardaient de haut tout à l'heure avec vos « Mali se masturbe même pas, nananana… », je ne sais pas si c'est juste une impression, mais je trouve que vous ne vous assumez pas trop, finalement.

— Pfft ! Eille…

J'empoigne les sacs de Sacha pour les porter à sa place. Elle m'adresse un clin d'œil, complice de ma taquinerie.

Pas gênée pour un sundae !

Lorsque nous quittons la rue principale, Sacha semble prise d'une idée de génie soudaine.

— Je veux un sundae !

— Bien là, il fait moins dix degrés…

— Je veux tellement un sundae ! reprend la future maman. Non ! Un blizzard aux biscuits Oreo !

— Misère, il faut trouver ça, maintenant ?

— Maintenant !

Je dévisage Ge, qui réfléchit. Elle s'empare de son cellulaire et cherche la succursale la plus près.

— Il y en a un sur Sainte-Catherine Est.

— *Go* !

Je roule discrètement des yeux en direction de Ge. Sacha trottine sur le trottoir, contente. On prend la voiture pour se diriger à l'endroit de prédilection afin d'assouvir la fringale alimentaire de madame. Après avoir tenté de nous garer pendant presque vingt minutes, nous sortons toutes trois du véhicule, heureuses d'y être enfin parvenues.

— Je vais aller aux toilettes, j'ai un peu envie, nous annonce Sacha.

— Moi aussi.

Curieusement, en mettant les pieds dans le resto, nous constatons qu'il y a beaucoup de monde. Les envies de sundae en plein hiver semblent par ailleurs un *must* ! Nous entrons dans les toilettes, où il y a aussi beaucoup de femmes qui attendent.

— Ah non ! beugle Sacha devant tout le monde en se prenant le ventre à deux mains.

Je fronce des sourcils en direction de Ge. Sacha se met à fixer intensivement la femme en tête dans la file d'attente, en lui implorant visuellement (et non subtilement) de lui céder sa place. Compatissante, celle-ci lui fait signe de passer lorsqu'une des deux toilettes se libère. Je me tourne vers Ge, stupéfaite. Eh bien ! On s'en permet, pour une fille qui avait juste « un peu » envie !

En ressortant du cabinet, elle nous sourit à belles dents :

— Je vais aller commander mon sundae !

Après les cinq minutes d'attente (que les femmes « pas enceintes » devaient obligatoirement patienter pour se soulager), nous rejoignons Sacha à une table. Celle-ci s'empiffre à qui mieux mieux, engloutissant à pleines cuillères son dessert glacé.

— Mmmm… C'est bon…

— C'était quoi, ça ?

— Un « blizzard » !

— Non, ton tour de passe-passe dans les toilettes…

— Ah ! Je fais tout le temps ça pour ne pas devoir attendre. Les gens sont mal à l'aise et me laissent toujours passer.

— Eh bien !

— Écoutez, je suis obèse et laide ; j'ai le droit de profiter du PEU d'avantages à retirer de la situation !

— Sacrée Sacha !

Princesse d'Espagne en famille nous concocte une moue craquante avant de reprendre une énorme bouchée de son blizzard, extra Oreo (eh oui ! la recette originale n'en contenait pas assez !).

Elle est parfaite ! Je l'adore…

— Tu as vérifié avec la commis pour t'assurer qu'il n'y avait pas de lait cru là-dedans, que je demande en désignant du menton son gobelet de crème glacée.

Sacha soupire en me fixant sans me répondre, toujours affamée.

— Euh, non, Mali. En tant que professionnelle dans le domaine, je te confirme qu'on retrouve du lait cru dans certains fromages uniquement, me répond Ge, en ayant l'air de me trouver un peu sotte.

Me rendant bien compte de la stupidité de ma question, je la pousse de la hanche, dans un élan d'autodérision fulgurant :

— Peut-être dans le crémage des Oreo… c'est blanc !

— Ouf… On va faire semblant qu'on n'a rien entendu et regarder les gens entrer pour dissiper le malaise.

Vol coquin ?

La patiente a suivi mes conseils et a dressé une liste. Bien que ladite liste soit peu détaillée, je la félicite tout de même de cet effort. Maintenant, Mme Allison doit mettre le tout en action. Elle apprécie les « bénéfices marginaux » que l'éloignement occasionne dans son couple et j'espère que cela l'encouragera à mettre en place les autres stratégies énumérées. N'étant pas sexologue de métier, mes connaissances sont restreintes en matière de santé sexuelle, mais je conseille tout de même à la patiente de rendre ce point prioritaire, étant donné que son insatisfaction semble grandissante.

Le BIG BUCK semble bien réagir à l'éloignement, mais ce n'est en rien une surprise pour moi. Il a toujours eu une attitude de confort lorsque la femme se trouve à ses côtés et une attitude plus démonstrative lorsqu'elle n'y est pas. Cependant, bien que l'intérêt envers madame prenne souvent forme à distance, il ne transpose pas toujours cet amour lorsqu'elle se trouve avec lui. Comme si au moment où elle mettait le nez chez lui, tout ça s'envolait comme par magie. Curieux…

Franchement, je ne suis pas SI insatisfaite de ma vie sexuelle, quand même ! Ma psy exagère tout le temps… C'est drôle, elle m'analyse moins qu'avant et elle semble plus concrète dans l'orientation de la thérapie. Est-ce ça, l'évolution thérapeutique ?

En descendant à la cuisine, je remarque une phrase de Ge inscrite sur le tableau (toujours près du frigo, comme dans l'ancien *condo*). J'en ajoute une, déjà entendue de Marie-Lise Pilote à la télévision.

On n'est jamais si bien « clitorisée » que par soi-même ! – Ge
L'orgasme c'est comme une permanente, tu peux te la faire seule à la maison, mais t'es toujours déçue… :)

Je rejoins Ge au salon. Elle lit une revue, confortablement installée dans le canapé. Sans aucun rapport, son vibrateur repose près d'elle sur le divan. Subban ronronne, couché en boule sur ses genoux.

— Bien là ! Le dauphin n'est pas obligé de vivre avec nous autant que ça, là ! Devant notre bébé-gars, en plus ! Tu vas le traumatiser !

— C'est juste que j'ai joué avec tantôt…

— ARK ! Sur le divan ? Pendant que j'étais en haut ?

— Relaxe, Mali ! Je viens tout juste de l'acheter, je voulais juste voir comment il fonctionnait… Regarde !

Elle met le truc en marche et il se met à onduler comme un serpent dans tous les sens. Un genre de petit dauphin (d'où le nom) vibre à la base du gros phallus de plastique.

— Coudonc, ça fait donc bien du bruit, cette affaire-là ! C'est turbo-diesel ou quoi ?

— Il n'offrait pas l'option de silencieux !

— On va en parler, justement…

— Quoi ?

— Je ne veux pas t'entendre te « clitoriser » à toute heure du jour et de la nuit !

— Bien là !

— Je suis très sérieuse, Ge ! Nos chambres sont proches. Je vais t'entendre le partir et je vais me dire : bon, elle va sûrement venir bientôt… Ouache !

— Il est hydrofuge ! Je l'utiliserai dans la douche !

— Ouin…

— L'article que je lis me paraît justement très intéressant pour toi… « Comment raviver la flamme par des activités osées en couple. »

Je n'aurais pas dû parler de mes insatisfactions. Maintenant, tout le monde pense que notre vie sexuelle est terriblement ennuyeuse !

Je suis tout de même « un peu » intéressée... L'article parle de chambre d'hôtel (déjà fait), de jeux érotiques (déjà expérimentés aussi : le jeu de Skip-Bo-conséquences, vous vous souvenez ?), de faire l'amour dans des endroits publics (les toilettes du restaurant asiatique). Coudonc, c'est un résumé de ma vie ou quoi ?

Le bébé-gars, que nous dérangeons dans son roupillon, nous miaule sans gêne : « Vous êtes deux cochonnes... »

— Choqué, le bébé-gars ?

— Eille, eille, eille ! Le petit bébé de sa maman ? On ne chicane pas sa mamannn...

Je lui tapote vigoureusement les fesses avant de revenir à l'article. Une suggestion m'intrigue particulièrement : un vol coquin ?

— C'est quoi ?

— Une compagnie aérienne organise des vols spéciaux : tu achètes un billet et tu baises dans les toilettes de l'avion. Comme beaucoup de gens nourrissent ce genre de fantasme et que ce n'est techniquement pas évident lors d'un vrai vol, bien tu réserves et tu réalises ton rêve, sauf que l'hôtesse de l'air ne cogne pas à la porte pour se plaindre que c'est trop long...

— Donc tu voles juste au-dessus de Montréal, tu fais l'amour, et c'est tout ?

— Oui, madame ! Ça dure une heure trente !

— Eh bien, on aura tout vu !

Je songe à l'idée ; imaginez : vous réservez super d'avance (probablement) et, en planifiant votre week-end, votre *chum* vous dit : « Qu'est-ce qu'on fait samedi ? On va au resto ? Ah non, chéri, tu ne t'en souviens pas ? On a réservé pour s'envoyer en l'air dans les toilettes d'un avion… Ah oui, c'est vrai ! C'est à quelle heure, donc ? À quatorze heures. » *Wow !* Super naturel ! Vive la spontanéité ! Et imaginez le couple qui se querelle le matin même : « Tu ne ramasses jamais ton linge sale ! Je n'ai pas eu le temps, arrête de toujours m'adresser des reproches. Je m'en vais chez Maurice pour relaxer ! Bien c'est ça ! Reviens à quatorze heures, on a notre vol coquin ce soir et c'est non remboursable, je te rappelle ! »

Ouf ! Non merci, je passe mon tour pour l'orgasme aérien ! Imaginez la scène en cas de turbulences : « Chers passagers, comme le pilote vient d'allumer la consigne de sécurité, veuillez cesser votre baise, regagner votre siège et boucler votre ceinture de sécurité dans les plus brefs délais. Merci. »

— Il y a aussi la bouffe…, continue de lire Ge dans l'article en question.

— Comme s'enduire les seins de Nutella, et l'autre le lèche ?

— Oui.

Non merci pour les dégustations érotiques également. Ce sont deux étapes séparées dans ma tête ; on mange et ensuite on… Pas les deux en même temps ! Il ne faut pas mêler les affaires[5].

— Tu rejoins ton *chum* plus tard ?

— Oui, au Théâtre St-Denis. Je vais l'entraîner prendre un verre après, pour discuter…

---

[5] Confidence d'auteure : quand j'étais petite, je détestais que les aliments se touchent dans mon assiette. Il en est de même encore aujourd'hui, mais avec plus de contrôle, disons. J'ai réellement un esprit de catégorisation développé.

— Il faut vraiment que je rencontre quelqu'un bientôt, ça commence à être long, ressasse de nouveau Ge.

— T'es pas obligée de continuer ton abstinence totale, Ge.

— Non, je l'ai dit ! Je tiens le coup ! Ça sera juste meilleur…

En l'écoutant, je réfléchis. Je regarde tour à tour Ge, son vibrateur bleu et le chat qui se love toujours contre elle. Je pense sérieusement à ma situation, à mon couple… Paf ! Une illumination me frappe ! Je sais ce que je vais faire pour permettre à la flamme de renaître. Ah, que je suis brillante !

Défi bien amené = défi accepté

Lorsque j'arrive à la salle de spectacle, le portier me reconnaît. J'espère, ça fait deux cent trente-sept fois qu'il me croise ici ; le contraire se serait avéré louche ! La prestation de Bobby n'étant pas terminée, je me sers un verre de vin blanc dans la loge avant de me diriger à pas de loup derrière la scène. Je fais bien attention que mes chers talons hauts ne fassent pas de bruit et, surtout, je fixe le plancher pour ne pas accrocher un maususse de fil. Ma phobie. Des câbles jonchent partout le podium derrière le rideau. Les techniciens installent cette ondulation de fils électriques pendant des heures dans la journée. Chaque fois, je paranoïe. Je crains que mon talon soit retenu par le fil le plus important et que le son coupe d'un seul coup. Boum ! « Nous sommes désolés, problème technique : on va devoir rembourser tout le monde. On ne comprend pas ce qui s'est produit… » Ouf… Vous comprendrez donc que je suis toujours très vigilante du talon.

J'écoute la fin de sa prestation. Il termine presque toujours son spectacle avec *L'amour voyage*. Un de ses grands succès en carrière. MA chanson. Les gens la redemandent chaque fois. Après les salutations, il surgit près de moi à droite de la scène, telle une gazelle pourchassée. Il souffle un peu avec la bouche (l'adrénaline après un spectacle) et me fait un beau clin d'œil. Il me regarde de haut en bas, en levant les sourcils. Bon, j'avoue que ce n'est pas inscrit dans ma liste de stratégies en tant que telle, mais dorénavant je vais m'habiller plus *sexy* (toujours de niveau 3 en montant ou presque…). Je porte ce soir une jupe en jeans noir qui monte par-dessus le nombril, un chemisier noir rentré à l'intérieur (un peu déboutonné, je l'avoue), une large ceinture marron qui souligne ma taille, et mes fameuses bottes très hautes, brunes aussi. Des bas de nylon charbon également… Je ne sais pas si je suis toute seule dans mon cas, mais je me sens toujours ultra séduisante avec des bas collants. Pas quand on enlève la jupe bien sûr, car ils remontent toujours trop hauts (je dois effectuer quatre tours à la taille pour ne pas les avoir jusqu'en dessous du menton). Je trouve que ça fait de belles jambes.

Comme la foule acclame toujours le chanteur populaire, il exhale un grand coup et retourne sur scène en galopant. Le public l'exige : un rappel s'impose. Je m'assois sur une chaise près d'une petite table. Je l'observe, je m'allonge un peu le cou et je balaie la foule du regard par l'ouverture du rideau près des coulisses (je vois seulement les gens en première rangée). Leur regard plein d'admiration qui se pose sur mon *chum* me fait toujours un drôle d'effet. Même après tout ce temps, on ne s'y habitue pas.

En quittant de nouveau la scène, il échange un poing à poing avec deux techniciens et me donne un baiser sur la joue avant de me susurrer :

— T'as des beaux, euh... collants !

Étrangement, il ne regardait pas vers le bas du tout. Je porte mon soutien-gorge « remonte-moi-tout-ça-ma-championne »... Le seul hic : il est beige ! Misère ! Je l'avais choisi comme sous-vêtement de semaine tout-aller pour finalement m'apercevoir qu'il me sculptait un beau galbe de seins bien ronds. Je me fais donc accroire (dans un déni absolu) que du beige avec un string noir, c'est hyper tendance !

— Merci !

Timide, je souris et baisse les yeux avant de le regarder de nouveau. Il a déjà détourné son attention vers je ne sais quoi. Est-ce que je suis toute seule à vouloir que les moments de ce genre durent un peu plus longtemps ?! Il m'examine d'un regard coquin pendant deux secondes, mais passe à autre chose avant même que j'aie le temps de réagir ! En réalité, un six à sept secondes consécutives ferait mon bonheur. Dans un monde idéal, un dix secondes serait le top ! Jy Hong me citerait proba-blement un proverbe à cet effet, du genre : « Ne demande pas à une chèvre d'être forte comme un bœuf... » ou encore : « Accepte un grain de riz sans en demander un bol... » Je ne sais pas ! Pfft ! Tout compte fait, je crois sérieusement que je vais me mettre à la rédaction de proverbes asiatiques !

En revenant vers moi, il observe mon verre de vin presque vide et déclare, envieux :

— J'ai soif !

Je trottine derrière lui jusqu'à sa loge. Il a à peine le temps d'ouvrir une bière que le propriétaire vient lui annoncer que des gens sont restés pour le rencontrer. Il avale presque la moitié de sa boisson en deux gorgées motivées et repart aussitôt. C'est aléatoire ; parfois des spectateurs restent, d'autres fois non.

À son retour, Gaétan (comme je l'appelle lorsqu'il est très exalté) s'empare de nouveau de sa bière en piétinant sur place.

— Toi, ça va ?

— Oui, on a magasiné aujourd'hui. Des trucs pour bébé et… un vibrateur pour Ge !

— Hein ?

En rigolant, je lui raconte l'épopée du « dauphin » échoué sur le trottoir, et ce, devant bien des passants. Il ne semble pas vraiment écouter l'essentiel de mon histoire (encore une fois) et s'approche de moi, l'air mutin.

— Toi, qu'est-ce que t'as acheté ?

— Rien !

Il m'agrippe par la taille et m'embrasse. Il semble chaud lapin, tout d'un coup. C'est quoi, la raison ? Le seul emploi du mot vibrateur lui donne des envies ? Sûrement pas les mots « trucs de bébé » ou « dauphin » ! Méchant Cromo erectus, va (c'est bien « Cromo », il me semble) ! Je m'éloigne un peu au moment où il semble avoir envie de balader sa main sous ma courte jupe.

— On va prendre un verre !

— Où ?

— N'importe où, pas très loin d'ici.

— OK !

J'ai bien répété mon discours en ce qui a trait à mon plan. Vous savez qu'il ne faut jamais, au grand jamais, faire de reproches à connotation sexuelle à quelqu'un. Et ça vaut autant du côté des hommes que des femmes. C'est la meilleure façon de nuire encore davantage à la situation. Sujet très délicat…

En arrivant dans un petit pub, nous choisissons une table près d'une grande baie vitrée. Il partage quelques nouvelles concernant sa carrière ; les billets vendus, le lieu des prochaines représentations, deux présences télé à venir, dont une au jeu télévisé *Le Tricheur* avec Guy Jodoin.

Lorsque je sens qu'il a fait le tour des nouvelles d'actualité, j'aborde le sujet chaud.

— Tu sais que Ge est abstinente depuis vraiment longtemps, hein ?

— Oui, mais j'y crois pas trop. Je suis certain qu'elle se tape des gars en cachette dans votre dos.

— Je ne pense pas, non ; elle est réellement obsédée !

— Eh bien !

— Tu sais, elle me parle souvent de son état, de ses envies folles de faire l'amour et, des fois, je me demande si je serais capable de suivre son exemple…

Vous voyez où je veux en venir ?

— Qu'est-ce que tu veux dire ? Je ne comprends pas.

Allez, Mali, mets tes doubles gants blancs, rassemble tout le tac que tu peux avoir dans la vie et formule ton idée comme il faut.

— Je trouve que ça pourrait être drôle de se dire : « OK, on ne fait pas l'amour pour un certain temps afin de voir comment on va réagir… »

Il me fait des yeux bizarres, semblant me dire : « Pourquoi ? Je ne comprends toujours pas le but… »

J'enchaîne rapidement pour ne pas lui laisser trop de temps pour réfléchir :

— Juste comme un défi de couple drôle ! Toi, je suis certaine que tu ne tiendrais pas deux jours…

— Pfft ! Facilement !

Bingo ! Je viens de le piquer avec un « t'es pas *game* de… » ! C'est venu tout seul et c'est une idée géniale !

Je renchéris encore une fois :

— Je serais plus en contrôle que toi c'est certain, je suis une fille !

— Pantoute ! Tu m'arracherais mon linge après une journée !

— Non, mais imagine comment le désir nous dévorerait après !

À ce moment-ci, il semble réfléchir. Comme si, une fois passé l'orgueil provoqué par le défi, il songeait maintenant aux raisons sous-jacentes motivant cette gageure.

— Trouves-tu notre vie sexuelle ennuyeuse ?

— Non, non, non. T'es malade ! Pas une minute. Avec toi, c'est le meilleur sexe que j'ai eu de ma vie et de loin (toujours valoriser l'homme à profusion, c'est très important). Mais avoue que, des fois, on ne se complique pas la vie (parler au « je », Mali, au « JE »). Des fois, JE trouve que JE suis moins affriolante, moins cochonne. JE prends moins soin de toi… Ça me ferait du bien de m'en passer, pour quelque temps, pour te donner le maximum de moi-même, tu comprends ?

Bon, je retourne habilement le tout complètement au « JE ». Une vraie pro ! Il faudrait que ma psy m'entende. La réaction du *big buck*, maintenant. J'anticipe…

J'ajoute finalement, en conclusion, une parabole ratée à mon explication :

— Quand on a la source à portée de main, on ne comprend pas ce qu'est le sentiment de la soif…

— C'est une vraie expression, ça ?

— Ouais…

Il part à rire.

— Combien de temps, ton défi ?

— Je ne sais pas ; un mois ?

— Quoi ? Un mois ?

— *Chicken !* Tu ne tiendras pas…

— Pfft ! Vendu ! Et si tu tentes de m'arracher mon linge sans arrêt, je fais quoi ?

— Tu me repousses…

— *Deal !*

Il me regarde, amusé.

— Pourquoi t'as mis tes super collants *sexy* ce soir, alors ?

— Parce que je vais tellement t'agacer que tu vas flancher avant moi… C'est mon but !

— OK, j'aime ça !

Re-bingo ! Il aime ça ! Avouez que, enrobé de cette façon, c'est amusant. Une super idée ! Qui a dit que les couples ne pouvaient pas s'abstenir de façon volontaire ? Les vols coquins, la marmelade sur les seins, les objets sexuels et tout le tralala, non, merci ! La privation sera ma solution !

La cellule orageuse éclate

➡ **Décompte officiel : Sacha, 33 semaines ; Ge, 43 semaines ; Bobby et Mali, 1 semaine**

— Un mois d'abstinence volontaire ? Eh bien ! Vous êtes vraiment bizarres, vous deux, commente Ge.

— Ç'a déjà eu son effet, je te jure. Ce soir-là, il a tenté de me faire flancher toute la soirée. En passant derrière moi au bar, il m'agrippait les hanches sensuellement en me susurrant à l'oreille : « Excuse-moi… ». De retour chez lui, il m'embrassait la nuque pour me faire craquer. On a vraiment ri. Je faisais la fille qui trouvait la situation franchement éprouvante et qui regrettait presque de lui avoir lancé ce défi. Il me ressassait : « C'est toi qui veux ça, bébé », tout fier de son coup.

— J'avoue que c'est comique.

Nous sommes dérangées par la porte qui s'ouvre soudainement, sans que l'invité-surprise frappe. Personne n'entre. Aucun bruit. De la cuisine, nous ne voyons pas l'entrée du *condo*.

— Allô ? demande Ge, curieuse.

Aucune réponse. Voyons ?

— Toc, toc, toc ! Qui est là ? que je plaisante à mon tour.

Toujours rien. Nous échangeons un regard perplexe en nous dirigeant vers la porte. Et vlan ! Mon cœur fait quatre tours sur lui-même. Coriande est en petit bonhomme sur le tapis de l'entrée, un sac de bagages près d'elle, les deux mitaines lui recouvrant le visage. Ah non ! Immobile, elle pleure doucement. Hélas, je connais trop bien l'origine de l'orage…

Merde de merde de re-merde !

En une fraction de seconde, toute sa souffrance traverse ma colonne vertébrale tel un choc électrique. Geneviève met également une main devant son visage, en me fixant, un peu paniquée. J'ai envie de pleurer. Coriande, qui jusque-là pleurait pour ainsi dire silencieusement, se met presque à crier tellement elle a du chagrin. Je me rue sur elle, à genoux sur le plancher, afin de l'enlacer de toutes mes forces.

— Ahhhh ! Cori…, que je gémis en la berçant comme on le ferait avec un enfant tombé de son vélo dans la cour.

— C'est terminé…, réussit-elle à murmurer entre deux sanglots bruyants.

Silencieuse, Ge s'approche à son tour et s'assoit près d'elle, sur le pas de la porte, le visage décomposé, mais rempli de compassion. Tout le monde a déjà vécu dans sa vie une peine d'amour inconsolable. Vous souvenez-vous à quel point ça fait mal, quasi viscéralement ? Moi, oui. Je laisse échapper une larme de tristesse en lui susurrant à l'oreille, sans cesser mon mouvement de balancier :

— On est là… Chuuttt… On est là…

Après cinq longues minutes de silence à écouter pleurer Cori qui ne dit absolument rien, Ge m'aide à la soulever doucement pour lui permettre de se relever. Elle la débarrasse de son manteau pendant que je la déchausse. Je vous le dis, c'est à ce point ; je n'ai jamais vu mon amie dans un état aussi lamentable. Jamais ! J'utilise alors une technique bien connue en intervention de crise ; je l'appliquais lorsque j'intervenais avec les policiers auprès de gens qui pleuraient beaucoup à la suite de moments éprouvants. Ramener la personne dans le concret, dans le rationnel, en lui demandant d'expliquer simplement les faits. Le but n'est pas d'engourdir sa douleur, mais de lui donner au moins un léger répit entre deux sanglots. Cori gémit tellement elle pleure depuis un trop long moment. Maintenant assise sur le divan, elle se mouche et semble se calmer petit à petit.

— Qu'est-ce qui s'est passé ?

Ça fonctionne. Elle termine de s'essuyer le nez, s'éponge un peu les yeux et débute le récit.

— Honnêtement, c'est depuis qu'il travaille là-bas que ça ne va pas...

Je m'en doutais tant...

— Le premier mois, lorsqu'il est revenu pour sept jours, il avait deux cents millions de choses au programme, comme d'habitude. Je m'étais dit : « Coriande, c'est la première fois qu'il partait si longtemps, il avait des trucs de planifiés, ne capote pas. » Mais là, chaque fois qu'il revenait, c'était la même histoire ; on soupait ensemble le premier soir qu'il arrivait ; fatigué de son long voyage en avion, il s'endormait ensuite sur le divan. Les jours suivants, c'étaient les amis, les spectacles de musique, le *party* d'anniversaire de l'un et de l'autre, les tournois de poker... Et moi, je ramassais les miettes lorsqu'il rentrait à la maison, épuisé par toutes ses activités sans moi...

— Criss qui m'énarve ! que je rage, sans pouvoir retenir mon commentaire.

Elle poursuit :

— Je suis alors devenue la blonde la plus chiante du monde : « Tu t'en vas encore ? Bien oui, tout est plus intéressant que de passer du temps avec moi, hein ? » Et quand on se voyait enfin, je faisais la gueule... Je le comprends tellement dans le fond, se culpabilise-t-elle en se remettant à pleurer de plus belle.

— Eh non, Cori ! Ta réaction était tout à fait normale, voyons !

— Il descendait sept jours de Fermont et, je vous jure, on devait faire une ou deux activités ensemble, maximum...

Je vais l'étriper. Simonaque ! À un moment donné, à l'âge que t'as, passe à d'autres choses que tes amis, tes amis et tes amis tout le temps !

— Et là ?

— Bien, on s'est avoué que ça n'allait plus trop bien depuis déjà trois mois. On s'obstinait tout le temps. Quand il est revenu ce week-end, je m'étais dit : « Coriande, ne fais pas de chicane dès qu'il entre dans l'appart, attends de voir ce qui se passe... » Quand il m'a dit qu'il avait quelque chose samedi soir, j'ai craqué. La crise... Finalement, il n'est pas allé à sa soirée et on a discuté pour en arriver à la conclusion que c'était la fin. Il est tanné de toujours se sentir pas correct, de recevoir des reproches, d'être déchiré entre moi et tout ce qu'il a le goût de faire. Et surtout, écœuré que, quand on se voit, je ne sois pas du monde...

Nous avons convenu que je vais rester à l'appartement, étant donné qu'il n'est jamais là de toute façon.

— Et quand il sera à l'appartement ?

— Tu habiteras ici ! décide Ge, sans lui laisser le temps de répondre.

À cette perspective, elle se remet à pleurnicher de plus belle. Misère ! Je suis si triste pour elle. Je me revois, au début du nouvel emploi de mon frère, en train de la convaincre des avantages de l'éloignement pour le couple... Eille !

— J'étais certaine que c'était lui le bon, les filles... pour une fois que j'étais amoureuse...

— Ahhhh, que je gémis en la reprenant une fois de plus dans mes bras.

Les stratégies de Bobby ?

En me rendant chez mon *chum* en cette fin de jeudi après-midi, je songe à notre pauvre Coriande. Elle a passé le début de la semaine à la maison, comme convenu. C'est très difficile. Elle pleure sans arrêt. Comme elle avait encore des congés flottants, elle n'a pas travaillé de la semaine. Non mais, les conventions collectives devraient prévoir des congés pour peine d'amour. C'est vrai ! Il est impossible de travailler quand on souffre de la sorte. L'employeur pourrait rencontrer l'employé en détresse afin de vérifier les symptômes dépressifs : yeux rougis en permanence, allure vestimentaire négligée, cheveux gras, nez irrité, cernes géants sous les yeux, difficulté à se nourrir et perte de poids subite, intérêt notoire à écouter *Les feux de l'amour* en pyjama tout l'après-midi... Bingo ! Vous avez droit à un congé pour peine d'amour payé par la compagnie ! Coriande a discuté avec Chad mardi au téléphone ; elle a pleuré dans sa chambre tout le reste de la soirée en nous implorant de la laisser en paix.

Vous savez, une peine d'amour, c'est exactement comme un deuil. C'est-à-dire qu'il y a des étapes bien précises à franchir pour surmonter positivement cette épreuve. J'ai même inventé un modèle en cinq phases. Coriande se trouve présentement à la première, que je nomme tout bonnement :

PHASE 1 : LA COQUILLE VIDE

Étape se décrivant par le choc, la stupéfaction, le sentiment que la situation est irréelle, l'impression d'être dans un mauvais rêve et de ne pas réaliser ce qui se passe. Certaines personnes avouent même avoir l'impression d'être presque sorties de leur corps et d'être spectatrices de leur vie. Certaines pleurent beaucoup, tandis que d'autres, pas du tout. Dans le cas de Coriande, les larmes déferlent comme une vraie cascade. Ladite phase est habituellement de courte durée. Heureusement…

Je n'ai pas reparlé à mon frère depuis. On dirait que je ne suis pas prête. Je dois attendre de digérer le motton un peu. Je lui en veux tellement. Ma mère m'a dit qu'il était déçu, qu'il avait de la peine, mais qu'il avait l'air en forme. Eille ! Maudits hommes ! Ils vivent une rupture et – quinze, vingt minutes après – la vie reprend son cours et tout va bien dans le meilleur des mondes ! Comment font-ils ? Ça me choque tellement ! Pourquoi ils ne pourraient pas se morfondre eux aussi pendant des jours, en écoutant *Rocky* tout en pleurant leur vie pendant la scène d'Adrienne ?

Pour le moment, Ge et moi, on tente de respecter l'état quasi de décomposition de notre amie. On la surveille pour qu'elle se

97

nourrisse un peu, pour qu'elle se lave (minimum un bain par semaine – comme dans les CHSLD) et, surtout, pour qu'elle ne boive pas (trop). Cori n'a jamais eu de problème d'alcool en tant que tel (du moins, pas plus qu'aucune autre membre de la consœurie), mais disons qu'elle a tranquillement descendu une bouteille de merlot (à elle toute seule, comme une grande) hier soir, et la nuit fut difficile pour toutes les habitantes du *condo* (y compris Subban). Elle a pleuré pendant presque deux heures dans son lit, de deux heures à quatre heures du matin. Inconsolable, la pauvre. Durant ma supervision à la garderie ce matin, on aurait dit que tous les petits bouts de chou s'étaient donné le mot pour chigner chacun leur tour. J'avais l'impression d'entendre des pleurs depuis deux cents jours !

Heureusement, Sacha vient divertir Cori le jour, et nous prenons la relève le soir. Elle a aussi parlé quelquefois avec Hélène, sa maman. Celle-ci passera justement au *condo* ce soir. Je me demande bien comment ça va se passer. Elles sont plus proches depuis qu'Hélène est déménagée à Montréal en juillet dernier, mais ce n'est quand même pas la relation mère-fille de l'année.

Je suis encore dans mes pensées lorsque j'atterris chez Bobby. Comme un malade, il se rue sur moi sans crier gare.

— Ah, mon bébé ! J'ai le goût de toi ! Ah oui ! Ah oui !

Il parle comme un robot, de façon machinale. Il me saisit la jambe à la hauteur du genou et la soulève sur sa hanche en gémissant comme un con.

— Ah oui ! Je te veux !

— Bien là…, que je murmure, l'air désintéressée, en tentant de me dégager pour me défaire de mon manteau.

Je joue la fille sérieuse qui le trouve stupide. En vérité, je trouve ça très drôle.

— Ça ne t'excite pas ?

— Ah, mets-en ! Je ne me peux plus !

Je me penche pour enlever mes bottes. Il m'enlace par la taille et feint un mouvement de va-et-vient par derrière.

— Euh ! Excuse-moi, Bugs Bunny ! Je ne veux surtout pas te déranger, mais t'es en train de me « zigner » tout habillée !

— Ben non ! Voyons ! Des idées que tu te fais !

Au moment où je me relève, il m'empoigne les seins à deux mains et les palpe très rapidement comme s'il pressait les poires en caoutchouc de deux klaxons. Franchement ! Quel con !

— Ah oui ! Ah oui ! Et ça ?

— Eille ! *Wow !* Toi, t'as vraiment le tour avec les femmes !

— Sti que t'es dure à allumer…

— Qu'est-ce qu'on fait ?

— On fait l'amooouuur…

Il se trémousse sur place en faisant semblant de se tournicoter les mamelons à travers son chandail. Je ris encore. Coudonc, lui ! Il est donc bien de bonne humeur !

— Ça aussi, ça m'excite beaucoup, quand tu danses comme une *drag queen* dans la parade gaie. Continue comme ça et je prolonge le délai à deux mois au lieu d'un seul.

— OK ! J'arrête ! J'arrête ! Promis !

Il me rapproche de lui pour m'embrasser plus « sérieusement ». Le baiser dure plus longtemps qu'on aurait pensé au
départ. Il m'agrippe maintenant les fesses à deux mains et les
fait ensuite glisser (ses mains, et non mes fesses) le long de mon
dos pour prendre ma tête de chaque côté des oreilles. Il ne
déconne plus cette fois-ci, il semble très intense. Monsieur le
petit comique depuis tantôt ne rit plus du tout. Je profite du
moment, les yeux clos.

— On devrait le faire juste une fois et commencer le défi tout
de suite après…, murmure-t-il d'une voix enrouée.

— Non…

Il se distance un peu en écartant les bras.

— Mali ! Tu m'annonces ça de même sans qu'on ait eu
de dernière-fois-avant-le-défi !

Mon Dieu ! Ma stratégie s'avère du tonnerre. Il est très sérieux
en ce moment. Vous savez quoi ? C'est la force de l'interdit. Je
vois cette réaction tous les jours dans les CPE où je fais mes
supervisions de stage. Dites aux enfants : « Les amis, on ne
touche pas à cette chaise-là, car on en a besoin pour un jeu tout
à l'heure… » Tous les enfants qui en ont la chance tenteront d'y
toucher, de la déplacer, de faire n'importe quoi avec. Laissez la
même chaise au milieu de la pièce sans aucune restriction et elle
ne sera d'aucun intérêt pour personne.

— On fait une activité dehors, ça va te changer les idées, que
je clame, fière de mon coup.

Il me désigne du doigt la fourche de son pantalon en me confiant :

— Si un jour le calme revient un peu là-dedans, je vais pouvoir
vivre ma vie normalement.

C'est peu discret pour le moment son affaire, c'est le moins qu'on puisse dire !

— On va patiner ! Ça va te refroidir l'esprit… et l'entrejambe !

— Travailles-tu dans le textile, poupée ?

C'est quoi cette *joke* plate-là, donc ? Ça me dit quelque chose… Je hausse les épaules en guise de réponse.

— Bien, en tout cas, tu travailles dans mes jeans ! Ha ! ha ! ha !

— Ark ! Gino Camaro ! Grosse corvette, petite quéquette ! que je lance sans trop de rapport.

— Mali…, geint-il encore comme un enfant. Une petite fois de rien…

— Allez !

En route vers la patinoire, nos patins accrochés à l'épaule, il me demande des nouvelles de Coriande. Je lui décris brièvement son état peu-jovial-face-à-la-vie.

— J'ai peine à croire que Big Dick a pris cette décision-là…

Vous vous souvenez que mon frère et lui sont assez « intimes » l'un de l'autre pour se traiter allégrement de noms en lien avec leur pénis ? Disons qu'ils sont moins proches depuis que mon frère a obtenu ce contrat dans le Nord, mais quand même…

— C'est très dommage.

— C'était vraiment le *fun* faire des activités avec eux, se désole encore Bobby.

Comme nous n'avons pas mangé, nous optons pour avaler un sous-marin sur le pouce. Il y a une patinoire publique pas très loin de chez lui. L'hiver, je laisse toujours mes patins dans le coffre de ma voiture, car j'adore cette activité hivernale (vous vous souvenez, je patinais souvent avec You Go en Gaspésie ?). On s'est habillés chaudement, car il fait froid ce soir. Nous effectuons quelques tours de glace avant de tenter d'esquisser des figures de patinage artistique. Deux enfants ! Bobby est très bon patineur puisqu'il a joué au hockey plus jeune. Après avoir refusé qu'il me lève au-dessus de sa tête (franchement !) à la mode de *Danse lascive*, nous poursuivons nos tours de piste. Quel agréable moment ! La vie est douce et paisible ce soir ! Des flocons se mettent à tomber doucement... *Wow*, quel cadeau du ciel !

Je ne voulais pas voir ça !

De retour chez Bobby, j'entreprends un projet peu commun pour moi : prendre un bon bain chaud. Non mais, on a eu très froid, un spa aurait été génial, mais de spa il n'y a pas ! Bobby propose de se joindre à moi. Hish... dangereux pour notre défi. Voilà une bonne façon de tester nos limites ! Comme Matt Damon (son gérant qui sort toujours avec la pétasse... euh... la charmante et adorable attachée de presse Nathalie Gingras) appelle, je me charge de remplir la baignoire et de faire mousser légèrement l'eau. À défaut d'avoir le produit adéquat (dans une maison de gars, on oublie ça), j'utilise mon gel douche personnel. Ça sent la fille un peu, mais il n'y verra que du feu. Après son appel (qui dure des lunes, sans grande surprise), il me rejoint à la salle de bain. Je suis déjà enfoncée dans la baignoire, immergée jusqu'au cou. Il commence à se déshabiller en me racontant avec ferveur les détails de la conversation.

— Sacré Mathieu ! Cibole, il me dit : « Tu sais le spectacle à telle place la semaine prochaine, je suis con, j'avais planifié un *show* corporatif le même soir, donc là, il faut le changer de date... »

Je le regarde de côté pendant qu'il me parle, étant donné que la baignoire longe le mur du fond, juste à côté de la toilette. Une fois nu, il continue de m'expliquer cette histoire de vendredi soir trop chargé, avant de faire quelque chose de complètement absurde : il s'assoit tout bonnement sur la toilette ! QUOI ? Vous avez bien lu ! Je suis totalement « flabbergastée » !

Je lui coupe la parole en gueulant sans ménagement :

— CALVAIRE ! QU'EST-CE QUE TU FAIS LÀ ?

— Quoi ? Chez moi, je fais pipi assis ; il paraît que c'est mieux pour la prostate parce que…

— VOYONS ! que je m'exclame de nouveau avec stupéfaction, puis je tourne la tête dans la direction opposée (c'est-à-dire vers le mur).

Que ce soit mieux pour la prostate ou pas, je m'en balance. Je viens de voir mon *chum* assis sur une toilette pour la première fois de ma sainte vie ! Simonaque ! Je ne voulais pas le voir dans cette position, ou plutôt, je n'étais pas prête à voir ça ! Croyez-le ou non, je n'ai jamais vu Bobby faire pipi devant moi (même debout). OK, parfois en forêt, il urine contre un arbre et je ne suis pas très loin, mais jamais AUSSI PRÈS de lui. Écoutez, je me trouve en ce moment à moins d'un mètre de la foutue cuvette ! De toute façon, dans ma vie (surtout de couple), je ne veux rien savoir des histoires de toilettes de qui que ce soit (sauf dans le cas de Sacha, qui ne peut pas s'empêcher de toujours fournir des détails inutiles sur le sujet parce qu'elle a, selon moi, stagné au stade anal…). Le pire dans tout ça, c'est que mon *chum* a toujours été très prude sur le sujet également. C'est quoi, ce soir, cette grande aisance soudaine ?

— Mali ? Tu capotes pour vrai ?

— Ça y est ! Notre vie de couple est terminée ! Fini l'amour ! Dans ma tête, je viens de te voir en train de... Ark, ark, ark !

— Bien voyons donc ! Tu me niaises ?

— Non, non, rien ne sera plus JAMAIS pareil...

Bon, je joue la comique avec mon air théâtral scandalisé et j'exagère les faits, mais honnêtement, j'ai une image peu virile de mon *chum* en ce moment. Mon *big buck* masculin, guerrier et puissant... assis sur le bol ! Moi, les couples qui se voisinent allégrement pendant que l'un ou l'autre est aux toilettes, je trouve ça fascinant ; j'en ferais même un sujet d'étude pour une maîtrise en psychologie relationnelle !

— Donc, ça m'a fait plaisir d'être en couple avec toi. C'est vraiment triste que nos chemins se séparent si abruptement, après tant d'années de bonheur et de complicité...

Sans faire mine d'écouter mon discours débile, il met une jambe dans la baignoire après avoir actionné la chasse d'eau. Je peux au moins retourner la tête.

— C'est chaud...

— Je vais ramasser mes affaires et on pourra se dire qu'on aura tout donné, qu'on sera allés jusqu'au bout, pour que ça fonctionne entre nous deux ! Le destin en a malheureusement décidé autrement...

Je me redresse dans la baignoire pour faire semblant de quitter les lieux. Il me tire vers lui un peu brusquement. Son geste a pour conséquence d'éclabousser quasiment la moitié du plancher.

— Eille ! Tu vas inonder le premier étage !

— Oups !

Il se déplace plus en douceur pour tenter de s'emparer d'une serviette. Comme il est trop loin du comptoir (et qu'il est trop paresseux pour sortir de la cuve), il se met à genoux dans la baignoire pour l'atteindre. Je me retrouve donc avec sa raie des fesses presque dans le visage.

— C'est super le *fun* ! Après ta scène sur la toilette, me voilà le nez quasi dans ton derrière ! De mieux en mieux !

— Je l'ai ! Bah ! Mali, arrête de chialer, t'aimes ça !

— Tellement envie de toi présentement, j'ai le goût d'annuler notre défi sur-le-champ.

En continuant d'essuyer le plancher dans cette position (son postérieur me regardant toujours droit dans les yeux), il se tourne la tête, tout content :

— Pour vrai ?

— T'es malade ! Après ce soir, notre vie sexuelle est officiellement anéantie. On peut être amis, c'est tout. Ces images-là vont revenir me hanter pour le reste de ma vie…

— Bon, déluge au premier étage évité, annonce-t-il en se replongeant doucement dans l'eau. Qu'est-ce qu'on disait ? Ah oui, que tu te mourais d'envie pour moi et que tu voulais me faire une pipe sous-marine !

— Oh que non ! Tu ne m'écoutes pas pantoute, hein !

Je lui lance un peu d'eau au visage. Comme il essaye de me ramener vers lui toujours sans aucune précaution, l'eau déborde une fois de plus sur le plancher de céramique.

— Câlice ! blasphème-t-il en se redressant de nouveau.

Je ris de bon cœur. Décidément, je crois qu'on est un peu grands pour prendre un bain à deux ! Il me remet son derrière (légèrement velu) en plein visage pour éponger le plancher une seconde fois. Re-*wow* !

« *Shower* » de bébé plate ?

La patiente vit des moments de tendresse avec son compagnon. Sa décision de prescrire à son couple un moment d'abstinence volontaire me paraît tout à fait innovatrice et intéressante. Je n'y avais pas pensé moi-même… À croire que l'élève dépasse le maître ! Je suis certaine qu'inconsciemment l'expérience de voir une de ses amies dans la souffrance, après une rupture amoureuse, lui fait apprécier d'autant plus les moments de bonheur qu'elle vit. Mme Allison a cependant vécu un malaise à la suite d'une barrière d'intimité que son partenaire a semblé laisser tomber un de ces soirs. Elle doit, selon moi, oublier cette mésaventure et ne pas lui accorder trop d'importance.

Sans grande surprise, le défi d'abstinence a amusé et piqué l'orgueil du BIG BUCK. Il réagit comme un enfant à qui on a interdit l'accès à une pièce de la maison ; il tente d'y entrer sans arrêt. L'homme est si prévisible dans ce type de comportement archaïque. Tiendra-t-il réellement le coup pour toute la durée du défi ? Contrôlera-t-il sa libido ? Difficile à croire pour moi…

En refermant mon livre, je songe encore à cette histoire de toilette. J'ai fait bien des blagues sur le coup, mais j'espère tout de même que mon message (« lubrifié » avec de l'humour) a passé. Je ne veux pas qu'on se mette à se « flatuler[6] » dessus comme Sacha et Hugo !

Aujourd'hui, samedi, c'est jour de fête. *Shower* de *baby* ! Participantes à l'évènement : les consœurs, le partenariat externe (avec Hélène comme nouvelle membre recrue – en stage d'apprentissage), deux tantes de Sacha, deux collègues à elle également, et Françoise (eh oui !). La fête se déroule ici, chez Ge. La tactique pour attirer notre amie dans le piège : Hugo lui a fait croire qu'ils allaient chez IKEA. Lorsqu'il sera près d'ici, il nous textera : « Les baleines ont des dents… » À ce moment-là, Ge l'appellera dans une panique folle pour déclarer qu'il y a un dégât d'eau extrême dans sa cuisine. Il se proposera pour venir nous donner un coup de main étant donné que, « par hasard », ils ne se trouvaient pas loin du *condo* de Ge. Lorsqu'il sera devant la porte d'entrée, il nous écrira un nouveau code : « … et elles hululent à la lune » pour nous signaler leur arrivée imminente. Ne me demandez pas le rapport que toutes ces phrases incohérentes ont entre elles ! You Go tenait dur comme fer à créer un scénario digne de l'épisode final d'une saison de *CSI : New York* ! Je crains qu'il n'ait beaucoup trop de temps libres…

Je descends rejoindre le groupe de femmes qui préparent une table coquette en disposant les cadeaux et la bouffe ici et là. Coriande ne semble pas si mal en point aujourd'hui. Vous savez, la distraction, la fête, l'excitation de la surprise lui font du bien. Lorsque sa mère est venue lui rendre visite jeudi passé, Ge m'a dit que ce fut assez bref, merci. Il n'y a pas eu de retour sur le sujet avec elle non plus. Coriande a juste commenté : « Bah, c'était correct… » Correct ? Est-ce que c'est bien ou non ? Pas évident de savoir.

---

[6] *Le Petit Dubois Illustré* s'en vient bien garni…

Je dois aussi préciser qu'elle est passée à la phase 2 de son deuil depuis à peine quelques jours.

PHASE 2 : LA CLAQUE RÉCURRENTE

À cette étape, la personne fonctionne déjà mieux qu'à la première phase ; elle peut travailler, vivre sa vie, mais la peine ressurgit toujours plusieurs fois dans la même journée, comme une gifle en plein visage, et ce, sans crier gare. L'endeuillée peut souper entre amies, être relativement bien et, soudainement, paf ! la gifle survient et la soirée est complètement gâchée. La personne veut juste s'en aller pleurer en boule dans un coin de sa chambre (ou dans son *walk-in*, pour les plus chanceuses). Elle réalise à cette étape l'irréversibilité de la perte, elle s'ennuie et tout lui fait penser à l'autre, telle une vraie obsession. Elle se sent seule et elle cherche le contact avec l'ex (pour Cori, c'est plutôt complexe). Durant cette phase, certaines personnes vont entretenir des espoirs irréalistes, d'autres concocteront toutes sortes de stratégies pour que l'ancien conjoint change d'idée. Voilà donc où en est notre consœur en ce moment. Quand je serai seule avec elle, je tenterai de vérifier si elle entretient ce genre d'espoir.

Comme les préparatifs semblent terminés, Ge propose avec beaucoup trop d'enthousiasme de nous montrer le tableau où elle est rendue dans son jeu de chasse sur la Nintendo Wii. J'avais oublié de vous dire : les quilles, c'est terminé ! Révolu ! Du passé ! Éculé comme jeu ! Elle s'est procuré une arme à feu (en plastique orange) et un jeu de chasse sportive. À défaut de chasser les hommes, elle tue tout ce qui bouge (comme une vraie accro) dans une forêt boréale télévisuelle assez réaliste.

— L'épreuve cinq ! Vous imaginez ! Eille, il y a des loups qui surgissent de nulle part et des bisons cachés derrière les arbres. Des ours aussi…

Ma mère dévisage celle de Sacha, qui toise à son tour Hélène curieusement. Les deux collègues de Sacha et ses tantes s'approchent et se montrent intéressées (pour être polies). Ge commence sa tuerie. Pow ! Pow ! Paf ! C'est hyper violent. Les animaux sont projetés de tous côtés, meurtris et ensanglantés. Après plusieurs minutes de ce massacre, Ge se désole en baissant son arme (de destruction massive). L'écran se macule de rouge ; elle s'est fait engloutir par un ours apparu par surprise à droite de l'écran.

— Zut ! J'oublie toujours celui qui sort de l'épinette.

— Mon tour ! s'avance Coriande en attrapant le fusil de ses mains, l'air exalté.

Geneviève lui explique la façon de s'inscrire pour débuter au tableau un. Cori se met ensuite à tirer des balles dans tous les sens (dans l'écran, bien sûr). Pow ! Pow ! Une vraie folle ! Elle atteint tout ce qui bouge, dans le temps de crier « chevreuil ». Elle arbore un visage de satisfaction inquiétant, commentant ses meurtres en rafales : « Tiens, toi ! Et toi, prends ça ! Toi, l'animal, tu vas mourir… » Je me demande à cet instant même jusqu'à quel point ce jeu lui est bénéfique, vu la fragilité de son état émotif. Elle semble prise d'une rage insensée, digne de la faire arrêter séance tenante par la Société pour la protection des animaux. Je devrais peut-être cacher notre bébé-gars dans la salle de bain ? Elle semble également se libérer d'un trop-plein d'émotions intériorisées depuis plusieurs jours, si vous voyez ce que je veux dire. À tel point que ses cris de jouissance meurtrière créent un malaise dans le salon. Les convives se regardent, ambivalents face à sa motivation démesurée, compte tenu de la nature agressive du jeu. À l'évidence, elle a atteint le nombre de points suffisants pour passer au tableau suivant.

— Encore ! Je vais tous les saigner ! s'enthousiasme-t-elle de nouveau, ayant presque de l'écume à la commissure des lèvres.

Nous sommes sauvées par la cloche, puisque Ge reçoit sur son téléphone portable le fameux message : « Les baleines ont des dents... »

— On reprendra le jeu plus tard..., que je propose en tentant d'enlever doucement l'arme en plastique des mains de Coriande.

Elle la retient contre elle, réticente à me la rendre. J'ai l'impression de faire une intervention d'urgence auprès d'un braqueur de banque dangereux : « Tranquillement... Faites-moi confiance et donnez-moi votre arme.... Oui, c'est ça, allez, lâchez-la doucement... »

— OK, approuve-t-elle finalement, les yeux encore bien arrondis par sa stimulation exutoire destructrice.

Au téléphone, Ge feint avec brio le dégât d'eau fictif à Hugo telle une actrice digne d'Hollywood. Je syntonise une chaîne de musique douce sur le téléviseur. Bon ! Recréons une ambiance joviale et, surtout, adaptée à un *shower* de bébé !

Peu de temps après s'affiche la suite du message codé sans queue ni tête de You Go : « ... et elles hululent à la lune ». Voilà ! Ils sont tout près du *condo*. Une excitation palpable gagne tout le groupe. On frétille sur place, on rigole de nervosité, on détermine l'emplacement de chacun dans le salon et on se met d'accord pour crier bien fort « surprise ! » au même moment.

On cogne à la porte. Ge crie, désinvolte :

— Entrez !

Dès que Sacha ouvre (elle ne nous voit pas), elle nous insulte sans même avoir pris le temps d'ôter ses bottes :

— Bande d'incompétentes ! Vous avez bousillé l'évier de la cuisine d'un *condo* neuf comme une *gang* d'attardées mentales…

Elle n'a pas le temps de terminer sa phrase, car dès qu'elle met le nez dans la pièce, nous lui hurlons notre « SURPRISE ! » à tue-tête. Elle crie, met la main devant la bouche et recule d'un pas en se tenant le ventre avec l'autre main.

— Ahhhhh ! se réjouit-elle aussitôt. Vous allez me faire accoucher prématurément (probablement une blague classique de femme enceinte dans tous les *showers*-surprises du monde entier) !

Tout le monde l'embrasse ; elle paraît vraiment contente. Je fais un poing à poing de victoire avec Hugo.

— Elle n'a pas cessé de vous insulter dans l'auto et vous en voulait à mort de saboter son magasinage chez IKEA, moucharde celui-ci, l'air coquin.

— Mon amour…, murmure langoureusement future-maman en avançant vers futur-papa.

Elle change totalement de ton :

— Fais-moi plus jamais une affaire de même ! crache-t-elle finalement en le frappant doucement sur le torse.

Hugo nous quitte en déclarant :

— Je vous les laisse, les femmes. Prenez bien soin de mes précieux trésors…

Les mamans crient de béatitude :

— Honnnnnnnn ! C'est *cuuuuuuttte* !

Sacré You Go, qui a le tour de glisser le bon mot au bon moment pour que la terre entière le trouve merveilleux. Sacha le regarde en rougissant un peu. Ils puent le bonheur à des kilomètres à la ronde, ces deux-là.

L'après-midi se passe rondement. Hélène (accompagnée de sa guitare) chante des chansons douces à bébé. On boit du moût de pommes sans alcool dans des flûtes à champagne. On parle de bébé. On spécule au sujet de noms potentiels. On place une gageure quant au sexe du bébé. Les mamans nous racontent les croyances populaires relativement au sexe de l'enfant : la forme du ventre, sa largeur, la ligne foncée partant du nombril… Mon Dieu, elles déshabillent presque Sacha au complet pour analyser chaque détail de sa bedaine afin de confirmer leurs prédictions.

Pour ma part, je pense que c'est un gars. Ge et Cori croient plutôt qu'il s'agit d'une fille. Sa maman aussi, tandis que la mienne et celle de Coriande penchent de mon côté. Très partagée comme spéculation. Françoise refuse catégoriquement de se prononcer ; probablement parce qu'elle le sait déjà ! Sacha, elle ? Une journée, elle sent que c'est une fille, le lendemain un gars et, le jour suivant, elle craint que le fœtus soit un hermaphrodite[7] ! Bon, une autre histoire !

Au moment des cadeaux, le groupe se pâme comme s'il n'avait jamais vu de vêtements de bébé de sa sainte vie. On s'émoustille

---

[7] L'hermaphrodisme désigne un phénomène biologique dans lequel l'individu est morphologiquement mâle et femelle, soit simultanément, soit alternativement. Alternativement ? Pour certaines plantes ou certains reptiles et crustacés, je peux comprendre, mais pour les humains ? Je ne peux vous en dire plus…

devant des pyjamas minuscules : « HONNNNNN… » On crie à la vue d'une petite salopette : « HIIIIIII… » On jubile devant une peluche en forme d'ourson : « OOOOHHHH ! » On régresse toutes mentalement d'âge dans une harmonie surprenante. C'est la nage synchronisée des onomatopées ! Les mamans semblent revivre de beaux souvenirs, et les autres (comme moi) semblent avoir ce genre de réflexion : « Je veux un bébé, tout de suite ! » Bon, techniquement, je le pense à l'instant même, mais je crois que ça va me passer…

Voilà venu le moment de donner notre présent. Le groupe a choisi de ne pas offrir aux futurs parents des trucs pour bébé, mais plutôt un cadeau pour le couple. Sacha ouvre l'enveloppe et lit avant de se mettre à rire.

— Merci, les filles…

Nous leur offrons un week-end d'amoureux de deux nuits à Saint-Sauveur, avec table gastronomique et spa détente. Ils ont un an pour l'utiliser. Une feuille adjacente indique : « Nous garderons bébé avec bonheur ! » accompagnée d'un montage photo de Ge, Cori et moi avec des biberons dans les mains et des couches sur la tête. Nous arborons des faces grimaçantes et découragées, comme si nous étions complètement dépassées par les évènements. Drôle !

La remise des cadeaux terminée, les mamans racontent des anecdotes de grossesses, d'accouchements et de bébés naissants, tout en restant très positives. Donc, pas de : « J'ai souffert le martyre et je voulais mourir… » ou de « Tu ne dors pas pendant trois ans après… », ou encore : « Mon bébé était tout bleu et en souffrance fœtale… » On se concentre uniquement sur les beaux moments.

Plusieurs heures plus tard, nous nous retrouvons plus intimement. Les tantes, les collègues ainsi que Françoise ont quitté les lieux après avoir grignoté les entrées que tout le monde avait apportées. Il ne reste que le partenariat externe et la consœurie. Sacha déclare :

— Bon, on va s'amuser maintenant !

— Euh… Qu'est-ce que tu veux dire ?

On échange des regards confus et une ambiance lourde de malaise groupal s'installe.

— Bien là, les cadeaux pour bébé, les sujets sur les bébés, la musique douce pour bébé, le moût de pommes pour bébé… Me semble que ça ne nous ressemble pas !

— Quoi ? Tu trouves ton *shower* plate ?

— Oui, vous êtes comme trop « matantes ». Ce n'est pas parce que je suis enceinte qu'il faut être plate et se dénaturer !

Personne ne sait trop quoi dire. Silence radio.

— Ge, tu dois bien avoir quelques bonnes bouteilles de rouge qui traînent ici dedans ?

— Euh…

— Arrêtez de niaiser ! On se voit jamais tout le monde ensemble comme ça ! Profitez-en !

— Ben non, c'est TA soirée…

— Justement ! Vous me tapez sur les nerfs avec vos airs de saintes-nitouches qui boivent du moût de pommes depuis des heures ! Pis, c'est quoi votre thématique de vêtements jaunes laids ? Y en a pas une à qui ça fait bien !

— Ah bon…

Pendant qu'on reste toutes là, stoïques, à analyser nos vêtements, elle se dirige vers les armoires, qu'elle ouvre une à une, afin de trouver la réserve de Ge.

— Voilà !

Elle saisit deux bouteilles de vin rouge qu'elle pose sur le comptoir, puis cherche l'ouvre-bouteille dans un tiroir. Entre-temps, personne n'a bougé d'un poil de nez. Ma mère examine toujours son chemisier jaune pâle, déçue que Sacha trouve son accoutrement laid.

— Vous êtes bien trop à jeun pour mon *party* !

— Bien coudonc, si t'insistes ! approuve Cori, qui s'avance avec motivation pour lui donner un coup de main.

— Ge ! Change de canal ! C'est vraiment plate votre musique de dentiste !

Décidément ! On pensait se la jouer « politiquement correct ». On se fait ramener à l'ordre assez vite, merci. Plutôt : on se fait entraîner dans le vice par la « fêtée » !

Tout le monde se prend un verre de vin en discutant. Sacha se lance ensuite dans la préparation d'une série de *shooters* divers.

Affairée devant le mélangeur, elle déclare :

— Il n'y a plus de glace.

— J'y vais ! propose Coriande.

Deux minutes après qu'elle ait quitté le *condo*, sa mère en profite pour se confesser à la consœurie :

115

— Les *girls,* j'ai besoin de votre aide…

Ma maman se retourne d'emblée vers elle pour l'écouter.

— Je ne sais plus quoi faire, je m'y prends mal. Ma fille souffre et je trouve ça *hard* de trouver les bons mots, de l'aider… *God…*

Je m'en doutais aussi. C'est difficile pour nous d'aider Coriande, donc imaginez sa mère, qui a été absente si longtemps.

Délicatement, les deux mamans (ayant servi de mères de remplacement pendant tant d'années auprès de Coriande) prennent la parole à tour de rôle. Celle de Sacha explique :

— Hélène, Coriande est une petite huître bien fermée. Il faut y aller doucement…

Ma mère poursuit :

— La laisser venir, lui laisser le choix de parler ou non. Il ne faut pas trop pousser la note… On le sent immédiatement quand Coriande n'est pas réceptive, elle se braque.

— Vous la connaissez si bien et moi si peu…, se désole la maman de Cori.

Par respect, ma mère passe sous silence les deux longues conversations téléphoniques qu'elle a eues avec Coriande cette semaine. Elle me l'a avoué en privé cet après-midi. Les choses étant ce qu'elles sont entre elle et mon frère, ça fait du bien à Cori de parler avec ma mère, très au courant de la situation et, surtout, du principal impliqué.

— Confirme-lui que tu es présente pour elle, reste disponible ou encore propose-lui des choses à faire, des activités, reprend la mère de Sacha.

Nous écoutons les mamans discuter avec Hélène sans rien ajouter. Elles s'avèrent de très bonnes conseillères, remplissant tout à fait leur fonction au sein de notre organisation. Hélène laisse tout de même échapper quelques larmes, qu'elle essuie du revers de la main en fixant la table. Comme la principale intéressée revient, nous tentons de dissiper le malaise. Un peu difficilement puisque, lorsqu'elle entre dans la pièce, sa mère sèche toujours subtilement ses joues en reniflant. Cori semble percevoir l'ambiance lourde, mais ne fait pas de commentaires.

— C'est ma « toune » ! que je déclare en montant un peu le son.

C'est ce que j'ai trouvé de mieux à dire pour faire diversion. Sacha nous ramène à ses cocktails…

En continuant à boire (ce *party* tourne à la débauche, finalement) sous la supervision de Sacha, nous nous remémorons des anecdotes du passé.

— Le souper avec le *sexy* chef Tristan au *condo* de la consœurie… c'était malade !

Nous racontons cet épisode à Hélène, qui trouve le concept génial, étant donné son ancienne carrière de cuisinière.

La mère de Sacha se rappelle un détail :

— Et moi qui croyais, sur le coup, que les filles avaient appelé un danseur nu ! Franchement !

Vous vous souvenez quand le chef était entré avec ses sacs ? Elle lui avait demandé s'il allait se changer en plein milieu de la cuisine…

— C'est ça que vous auriez dû organiser pour mon *shower*, déclare Sacha, en ayant l'air bien sérieux.

— Inviter un chef ?

— Non, un danseur ! rectifie Sacha.

— Bien oui ! On aurait dû engager Jimmy le danseur qui est allé à *Occupation double* ! rigole Ge, déjà un peu soûle.

— À quoi ? interroge la mère de Coriande.

— Une émission de téléréalité…

— Il danse au 281 pour vrai, lui, à ce qu'il paraît ! jubile de nouveau Geneviève, en pâmoison.

— C'est ça ! s'écrie Sacha, prise d'une illumination soudaine.

— C'est ça, quoi ? que je demande, confuse.

— C'est ça que je veux faire pour mon *shower* : aller au 281 ! annonce-t-elle.

— QUOI ? Maintenant ?

— BEN VOYONS ! Ça n'a aucun sens…

Sacrifions-nous pour la « fêtée »

— En route !

Comme Hélène possède une fourgonnette, nous montons toutes à l'intérieur. Notre chauffeuse désignée = Sacha. Notre destination = le chic Club 281 ! Seigneur ! Je ne peux pas croire que l'on fait ça dans le cadre de l'évènement censé servir à souligner la nouvelle vie de maman de Sacha. C'est n'importe quoi !

— En tout cas, on se sacrifie pour te faire plaisir, Sacha ! envoie ma mère, qui semble super excitée, assise à l'arrière avec les deux autres mamans.

— C'est *tough* en maudit pour des *old-timers* comme nous autres d'aller là pour donner des carottes à des orignaux ! s'exclame Hélène, déjà un peu éméchée.

— Pas à des orignaux, mais bien à des chevreuils ou du gibier, rectifie ma mère, bonne pédagogue, afin de poursuivre la formation d'embauche de la nouvelle candidate du partenariat externe.

Hélène commence tranquillement à s'approprier le langage de l'organisation. Mais, hish, orignal et carotte : pas vraiment de lien ! Tout le monde rit jusqu'à ce que Ge prenne la parole :

— Bon, je vais profiter de l'occasion pour vous annoncer quelque chose d'important…

— Tu vas te marier et fourrer solide ! lance Sacha, vulgaire.

— Eille ! T'as pas le droit de dire « fourrer »… le bébé…, lui rappelle Cori, toujours aussi soucieuse des questions de langage.

— Hé que je n'aime pas ça le mot « fourrer », c'est obscène, approuve la mère de Sacha qui regarde la mienne, laquelle acquiesce à son tour avec dégoût.

— Laisse faire, Cori ! Le « bébé » s'en va aux danseurs ce soir… Je pense que j'ai amplement le droit de dire « fourrer » autant que je le désire, et désolée maman d'irriter tes chastes oreilles, fait valoir Sacha en s'adressant à sa copilote, qui approuve le propos incontestable, d'un signe de tête de côté.

— Ouin… Vu de même…

— J'ai été choisie pour participer à une téléréalité ! déclare Ge en tapant des mains.

Je me mets littéralement à crier à côté d'elle :

— PARDON ? NON ! NON ! NON ! Oh que non, tu ne vas pas ruiner ta vie, ta carrière et ta crédibilité dans ton *Occupation double* triple quadruple de marde ! NON !

— Ah ben ! ostie ! réagit Coriande. « Ostine », matante veut dire, se reprend-elle rapidement, en se penchant pour s'adresser directement au ventre de Sacha.

— Sérieux ? s'emballe aussi Sacha.

Je répète, catégorique :

— Non ! Non ! Non ! Tu n'iras pas ! Tu vas gentiment refuser l'offre du banquier !

— Moi, je veux aller au *Banquier* ! s'exclame la mère de Sacha à l'arrière.

Bon, la conversation va dans tous les sens. Toute l'équipe semble un peu (pas mal) « cocktail » !

Traumatisée, je fixe toujours Ge, sans trouver rien de drôle ou d'excitant dans son annonce-surprise.

— Ge ? que je pleurniche, toujours en la dévisageant.

— Mali, calme tes nerfs. Ce n'est pas *Occupation double*.

— C'est pas *Les Chefs* certain ! que je fais, toujours aussi sérieuse.

— Non, c'est moi qui vais y aller ! Ah non, moi c'est *Qui perd gagne*, c'est vrai, se désole Sacha.

— Laissez-la s'expliquer, nous prie calmement ma mère à l'arrière.

— Bon ! Merci ! C'est à la chaîne V. *Opération séduction* que l'émission s'appelle…

— Je connais ! affirme la mère de Sacha en sautillant sur son siège.

— C'est quoi ? que je demande avec mon air atterré toujours imprimé dans le visage.

— J'ai essayé de vous l'expliquer l'autre jour chez Jy Hong, mais personne ne m'écoutait ! Donc je reprends : le concurrent de la semaine rencontre quatre candidats potentiels qui doivent organiser une activité originale pour faire connaissance avec lui. À la fin de chaque rendez-vous, le concurrent donne une note secrète à chacun et le tout est dévoilé lors de la dernière émission du jeudi. Le candidat qui remporte la meilleure note sur dix gagne un week-end romantique avec le participant du jeu. Voilà !

— Quel genre d'activité ?

— Un sport, un souper, n'importe quoi !

— Tu vas faire ça ? que je m'insurge encore. Câlice !

— Câline, Mali ! Câline ! me ramène à l'ordre Coriande, la « verbo-scrupuleuse ».

— Colasse[8], ça te convient-tu ? que je me reprends. Je n'en reviens pas. Ge, ils tentent toujours de trafiquer le montage pour que les concurrents aient l'air le plus stupide possible dans ce genre de concepts, que je paranoïe encore.

---

[8] Mon très pieux grand-père maternel dit toujours ça !

— Mali, on va l'écouter cette semaine et tu verras, ils ne font pas ça…

— Quand est-ce que tu tournes ?

— Dans deux semaines, et ça va passer deux semaines après. J'ai rencontré des membres de l'équipe cette semaine pour me faire expliquer comment ça fonctionnera.

— C'est trop *hot* !

— Pas certaine, moi, que j'ajoute.

Comme nous arrivons à destination, le sujet se perd dans l'œuf (ça sonne drôle comme expression)…

Nous sommes un peu désappointées en constatant la file imposante de femmes qui attendent patiemment devant le portier. « On va rester plantées ici longtemps… », que je songe. Sans crier gare, Sacha prend la situation en main.

— Excusez-moi, j'ai vraiment très envie d'aller aux toilettes ; vous comprenez, c'est mon *shower* de bébé, j'attends des jumeaux et on vient fêter ça ici, ce soir, et…

Elle implore des yeux le portier de la laisser entrer, compte tenu de son état. Celui-ci approuve. Il ouvre la chaîne. Sacha nous fait un signe discret de la suivre.

— C'est ma femme, on est lesbiennes ! Insémination artificielle ! déclare Sacha pour justifier l'entrée de Ge aussi.

— Moi, je suis sa sœur, que j'ajoute en passant rapidement à mon tour.

— Moi, je suis sa mère, voici son infirmière privée ; vous savez, les grossesses multiples… et c'en est une intra-utérine en plus, se présente la mère de Sacha en se faufilant rapidement, suivie de ma mère.

— La marraine, je dois y aller aussi. Vous comprendrez, on doit parler du baptême et tout ! improvise Cori.

— *God !* Je ne vais pas rester icitte toute seule, moé, commente Hélène en entrant également d'un pas décidé.

Bon, je crois que le portier ne pensait pas que nous allions toutes la suivre, mais nous ne lui en avons pas laissé vraiment le choix ! Je vous jure, tout s'est passé en trois secondes ! Une grossesse multiple intra-utérine ? *What ?* Franchement ! N'importe quoi ! Nous rigolons dans le portique, patientant pendant que le placier compte le nombre de personnes que nous formons, avant de retourner à l'intérieur. À son retour, Sacha, toujours responsable du groupe, s'oppose au choix de tables qu'il vient de nous désigner : trop près de l'entrée.

— Non, plus par là, monsieur. Les toilettes sont bien au fond ? Je dois m'y rendre souvent. Vous savez, je suis enceinte de jumeaux de façon intra-utérine et…

Sans vouloir plus de détails (et probablement à cause du mot « utérine »), il accepte précipitamment, en agitant la main. Nous lui payons notre entrée, soit dix dollars chacune (sans danse privée incluse), avant de passer au vestiaire. Décidément, l'histoire d'urgence de toilette et de grossesse-multiple-utérine-machin s'avère assez efficace, merci ! Un peu plus, il oubliait de nous faire payer l'accès au club.

Dès que nous mettons les pieds dans le bar, l'ambiance électrisante nous frappe de plein fouet ; ça hurle, ça crie, ça parle fort, ça se trémousse. Ayoye ! Les femmes ont toutes l'air de vraies nymphomanes déchaînées ! Lorsque nous prenons d'assaut les deux tables qu'on nous a assignées, un serveur arrive illico-rapido-presto (c'est vite, ça !).

— ALLÔÔÔÔ, l'accueille langoureusement Ge en lui palpant effrontément le biceps droit.

D'emblée, les trois mamans se laissent emporter par la vague d'enthousiasme féminin, et crient de toutes leurs forces pour encourager le danseur qui donne actuellement sa prestation sur scène. Euh, on vient d'arriver ; ça fait une seconde ! On n'a même pas eu le temps de mettre nos bottes dans le bain ! Est-ce normal que je craigne la suite ? En songeant à cela, je me tourne aussi vers la scène. Si-mo-naque ! Un « six *pack* » bien aligné sur l'abdomen, ça peut être agréable pour l'œil, mais un « douze *pack* » bien cordé, c'est terriblement *sexy* ! Je ne suis pas du tout attirée par les « monsieurs muscles » (du genre : « Je prends des stéroïdes et les érections dans ma vie sont choses du passé »), mais je dois avouer que ce gars a un sale corps ! Pas trop « soufflé » justement, mais une silhouette très équilibrée. Très grand aussi… Je suis un peu hypnotisée par le danseur en question, qui descend juste un côté de son boxeur dans notre direction, lorsque Ge me pousse en disant :

— Le charmant Jonathan ici présent te demande ce que tu désires boire…

Elle prononce ces paroles en zieutant toujours le serveur (très bien roulé également) et en accentuant de façon exagérée le mot « désires ».

Bon, Ge est vraiment à surveiller ce soir ! Elle ne lui lance pas une simple carotte ; elle est devenue elle-même une grosse carotte ambulante ! En fait, non, je rectifie : les carottes sont interdites dans les clubs de danseurs. Elles sont confisquées au vestiaire. Sinon, imaginez, au nombre de femmes en chaleur ici présentes, on ne pourrait même plus circuler. De plus, la CSST exige l'application de ce règlement pour assurer la sécurité des employés ; sans quoi, les danseurs s'enfargeraient sur scène dans des montagnes de carottes ; ce serait un chaos « carottier » total ! Tiens, « carottier » ! C'est la première fois que j'utilise cette déclinaison…

— Euh, je vais boire quelque chose de fort : *Stinger* sur glace, s'il vous plaît !

Lorsque monsieur « douze *pack* » termine sa prestation, les filles crient si fort que j'ai l'impression qu'on entend juste nous dans le club. Je cherche Coriande des yeux. Ben voyons ? Elle discute avec un danseur en simples sous-vêtements, à quelques mètres de nous. Je saisis Sacha par le bras.

— Qu'est-ce qu'elle fait ?

— Elle se paie une petite danse tranquille, là ! rigole celle-ci en analysant la situation. Elle le mérite bien. Relaxe, Mali !

Tout le monde prend vite son aise, hein ! Sacha a raison, je vais me calmer le pompon. On est ici pour s'amuser, non ? Profitons-en ! La chanson suivante commence. Surgit alors sur la piste de danse un second danseur en costume-cravate. Celui près de Cori se lève debout sur un banc d'appoint (sorte de tabouret pour traire les vaches). Mon Dieu ! Il est très près d'elle. Andrew, le charmant danseur sur scène, semble un peu plus vieux – dans la quarantaine. Beau bonhomme ! Comme de raison, les femmes plus âgées du groupe (alias le partenariat externe) jubilent littéralement.

— Ah, *God* ! Lui, c'est mon genre ! crache Hélène, qui trépigne sur sa chaise en saisissant le bras de ma mère, toutes deux excitées comme si elles assistaient à un *show* des Rolling Stones.

— HOUUUUU ! beugle ma mère en guise de réponse.

Maman ? J'observe le pseudo-avocat sur la scène se dénuder sensuellement. Certaines filles lui apportent des pièces de deux dollars qu'elles tiennent dans leur bouche et il se penche pour les cueillir avec ses dents. Hein ? En le voyant, Hélène fouille en toute hâte dans son sac à main. Elle trouve une pièce qu'elle met entre ses dents et elle sautille, tel un écureuil, en direction de la scène. Misère ! Je me tourne vers ma mère pour m'assurer qu'elle ne caresse pas le même genre de projet. Comme si elle comprenait mon inquiétude, elle lève sa main dans ma direction en semblant me dire : « Calme-toi, Mali, je ne ferai pas ça… » Ouf !

Je me détends un peu en observant toujours le comptable au costume *sexy*, maintenant rendu à moitié nu, le nœud de sa cravate lâchement desserré, mais toujours autour de son cou. On dépeint vraiment des fantasmes précis ici. La chanson prend fin. Il n'est pas complètement nu. Le présentateur le remercie pour sa « première partie ». Le beau Andrew reviendra donc nous exposer l'intégralité de son phallus plus tard, je présume. Je suis tout de même curieuse de lui voir le…

Je cherche Ge des yeux. Elle a décidé de s'asseoir au bar finalement. Tout près de l'endroit où le beau Jonathan vient commander ses verres d'alcool. Bon ! Et du côté de Coriande ? Où en sommes-nous ? Comme la chanson est terminée, elle discute avec le danseur qui était juché sur le tabouret à vache, mais qui en est maintenant redescendu. Je la vois sortir de son portefeuille un autre billet de dix dollars. Il grimpe de nouveau sur son siège. Et voilà « un doublé » pour soulager sa peine d'amour ! Est-ce que j'aime mieux cette « thérapie » ou le jeu de chasse violent ? Je ne sais pas trop…

Je vais à la toilette. J'en profite pour me farder de nouveau le visage ; il fait chaud là-dedans. En effet, le condensé libidinal de femmes en chaleur fait grimper le thermostat de la place ! Au retour, je m'arrête au passage pour discuter avec Ge.

— Mali, je suis en amour ! Pour vrai, là !

— Bien oui, tu dois vraiment être la première ici qui « cruise » le beau Jo ! que je fais remarquer, pince-sans-rire.

— Je te jure, on dirait qu'il s'intéresse à moi !

— C'est ça que je te dis. Des carottes de serveurs ! Les pires de toutes.

Ce sont des carottes-mirages qui n'existent pas. On est certaines de l'avoir bel et bien vue, cette carotte, mais quand on tente de la saisir (habituellement autour de trois heures du matin) et qu'on s'en approche, eh bien hop ! elle disparaît, comme si elle n'avait jamais existé, telle une oasis verdoyante dans le désert.

Le serveur revient vers nous pour transmettre une commande aux employés du bar. Il me propose un verre (non pas offert, mais que je dois payer). Il frôle la main de Ge au passage. Je l'observe s'éloigner. Une autre femme l'interpelle. Il lui adresse le même geste enjôleur. Quel faux chasseur ! En fait, il chasse sans fusil. Brillant ! Les carottes-mirages de serveurs, il les maîtrise avec brio.

Je me tourne vers Cori, toujours en pleine séance de « mattage » intense. Son danseur approche la tête très près de sa joue en se trémoussant. Il fait mine de lui caresser le visage avec ses mains, mais ne la touche pas, bien entendu. Ici, on vend de l'amour, pas au mètre carré, mais à la verge[9] ! Jonathan, qui revient, me tend

---

[9] Avouez que c'est le jeu de mots le plus savoureux de ma jeune carrière d'auteure !

mon verre et envoie un clin d'œil à Ge, qui rougit en guise de réponse. Pfft… Il ne lâche vraiment pas le morceau, lui !

Et les mamans, elles ? Comme elles sont plus loin, je ne les vois pas tout de suite. Bien normal, elles se sont rassises. À vrai dire, elles se lèvent et s'assoient aléatoirement selon « l'intérêt » sur scène ! Bon ! À présent, elles ne regardent plus du tout la scène, mais bien le danseur debout devant elles sur un petit banc, du même modèle que celui du danseur de Cori. Le vendeur-d'assurances-à-cravate (alias Andrew-*the-sex-machine*) se trouve maintenant juché devant elles. Toutes les trois rigolent en lui observant les fesses à quelques centimètres du nez. Sacha nous rejoint par-derrière.

— Coriande m'a fait signe de lui apporter un autre verre ! Tout le monde s'amuse, hein ?

— En effet ! que je commente en voyant Cori au loin tendre un autre dix dollars à celui qui s'avère incontestablement SON danseur.

Mes yeux bifurquent vers ma mère, qui se retrouve maintenant avec le pénis d'Andrew à trois centimètres du visage. Elle observe la « chose » très attentivement, avec sérieux. Je détourne illico le regard. Seigneur… Je ne suis vraiment pas à l'aise avec cette scène ! Qu'est-ce qui est pire : mon *chum* assis sur la toilette, ou ma mère avec un pénis presque dans la bouche ? J'ai besoin d'électrochocs… *on the rocks*, tiens !

Dimanche, dossier 1

— Ce qui se passe au 281 reste au 281[10] ! déclare ma mère.

Nous sommes toutes assises au salon, peinardes, à se remémorer les anecdotes cocasses de la veille. Et Dieu sait qu'il y en a à profusion ! Les mamans ont dormi ici, sauf Sacha et la sienne, qui sont rentrées chez elle après que celle-ci eut fait le taxi à deux heures du matin. Pourquoi ne pas avoir fermé le bar à trois heures ? Tout simplement parce que la limite de crédit de la Visa de Coriande était atteinte, celle de Ge aussi et que ma mère en était rendue à chercher le numéro personnel de sa conseillère financière pour tenter d'hypothéquer à nouveau la maison familiale ! Sans blague, je ne sais pas combien leur a coûté la soirée, mais pour ma part, environ quatre-vingts dollars (et je n'ai fait danser personne). Disons plutôt cent trente dollars, car j'ai payé les photos ridicules prises avec le gars-machin-d'*Occupation-double* (Jonny ou Rémy ?) que Ge, Cori, Sacha et Hélène (qui ne savait même pas qui c'était) ont insisté pour avoir. Douze tomates pièce, afin de prouver au monde entier la véracité de la rencontre avec lui, torse nu ! Elles vont toutes me rembourser le montant intégral, bien entendu… Pas question que je paie pour une « torchonnerie » du genre !

— En tout cas, on peut affirmer que le partenariat externe a bien participé à l'évènement ! que je les taquine en approuvant de la tête comme un patron qui félicite ses employés.

— Une danse après l'autre, au diable la dépense ! ajoute Ge.

Hélène renchérit en riant fort :

---

[10] Comme : *Ce qui se passe au Mexique reste au Mexique !* 😊

— *My God !* On a fait danser tous les mecs équitablement, l'un après l'autre…

— Pas de discrimination raciale ou en lien avec l'âge. Les bruns, les blonds… Tout le monde égal, aucun favoritisme, complète ma mère, tout aussi comique.

— Envers les pénis non plus ; les plus petits, les plus trapus, les courbés, les circoncis… *No problem !* ajoute Hélène.

— Une belle implication de groupe ! Vous allez recevoir des ristournes à la fin de leur année fiscale !

Coriande se lève pour aller à la cuisine. Personne ne revient sur sa situation et personne ne le fera non plus. Pauvre chouette… Ça s'est drôlement terminé pour elle. Je vous explique : Cori a commencé en force en se payant le beau Shawn (on a fini par connaître son nom) pour finalement acheter un grand total d'environ vingt-cinq danses consécutives. Vous avez bien lu ! En fait, le décompte ne se comptabilise pas en nombre de danses, mais bien en périodes de trente minutes. Mathématiquement, voilà ce que ça donne : une danse = 10 $. Il existe un spécial pour trente minutes à 70 $. Donc, en supposant qu'une danse dure en moyenne trois minutes et demie, on peut estimer que ça équivaut à huit danses et demie par trente minutes. On économise quand même 15 $ par trente minutes au final, ou encore 30 $ l'heure si on est gourmande !

Notre chère amie, qui a monopolisé Shawn pendant une heure trente minutes (d'où mon estimation de vingt-cinq danses), a obtenu un rabais supplémentaire de 20 $ par demi-heure, pour un beau total de 150 $ de services dansants pour la soirée. Pourquoi cette réduction ? Simple : après cinq prestations dansantes sur le tabouret à vache, elle l'a plutôt convié à s'asseoir près d'elle pour lui raconter sa peine d'amour de long en large (pendant environ dix danses) avant de lui pleurer dans les bras (durant environ dix autres danses). Le pauvre gars (toujours en bobettes, ne l'oublions pas) a joué au psy avec notre amie en détresse tout en lui fournissant gratuitement les Kleenex (habituellement pas inclus dans le prix). La phase 2 de la claque récurrente. Je ne pensais quand même pas que la claque inattendue arriverait comme ça en plein soir de fête en allant aux danseurs. La peine qu'elle avait, si vous l'aviez vue…

En discutant de la pathétique scène avec Sacha, qui se tenait au fond du club, elle m'a répondu : « Laisse-la faire ! Elle le paie de toute façon ! » J'avais de la difficulté à lâcher prise, mais j'ai tout de même laissé tomber pour surveiller les mamans hystériques. Shawn est finalement venu à notre rencontre après l'heure et demie pour nous annoncer qu'il devait monter sur scène pour effectuer son numéro de policier. Nous avons pris la relève auprès de Coriande, et ce, à tour de rôle. Elle pleurait à chaudes larmes en se remémorant de bons moments passés avec Chad, mais aussi d'autres plus tristes. Le tout en regardant de temps à autre les hommes nus déambuler sur scène. Drôle d'image, hein !

— Et pauvre Ge qui est revenue de là-bas en grosse peine d'amour, rappelle ma mère en lui flattant le dos, assise tout près d'elle sur le canapé.

— Bah ! J'étais soûle…

Ge a rejoint Coriande dans son état de vin-triste-de-fin-de-soirée lorsque le beau Jonathan a catégoriquement refusé d'échanger ses coordonnées avec elle. « Pourquoooooiii ? » s'est-elle écriée, ivre et complètement démolie. Il faisait juste son « travail », Ge ! Les carottes-mirages… Le pauvre gars, impuissant (au sens théorique du terme), a semblé mal à l'aise de voir une cliente réagir aussi mal. À la fin, elle est devenue très insistante, voire obsédée. Elle s'est stationnée près du bar pendant trente minutes pour tenter par tous les moyens de le convaincre de le revoir. Mais en vain… Le portrait final : j'ai quitté l'endroit en tenant Geneviève d'un côté (qui hurlait : « Pourrquooooi ? ») et Coriande de l'autre qui reniflait (en disant aussi : « Pourquooooi ? »). Le tout en étant moi-même un peu vacillante sur mes bottes à talons hauts… Petite misère de vie !

Sacha a été relativement tranquille, en profitant un peu des danses des mamans, mais surtout en regardant les spectacles sur scène. À jeun, le portrait devait être différent ; on s'emballe probablement moins devant toutes les fesses nues qui se tortillent partout. J'ai été relativement tranquille aussi…

— Et que dire de Mali ! lance Ge en me regardant bizarrement.

— Arrêtez, là ! Je n'ai pas choisi la situation ! On me l'a imposée ! Je suis une victime dans tout ça…

— AH OUI ! Quand Sacha lui a payé une danse ! Ha ! ha ! ha ! se remémore Hélène en pouffant de rire.

C'est vrai… Pfft ! J'allais vous le raconter… La conne (techniquement, je ne devrais pas dire « conne », car elle est enceinte, mais je le fais quand même) m'a gracieusement offert un mec et son tabouret (toujours pour traire les vaches) pendant trois minutes trente secondes. Honnêtement, ça m'a paru durer un quart de siècle ! Je me tenais paisiblement tout près des mamans à observer deux pompiers se trémousser sur scène (ils exploitent vraiment tous les métiers) lorsque Sacha s'est approchée en compagnie d'un homme presque en costume d'Adam. Elle me l'a présenté sans détour : « C'est elle. Mali, voilà Jordan ! » Je l'ai fixé, presque horrifiée. « La craque de fesses de mon *chum* en plein visage c'est une chose, mais celle d'un inconnu… » que je me suis dit en l'observant.

Au moins, on nous avait présentés sommairement, j'en conviens. Lorsqu'il a grimpé sur son tabouret, j'ai effective-ment été prise de court en voyant apparaître sa fourche de short bien rempli (beaucoup trop près de mon visage). En reculant maladroitement d'un pas, j'ai basculé sur une chaise derrière moi. Mauvais geste nullement calculé de ma part. Disons que j'étais bien contente que cette chaise se trouve là à ce moment-là ! Le danseur avait commencé son « travail ». Comme je regardais dans tous les sens afin de voir si je n'étais pas épiée, il s'est penché pour me chuchoter sensuellement : « Regarde-moi, profites-en… » Bon, il me dit quoi faire lui, le gars tout nu que je ne connais pas qui se brasse le paquet devant moi ! J'ai fait un genre de « Oui, oui… » peu convain-cant, tout en exécutant discrètement et de biais un doigt d'honneur à Sacha, qui riait de moi au loin. Il a remis ça en me murmurant : « Détends-toi, ma belle… » Bon, Jordan le conseiller en relaxation maintenant ! Et pour le « ma belle », on repassera, le tout nu !

Il était beau, certes, mais vous connaissez ma capacité réduite à entrer dans une proximité corporelle avec les gens. Le tout mêlé à ma pudeur (voire mon dédain) face aux inconnus (surtout les hommes). Avec, en prime, une foule de femmes hystériques qui t'observent… Pfft ! Résultat : je n'étais pas bien, et ce, malgré mon IB élevé. Sacha le savait bien. Jordan s'est placé de dos pour me présenter fièrement son postérieur rebondi, et j'ai pu apprécier un peu plus le panorama (malgré la craque). Il avait une belle courbe au niveau du bas du dos (partie que j'adore chez les hommes) et, bien sûr, des fesses béton (j'imagine, même si je ne les ai pas touchées). Mais le buffet était beaucoup trop proche de mon visage pour que je puisse l'apprécier ! Quand je vais au buffet chinois, je ne me mets pas le nez dedans, je l'analyse de loin ! Et que dire de la position de face, lorsqu'il me présentait non subtilement le haut de son pénis en baissant son sous-vêtement ? Honnêtement, je n'adhérais pas ! Ça ne m'excitait pas du tout !

Présentez une photo de seins (en gros plan) à des hommes. Ils auront probablement tous instantanément une pulsion sexuelle. Présentez une photo de pénis en gros plan à une femme, elle le regardera curieusement (rira peut-être), mais je ne suis pas certaine qu'elle pensera instinctivement à l'acte en tant que tel. Dans mon cas, je le confirme : non ! Le sexe est relié au cœur par un câble (géant) pour les femmes (sauf pour celles qui se font accroire le contraire). On n'est pas aussi mécaniquement programmées dans nos pulsions primitives néandertaliennes.

Cela dit, le beau Jordan avait un beau pénis, pas d'asymétrie particulière, pas de difformité quelconque, pas de courbe trop prononcée, mais il n'en reste pas moins que je voulais que ça finisse. Avant même d'entendre la note finale de la ballade (disons à trois minutes vingt secondes), j'étais déjà debout : « Merci et bonne soirée ! » et je me suis ruée sur Sacha pour lui crier : « Enceinte ou pas, t'es une grosse épaisse… » Elle a approuvé, contente, en me déclarant : « Enfin quelqu'un qui ose avouer haut et fort que je suis grosse ! »

De la cuisine, je confirme simplement aux filles, qui papotent dans le salon :

— C'est pas vraiment mon truc.

— La mère est moins *stuck-up* que la fille ! ajoute Ge.

— Probablement… Mais le comble fut le retour avec taxi-Sacha ! que je clame.

— C'est flou dans ma tête…, affirme Ge.

— Moi aussi, se plaint Cori.

— Pas moi !

Vous savez toutes que Sacha est, comment dire, assez rebelle face à l'autorité en général ? Ça vaut la peine que je vous raconte ce qu'elle a fait (ou tenté de faire) en faisant un retour en arrière…

* * *

— POOUURRRQQUUOI ! pleure Ge sur mon épaule, assise sur le siège arrière de la fourgonnette.

— OUINN… pourrquoooi ! pleurniche à son tour Cori sur mon autre épaule.

Sacha qui conduit regarde dans son rétroviseur avant de crier :

— Sti, les bœufs !

— Hein ? que je fais en regardant derrière pour constater qu'effectivement des gyrophares pas très loin de notre véhicule sont allumés.

— C'est pour nous ? demande ma mère, « chaudaille » comme tout le reste de l'équipe.

— Oh que non, je ne pognerai pas de *ticket*, clame Sacha en se rangeant sur le bas-côté. Ne dites rien et laissez-moi faire, OK !

« Qu'est-ce qu'elle va faire ? », que je crains, confuse, mais surtout désolée de la situation.

Deux policiers munis de lampes de poche s'approchent de chaque côté du véhicule. Avant de baisser la vitre, Sacha murmure : « Si c'est le policier baveux qui m'a donné un *ticket* à pied l'an dernier, je vous jure que je lui saute dessus… »

Je croise les doigts par réflexe.

— Qu'est-ce qu'il y a ? balbutie Coriande, troublée, et ne semblant pas trop saisir ce qui se passe.

— Toi, chut ! que je lui ordonne sans ménagement.

— Bonjour, madame ! Vous saviez que vous alliez à soixante-quatorze kilomètres à l'heure dans une zone de cinquante ? débute la policière postée du côté conducteur, pendant que l'autre nous éclaire à tour de rôle dans le véhicule.

Sacha se met alors à haleter bruyamment, comme si elle... Non, elle ne va pas faire ça ?

— C'est que j'ai des contractions... Hou.... On se dirige... Fff... à l'hôpital...

— Ouin, c'est ça ! Vite ! approuve Hélène instinctivement, solidaire du mensonge de Sacha.

Les autres mamans restent stoïques, traumatisées par la « bonne idée » de Sacha.

— Ouin ! beugle Ge, tout sauf crédible dans son approbation somme toute molle, malgré son cri.

— Ah oui ? doute d'emblée la policière en éclairant le ventre de la contrevenante.

Celle-ci le tient fermement à deux mains pour feindre la douleur d'une contraction. La policière fronce les sourcils. Son collègue, qui semble toujours à la recherche d'une cargaison faramineuse de cocaïne dans le véhicule, continue d'en éclairer l'intérieur à travers les vitres. Franchement ! Ma mère se tient la main sur la poitrine, comme si elle se sentait coupable de quelque chose.

— Vous arrivez d'où ? demande la policière, toujours pas convaincue de l'innocence de Sacha.

— Du 281, ch'était son *shower* de bebés inséminés dans l'« intra-utérine », décide de s'en mêler Coriande, les yeux mi-clos.

Comme elle n'est vraiment pas en état de voler à notre secours, je lui tapote le bras pour la remercier de son commentaire (pertinent ?) et lui fais ensuite signe de se taire en levant la main.

— Votre *shower* ? Aux danseurs ? répète la policière, suspicieuse.

— Bien oui ! fait Sacha, expéditive, pour montrer que ce n'est pas le moment de juger son comportement déviant, puisqu'elle va probablement accoucher dans la voiture.

— Et c'est là-bas que vos contractions ont commencé ? Pourquoi c'est vous qui conduisez, alors ?

— Parche qu'on est touches paquetées, madame la pouliche ! tente d'expliquer Ge, un doigt en l'air.

Madame la pouliche ? Bon, une autre qui n'est pas d'une très grande aide pour nous tirer d'affaire. L'agente de la paix croise les bras, vraiment pas convaincue de notre théorie merdique (faut le dire). Sacha se calme comme si la contraction passait.

— Ouhhh…

— Vous êtes enceinte de combien de semaines ?

— Coudonc, es-tu obstétricienne ou policière ? beugle Sacha, qui commence à perdre patience.

Non, non, non ! Sacha ! Pas de crise ! Je croise de nouveau les doigts (au cas où).

— Policière, mais aussi maman de trois enfants, madame…

— Trente-huit semaines, ment Sacha comme une arracheuse de dents.

Ma mère me jette un œil scandalisé comme si nous allions toutes nous retrouver net sec avec une sentence de prison à vie sur les bras. Sacha, qui voit bien que la démarche ne semble pas fructueuse, feint une nouvelle contraction en gueulant comme si on lui tranchait un bras à froid.

— Parfait, madame, on va vous conduire de ce pas à l'hôpital avec notre voiture. Nous allons par contre faire remorquer votre véhicule et vos compagnes devront appeler des taxis. Pas question que vous conduisiez en plein accouchement ! conclut la policière.

— Euh…, fait Sacha en devenant tout d'un coup moins souffrante.

— Ben là ! beugle Hélène, qui ne veut évidemment pas que son véhicule se retrouve à la fourrière. Ça te passe, hein ? ajoute-t-elle en s'étirant pour taper légèrement l'épaule de Sacha.

— Ouais, ouais, ça passe…, approuve Sacha, qui constate son échec et mat.

— Ah bien, c'est bizarre, hein ! Vous aviez l'air d'en avoir des fortes, tout à l'heure ! s'amuse presque la policière en regardant son collègue à travers la vitre. Papiers !

Sacha, tenace, se met à pleurer à chaudes larmes en fouillant dans son sac à main :

— J'ai pas assez d'être grosse, « laite » et d'avoir des amies dysfonctionnelles qui me traînent de force aux danseurs pour mon *shower*, là, il faut que je me retrouve dans la merde par-dessus le marché. Ma propre mère a organisé ça, imaginez quel genre d'enfance j'ai eue, madame !

— Bien là ! crie à son tour la mère de Sacha du fond du véhicule.

« Elle est complètement folle ! », que je me dis en observant la scène comme si je n'y participais pas. Je suis figurante dans un film de fous. Sacha nous désigne à l'arrière du véhicule en continuant de pleurnicher :

— Elles ont tout dépensé l'argent des cadeaux pour le bébé pour des danses à dix piastres et pour de la boisson, et moi, je me retrouve avec quoi, hein ? Avec quoi ? Un *ticket* que je ne serai même pas capable de payer parce que c'est mon cochon de *boss* qui m'a mise enceinte pour me sacrer à la porte après ! Tiens, voilà mes papiers !

Non ! non ! re-non ! Sacha exagère vraiment !

— Ch'est vrai, cha ! 150 $ de danche ! appuie Coriande, en prenant le faux blâme sur ses épaules molles d'ivrogne en phase 2 de sa peine d'amour.

La policière, complètement abasourdie et trouvant la scène de plus en plus pathétique, prend un ton plus doux et dit :

— Je reviens, madame…

Sacha remonte sa vitre en poussant tout bonnement un « Bon ! » comme si de rien n'était.

— Simonaque ! T'es cinglée ? que je m'insurge.

— Franchement ! Une mère indigne ? Moi ? se plaint sa maman.

— C'est pour la cause, maman ! envoie Sacha de bonne humeur.

— Et cette cause s'appelle la DPJ ? panique ma mère, toujours convaincue d'aller droit en détention pour femmes.

— Sacha est trop grande pour avoir droit à la protection de la jeunesse, maman, que je la rassure.

— Elle revient ! Kleenex ! demande Sacha en panique.

Hélène lui tend la boîte et Sacha fait mine de renifler dedans un mouchoir en baissant sa vitre. Elle s'excuse auprès de la policière.

— Je regrette de vous avoir dit ça, murmure Sacha, sur un ton craintif, comme si on avait menacé de la battre pendant son absence.

La policière regarde la maman de Sacha avec mépris avant de demander :

— Vous vous en alliez où ?

Elle indique l'adresse de Ge, dont la rue ne se trouve pas très loin.

— D'accord. Allez y déposer vos compagnes et retournez chez vous, ça vaudra mieux, lance la policière en remettant les papiers à Sacha sans lui donner de contravention.

— Merci…, balbutie Sacha avec son air de chien battu.

Elle remonte la vitre en disant : « Bingo ! », puis elle reprend la route.

Je suis littéralement traumatisée !

Surprise du dimanche

La mère de Sacha la bat !

Encore plus depuis qu'elle est enceinte

de jumeaux intra-utérins !

La SPVM veut faire une collecte de

denrées alimentaires et de vêtements

pour Sacha ! Belle générosité !

Je rigole en regardant le tableau. Non mais, l'histoire de Sacha avec la « pouliche » est terrible, hein ?

Je rejoins les femmes au salon pour aborder avec Ge un sujet qui me tracasse beaucoup.

— Donc Ge, tu vas vraiment lancer des carottes à gauche, à droite, en pleine télé ?

— Mali, c'est juste drôle. C'est comme un *blind date* public !

— C'est justement l'aspect « public » de la partie de chasse qui me dérange…

— Et sache que je vais me faire lancer énergiquement des carottes et non le contraire !

— Des V-carottes ! C'est ça ?

— Moi, je trouve ça drôle ! Et tu as été choisie, ce n'est pas rien ! valorise ma mère.

— Parmi une poignée de *nobodies*-pas-de-vie voulant passer à tout prix à la télé, je comprends qu'ils aient retenu ta candidature !

— Mali, on va l'écouter ensemble. Tu verras que ce n'est pas ce que tu crois. L'autre semaine, par exemple, le concurrent était un homme retraité d'environ une soixantaine d'années. Il y a eu aussi, une fois, un prof de philo.

— Ah ouin, que je songe, en commençant peut-être à croire que je me trompe en effet.

— *Hey !* Françoise et ton gars de la télé ! réagit Coriande comme prise d'une illumination.

— Et voilà ! répond Ge, contente que quelqu'un souligne enfin le lien plus qu'évident.

— Ah ben !

Avouez que c'est fort ! Je n'y pensais même plus. Fascinante Françoise ! C'en est presque épeurant ! Comme les mamans se questionnent sur notre conversation en paraboles, nous leur expliquons que notre médium privée (le ménage, c'est secondaire…), qui était présente hier, est vraiment douée !

— Avoir su…, clame Hélène, aussi à la recherche du Prince charmant.

Je reçois un texto de Bobby :

(Allô ! Ta mère est encore là ?)

Je lui avais dit qu'elle coucherait ici.

(Oui, et Hélène aussi, la mère de Cori… Pourquoi ?)

(Super ! Je peux passer dire bonjour ?)

Il est donc bien fin, lui. Ma mère sera si contente !

(Certain ! Je vais leur réserver la surprise ! Viens-t'en !)

(Parfait ! Je ne suis pas tout seul par contre… xxx)

(Qui ?)

Il ne me répond pas. Je me demande bien qui c'est. Peut-être Matt. Je dépose mon téléphone sur le canapé.

— Ton *chum* ? me demande ma mère.

— Oui.

— Ça fait bien longtemps que je l'ai vu…

Justement ! C'est comique. Je ne dis rien.

— Il est tellement *sharp* ! commente Hélène, qui ne l'a rencontré qu'une fois.

— Un peu moins quand il s'assoit sur les toilettes devant moi ! que je lance sans trop réfléchir.

— Quoi ? s'écrie Ge en connaissant très bien mon malaise relativement audit sujet.

Je raconte brièvement l'épisode en grimaçant.

143

— Oh *God* ! Je m'en suis jamais faite avec ça dans le temps de ton père, envoie Hélène à Coriande.

— Ouache ! Hélène !

— Moi non plus ! enchaîne ma mère.

— Ark ! Maman ! Je le sais bien…

Mon père est, disons-le, TRÈS à l'aise de ce côté-là ! Une fois, il avait ouvert la porte des toilettes pour m'expliquer la différence entre une soudure à la *rod* et une autre au MIG. Eille ! J'avais crié au meurtre ! Ma mère était venue à ma rescousse en courant et était entrée dans la salle de bain avec lui (bien que…) afin de lui expliquer les blocages de sa fille chérie concernant les toilettes. Non mais…

— Ça ne vous ennuie pas ?

— Non, c'est la vie, Mali !

— La vie ou pas, je n'ai pas à voir ça ! que j'ajoute.

— Bien d'accord avec Mali, renchérit Ge.

— Hum, approuve aussi Cori, songeuse, un peu dans la lune.

Elle doit penser à mon frère. Probablement une autre claque en plein visage. Dure étape, celle-là…

— Quelle génération ! Des fois, on dirait que vous voulez juste le « beau » du couple et pas le reste, s'indigne ma mère.

— *That's right* ! approuve Hélène.

— Qu'est-ce que vous voulez dire ?

— Vous consommez de l'amour rose bonbon et quand la couleur perd un peu de son éclat, vous balancez le tout du revers de la main ! explique maman.

Je décèle une pointe d'amertume dans son discours. Elle en veut aussi à mon frère, j'en suis certaine.

— Exact ! fait Cori, qui partage naturellement la théorie du couple manquant de ténacité.

Ma mère échange avec elle un regard compatissant.

— Qu'est-ce qu'il faut faire, alors ? Déféquer ensemble tout bonnement par complicité ?

— Franchement ! Non ! Vous devez juste être plus patientes et compréhensives… Seigneur ! Avec ton père, nous avons déjà eu des périodes creuses de plusieurs mois quand vous étiez petits, mais d'un côté comme de l'autre, on était mariés donc ça nous en prenait plus que ça pour songer à divorcer. Dans votre cas, vous pesez sur la pédale et décampez à la moindre difficulté. Jeunesse de consommateurs et de bébés gâtés !

Mon Dieu ! Visiblement, ma mère en a gros sur le cœur. Je sais que ce n'est pas contre mon frère en particulier, mais bien face à la situation. Elle paraît si déçue…

Elle n'a pas tort dans ses propos. C'est si facile d'avoir ce que l'on veut aujourd'hui. De «consommer» ce que l'on désire presque à notre guise, avec les marges de crédit sans intérêt ou les paiements étalés sur soixante-quinze ans. Est-ce que l'on consomme de l'amour comme on se procure un écran au plasma de quarante pouces ?

Mon homme entre justement dans le *condo* après avoir frappé trois coups rapides. Excitée de le voir, je me rends dans l'entrée.

Je fige net en voyant qui l'accompagne. Hein ? Son père, Claude ! Vous vous souvenez de l'ermite dans le bois qui répondait seulement par « oui » et par « non » à mes questions ? Je dois cependant vous dire que, depuis un bout de temps, Bobby voit un peu plus son père que lorsque je l'ai rencontré. Depuis quelques mois, Claude doit consulter un spécialiste à Montréal pour un problème de santé (rien de grave), ce qui les a rapprochés un peu. Je n'en sais pas plus, car mon *chum* ne m'en parle presque jamais.

— Tu te souviens de Mali ?

— Oui, oui, fait-il en s'approchant pour m'embrasser.

Est-ce que deux « oui » de suite ça compte pour une réponse plus complète ? Pas certaine. C'est quand même juste la troisième fois que je le vois. La seconde, c'était à l'enterrement d'un des oncles de Bobby, il y a quelques mois.

— Entrez, que je les invite, sans même prendre le temps d'embrasser mon *chum*.

Sous le choc un peu, la madame. En les voyant apparaître, ma mère pousse un cri de joie, suivie de près par Hélène qui fait de même.

— HONNNN !

— AHHHH !

Tout le monde se lève pour l'embrasser et on se lance dans les présentations. Voilà ! Un lourd silence envahit ensuite le salon… Euh… Tout le monde se regarde ; on cherche un sujet de ralliement. Sûrement pas notre soirée d'hier ! Les filles observent Bobby et son père curieusement. Est-ce à cause de leur non-ressemblance génétique (aucune), ou bien sont-elles toutes en train d'imaginer mon *chum* assis sur les toilettes ? Merde, je regrette d'avoir révélé ce *scoop* juste avant qu'il arrive ! Je suis certaine que Cori et Ge l'imaginent accroupi !

— On va tous se concocter un bon *Bloody Caesar* de dimanche après-midi ! que je déclare.

Beaucoup trop de gens se portent volontaires pour m'aider. Hélène et Claude restent tout bonnement au salon. La mère de Coriande devrait pouvoir lui délier quelque peu la langue.

Je distribue donc les tâches à mon équipe nombreuse. Ma mère coupe le citron et les branches de céleri, Ge roule les verres dans le sel de céleri, Coriande mesure les onces de vodka et Bobby fait de beaux sourires à ma mère ! Je jette sporadiquement un œil au salon pour voir comment se passe la conversation. Ils semblent discuter en regardant la guitare d'Hélène. De la cuisine, on n'entend pas la discussion.

— Les filles, vous auriez dû me laisser les préparer, je suis le meilleur ! se vante mon *chum*, sans n'avoir encore rien fait pour nous aider.

— Pfft ! Un peu tard pour le dire !

— Fais-en un sans alcool pour mon père, me demande mon *chum* à voix basse.

— D'accord…

Bien concentrée à ajouter avec soin glace et épices dans chaque verre, je suis surprise d'entendre un début de mélodie à la guitare. Hélène ? Bouteille de Tabasco en main, je lève les yeux. Non, pas Hélène, mais bien Claude. Tout le monde se tait et arrête sa tâche d'un seul coup. La pièce qu'il gratouille est sublime, vous n'avez pas idée. Bobby ne semble pas si surpris.

Il écoute attentivement son père en fixant la table. Hélène nous adresse un regard ébahi avant de se tourner de nouveau vers lui. Très concentré, Claude poursuit sa mélodie, qui semble vraiment complexe sur le plan technique ; ses doigts dansent habilement dans tous les sens sur les cordes de l'instrument. Je me souviens tout à coup d'un détail : il y avait une guitare poussiéreuse dans un coin du salon de sa cabane en forêt. À l'époque, je m'étais fait la réflexion qu'il avait dû être musicien jadis. Aujourd'hui, c'est assez clair, merci ! Pourquoi Bobby ne me l'a jamais dit ? Pourquoi Bobby ne me parle jamais de son père tout court ?

— C'est impressionnant, chuchote ma mère, en admiration.

— Hum…, répond mon *chum* d'un drôle de ton.

Un mélange de désolation ou de nostalgie ? À moins que ce ne soit plutôt de l'amertume avec une pointe de regret ? Pas trop évident de faire une analyse émotionnelle profonde à partir d'un « Hum… » flou, lâché autour d'un îlot de cuisine rempli de *Bloody Caesar* à moitié complétés. Il y a « anguille *on the rocks*[11] » !

Hélène se met doucement à fredonner des « nanananana… » sur la chanson improvisée de Claude. Un éclair de génie me frappe de plein fouet ! Il faut les *matcher* ! Musicien-musicienne et… Bon, techniquement, c'est le seul point en commun que je leur trouve pour le moment, mais ça vaut la peine d'explorer la question.

Trop dans ma tête, je montre un visage extrêmement enjoué à mon *chum*, comme s'il avait pu lire dans mes pensées. Il hausse les épaules en semblant se dire : « Pourquoi cette

---

[11] Il peut vraiment y avoir beaucoup de choses « *on the rocks* » ! Une carotte *on the rocks* ?

excitation soudaine ? » Depuis qu'on se trémousse allégrement sur les toilettes, aurais-je l'impression qu'on ne fait qu'un et qu'il peut entendre mes pensées ? Ark ! Pourquoi je pense encore à cette scène ?

Tout compte fait, je lui expliquerai mon idée du siècle plus tard…

Panique du dimanche

Vers la fin de l'après-midi, tout le monde a quitté le *condo*. La maman de Sacha est venue rejoindre ma mère pour retourner en Estrie, et Hélène est rentrée aussi. Bobby et son père sont aussi partis peu de temps après. Je dois le retrouver plus tard chez lui. Il me textera quand il aura reconduit son père.

J'entre dans la chambre de Coriande pour discuter un peu.

— T'es certaine que tu veux aller là-bas ?

Elle veut retourner chez elle. Chad a dû repartir pour Fermont hier. Je ne trouve pas que ce soit une très bonne idée de rentrer seule à son appart, mais bon, elle dit que la vie doit continuer. Petits moments de répit sans claque ? Sans trop savoir pourquoi, je suis incapable de lui demander si elle entretient des espoirs, comme je le craignais. Elle est distante et elle ne parle pas depuis que la visite est partie.

Ge et moi l'embrassons chaleureusement au moment où elle quitte l'appartement, et lui faisons promettre de revenir nous voir en début de semaine et, surtout, de donner des nouvelles par téléphone.

Ouf… La dernière semaine a été riche en émotions. J'étais tellement préoccupée par l'état psychologique de Cori que je n'ai même pas songé à entrer en contact avec mon frère. Chad... Je ne lui ai pas reparlé depuis leur rupture. J'attendais d'être moins en colère (même si je le suis encore pas mal). Je prends une chance de l'appeler sur-le-champ. Il répond :

— Salut !

— Salut !

Il ne dit rien. Il attend d'analyser dans quel état d'esprit je me trouve avant de tenter une réplique. Je ne dis rien non plus, ne sachant par où commencer. Mutisme téléphonique familial ! Beau à voir ! En songeant à mon amie, à sa peine, à son état, je ne peux me retenir de débuter (délicatement) par :

— Chad ! Coriande est détruite ! C'est quoi ton problème ? Tout d'un coup, de même ! Paf ! Tu la jettes et...

Il me coupe brutalement :

— Eille ! Écoute, là. Je suis brûlé de mon voyage de retour ; je commence mon *shift* de nuit dans vingt minutes, faque tes reproches de marde, là, laisse faire, OK, Mali ! On se reparlera une autre fois ! Bye.

— C'est ça, bye.

Wow ! Belle réussite. Je regrette instantanément de l'avoir appelé. Trop tôt et très maladroit de ma part ; j'ai littéralement crié après lui. Gestion des émotions = zéro ! Pfft ! Dans le fond, je ne sais même pas comment il prend ça réellement. Coriande m'a donné sa version de fille détruite, mais en vérité, je ne sais pas comment Chad se sent.

Je descends finalement au rez-de-chaussée la queue entre les deux jambes (image), un peu honteuse de l'échec monumental de ma démarche de communication fraternelle. Je n'en parle pas à Ge.

Assise sur le divan, je me divertis avec elle un moment en visionnant une émission de farces et attrapes en direct. Finalement, je décide de souper au *condo*, étant donné que je suis toujours sans nouvelles de mon *chum*. Je m'ennuie ensuite à regarder ma coloc jouer encore à son jeu de chasse débile lorsque Bobby m'appelle enfin.

— Allô ! Est-ce la femme frigide qui parle ?

— Non ! Pas frigide mais, plutôt, bien en contrôle de sa libido.

— Si on ne couche pas ensemble immédiatement, tu ne viens pas chez moi !

— Bon, les menaces maintenant !

— Je niaise, je ne veux même pas de sexe, pantoute…

— Gentil garçon ! Tu es revenu chez toi ?

— Oui.

— C'est bon, je m'en viens.

— Ouin…

— Comment ça « ouin » ?

— Ouin…

— Tu m'énarves ! Bye !

Franchement ! Je vais lui en faire un « ouin », moi. Mon cellulaire sonne de nouveau. Il doit vouloir me dire une autre niaiserie. Je réponds sans regarder l'afficheur :

— Tente pas de me manipuler, ça ne fonctionnera pas !

Pas de réponse.

— Allô ?

Je regarde mon écran. Ce n'est pas lui, mais bien Coriande. Oups !

— Allô ? Cori ?

Toujours rien. Voyons ? J'écoute attentivement… elle renifle au bout du fil.

— Ça ne va pas ?

— Noooon…

Elle pleure. Voilà la claque !

— C'est… l'appart… Lui… partout… Noooon… Pourrrrrquoi, Mali ?

OK ! Elle vient d'arriver là-bas et ça ne fonctionne visiblement pas. Elle semble en panique.

— Ne bouge pas ! On arrive !

J'interromps l'activité de Ge pour la convier à m'accompagner. Nous enfilons bottes et manteau pour aller à la rescousse de notre pauvre amie. Je me doutais bien que ce serait trop éprouvant pour elle.

Silencieuse pendant que je conduis, je songe à elle. Nous devrons être très présentes pour les semaines, voire les mois à venir. Ce n'est pas une mince affaire. Imaginez, elle parlait d'enfants avec lui, de projets à très long terme…

Lorsque nous arrivons, la scène qui se présente à nous est prévisible : Coriande se trouve à genoux sur son (leur) lit défait, complètement en crise, entourée de vêtements (que mon frère a probablement laissé traîner). Son mascara dégoulinant jusqu'en dessous des bras, elle nous implore de son regard le plus triste du monde. Elle tient un cadre renfermant une photo d'eux dans sa main. Je la prends dans mes bras, Ge sort une valise de la garde-robe. Après quelques minutes, Cori se ressaisit et commence docilement à la remplir de vêtements.

— Tu ne restes assurément pas ici toute seule…

— Pourquuuooiii ! reprend-elle. Je m'ennuie tellement de lui… Je ne peux pas croire que plus jamais…

— Je sais, c'est normal…

Bordel… Vous en déduisez certainement que je ne lui ferai pas mention de l'appel raté de tantôt. Je ne veux pas la troubler avec ça inutilement.

Lorsque nous revenons au *condo*, elle semble un peu plus calme. Ge a ramené sa voiture, tandis que Coriande m'accompagnait dans la mienne. L'effervescence du week-end l'a occupée momentanément, mais la tristesse revient maintenant au grand galop. Nous la forçons à manger quelque chose. Ge, qui la guette, lui fait presque l'avion avec sa fourchette pour l'obliger à se nourrir !

J'efface les conneries au tableau et j'inscris :

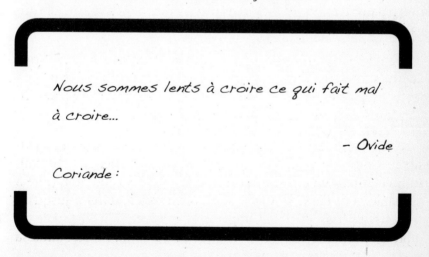

Nous sommes lents à croire ce qui fait mal à croire…

— Ovide

Coriande :

Ludovic me parlait souvent de cet homme. Un poète ayant vécu je ne sais combien d'années avant Jésus-Christ. C'est fort approprié. Les filles me questionnent tout de même sur le pourquoi du « Coriande ».

— C'est pour connaître ton état du jour, une note sur dix, disons.

— Zéro, affirme-t-elle sans hésiter.

Bon, j'inscris « 0/10 » à la suite de son nom. Ce n'est pas beaucoup… On verra de quelle façon l'évolution se fera dans le temps.

— Veux-tu tuer des animaux sur la Wii ? lui propose Ge, d'une voix beaucoup trop douce compte tenu de l'activité proposée.

Hish… encore ce jeu ? Sa complice se lève d'un bond, bien d'accord avec le projet. Comme je suis déjà bien en retard pour me rendre chez Bobby (il doit se demander ce que je fais), je lui texte que je m'en viens. Il me répond :

(Ah ! Déjà ? Ça fait juste deux heures que je t'attends… Pas grave, ça sera meilleur !)

Qu'est-ce qui sera meilleur ?

Mon chum, insensible ?

En entrant, je lâche un « Ouf… » significatif, lui indiquant que ce fut tout un dimanche. Je lui explique le retour précipité de Coriande et toute l'histoire.

Il émet un : « Ah ouin ? » comme s'il ne comprenait pas trop son désarroi.

— Comment ça : « Ah ouin » ?

— Je ne sais pas, il n'est pas là, pourquoi elle capote ?

— Euh… peut-être parce qu'il vient de la quitter, que c'est arrivé assez rapidement et qu'elle était convaincue que Chad était le futur père de ses enfants ? que je lui balance, un peu excédée.

Non mais, *wow* ! Quel altruisme. Je suis impressionnée ! Réflexion du colonel rationnel : elle retourne chez eux, il n'est pas là, donc c'est le bonheur ! Voyons ! Il est insensible à ce point ?

— De là à devoir aller la chercher en grosse urgence…

Quoi ? Eh oui, monsieur paraît découragé-de-la-vie en me lançant son commentaire ! C'est vrai, on aurait été mieux de lui dire : « Écoute, Coriande, il va falloir que tu en reviennes ! » Franchement ! Il m'énerve tellement. Je peux imaginer la compassion qu'il aura pour moi si un jour il me quitte…

— T'es sérieux ?

— Oui. Elle peut avoir de la peine, mais je trouve que vous créez un drame autour de leur séparation, c'est tout.

« C'est tout… », que je songe en le dévisageant avec mépris. Bon ! À cet instant précis, j'ai le choix : a) d'embarquer dans une discussion houleuse sur le sujet ; b) de laisser tomber et passer à autre chose comme une grande.

— T'es donc bien insensible, toi ! J'en reviens pas !

Hish… Vous voyez le choix que j'ai fait ? « A », je crois bien.

— Booonnnnn…

Il renchérit d'un «booonnnn» en plus! Comme je prends l'allure d'une boudeuse professionnelle (accréditée par le ministère québécois de la Baboune), il commente:

— On va se chicaner pour ça?

— Bien non, mon *chum* n'a aucune compassion pour la tristesse d'autrui et je dois m'en réjouir!

— J'ai pas dit ça!

— Non, mais tu le penses, c'est pire!

Je vais porter mon sac à la salle de bain et j'en profite pour aller à la toilette. Je ferme la porte (je préserve mon intimité, moi!). Je prends mon livre.

Mme Allison est visiblement froissée de l'attitude peu compatissante de son conjoint relativement à une situation précise qui la touche particulièrement. Elle se questionne par rapport à ses valeurs et, surtout, elle paranoïe face à l'attitude que son conjoint pourrait avoir envers elle, si un jour elle avait à souffrir d'une quelconque façon. Le sentiment qui prime semble la déception. Elle doit cependant se ressaisir et ne pas attribuer trop d'importance au propos envoyé tout bonnement par celui-ci.

Le BIG BUCK a commis ici une flagrante erreur de jugement. Étant donné que la patiente est «émotionnellement» impliquée dans la rupture de son amie vu que l'ex-conjoint en question est son frère, il aurait dû garder ce commentaire pour lui et ainsi éviter la confrontation. Je me questionne également à savoir s'il juge la situation si froidement ou s'il a juste mal exprimé sa pensée. Ou encore, tente-t-il simplement de faire réagir sa partenaire pour le simple plaisir?

Un peu plus tempérée, je sors de la pièce pour le rejoindre au salon (devant les nouvelles). Il me lance avant même que je ne sois assise :

— On devrait faire un bébé.

— HEIN ?

Décidément instable, lui, aujourd'hui. Et après on viendra dire que c'est moi la bipolaire dans notre couple ! Ce doit être une nouvelle stratégie anti-abstinence. Il poursuit :

— Il serait beau, hein ?

— Ou belle…

— Ou belle, tu as raison. Des fois, j'y pense…

Hein ? Je suis bouche bée, je ne dis rien. Je fixe le téléviseur. C'est donc intéressant les nouvelles tout d'un coup ! Non, Mali, ne mords pas à l'hameçon empoisonné. Il déconne…

— On verra après notre mois d'abstinence !

Il m'envoie un clin d'œil avant de commenter les nouvelles. C'est tout ! Il me balance ça et c'est tout ! Je ne veux même pas d'enfant (aujourd'hui). Je change aussi de sujet.

— Il faut « matcher » ton père avec Hélène !

Il se tourne vers moi, l'air complètement abasourdi.

— Non !

— Pourquoi ? Ils iraient bien ensemble vu leur passion commune pour la musique. Au fait, tu ne m'avais pas dit qu'il était musicien…

— Non, je ne « matche » pas mon père avec personne, désolé.

Je l'observe, il semble presque en colère.

— Parle-moi de ton père…

— Mali, non.

— Pourquoi ?

— Parce que !

Oups… il n'est pas content. Braqué comme un mur de béton. Qu'est-ce qui ne tourne pas rond dans cette relation ? La psy en moi a tellement le goût d'aller jouer dans sa plate-bande…

Bobby tousse alors à plusieurs reprises.

— T'es malade ?

— J'ai mal à la gorge depuis vendredi.

Nous nous remettons à fixer les nouvelles…

Bobby sur son lit de mort…

➡ **Décompte officiel : Sacha, 34 semaines ; Ge, 44 semaines ; Bobby-Mali ainsi que Coriande, 2 semaines**

— Je vais mourir…

— Bien non, mon bébé.

D'une voix enrouée très bizarre, il tente de me convaincre depuis déjà dix minutes de l'imminence de sa mort.

— Excuse-moi ; il y a le mot « streptocoque » là-dedans ! Il est fort possible que je ne passe pas au travers…

Observez bien ici l'anxiété mâle de l'homme néandertalien n'ayant aucune tolérance à la douleur (par rapport aux femmes qui se font épiler l'aine à la cire et qui accouchent) et qui croit mourir chaque fois qu'une petite minibactérie s'incruste dans son corps de chasseur de mammouths !

— Tu viens de commencer tes antibiotiques ; laisse le temps à ton corps de se défendre un peu.

Bobby est malade. Une angine streptococcique (c'est-à-dire un gros mal de gorge). Vous savez (selon lui), il est plus malade que tout le monde ; son cas s'avère vraiment extrême ; ses symptômes plus virulents que tous les cas répertoriés dans le monde entier ; sa carrière est fichue ; il ne s'est jamais senti aussi mal en point de toute sa courte existence (étant donné qu'il va y laisser sa peau de toute façon). La mort rôde, le guette… il la sent. Il a essayé de me convaincre aussi qu'il a « presque » entrevu le fameux tunnel blanc de lumière ce matin. Bon, bon, bon !

Les symptômes selon son médecin (versus selon lui) : fièvre (avec danger d'évanouissement constant), mal de gorge (il est convaincu que ça saigne), fatigue (s'il se lève, il va tomber), inflammation des ganglions (le tout va probablement exploser et causer une hémorragie interne), douleurs au cou et aux oreilles (les pires jamais ressenties dans sa vie ; il réclame qu'on le plonge dans un coma artificiel le temps que ça passe).

Le médecin a confirmé que c'était un cas normal, tout ce qu'il y a de plus classique pour ce qui est des symptômes compte tenu du diagnostic. Bobby a réellement persévéré à le convaincre que son cas s'avérait incurable. Lorsque mon *chum* lui a demandé le plus sérieusement du monde : « J'en ai pour combien de temps encore, docteur ? », le médecin a hoché la tête de découragement dans ma direction. J'ai tourné à mon tour la tête vers le mur pour lui esquisser un sourire sans que mon *chum* me voie. Est-ce le même gars qui jugeait que l'on « dramatisait » la rupture de Cori, qui parle ?

La patiente retire un certain plaisir à sentir son conjoint dans une position d'abandon et de dépendance face à elle. Elle ne se réjouit pas de la maladie en tant que telle, mais bien de l'attention bienveillante qu'elle lui porte et des bénéfices ressentis. Les fibres maternelles de Mme Allison sont grandement sollicitées et valorisées, lui procurant ainsi un sentiment d'accomplissement inégalé, comparable à celui ressenti par une maman prenant soin de son enfant. J'espère qu'un jour la patiente s'avouera qu'elle porte en elle tout le nécessaire pour devenir éventuellement une bonne mère.

Hein ? De quoi parle-t-elle encore ? Pfft ! Lien bidon…

La réaction du BIG BUCK relativement à l'adversité dans la maladie montre bien évidemment le lien fusionnel que sa mère a entretenu jadis avec lui. Il infantilise ses comportements et réactions afin d'inconsciemment requérir l'attention de sa conjointe en substitution à l'attention maternelle désormais moins présente (quoique…). Il souhaite bien évidemment faire bercer son enfant intérieur. Je présume que lorsque monsieur ira mieux, il n'aimera guère revenir sur cet épisode, car il se sentira peu fier (voire honteux) de sa réaction générale, improvisée sous l'impulsion du moment.

Donc voilà, c'est la fin du monde ici depuis le début de la semaine. Que faire, de toute façon ? C'est son « destin tragique » et il se dit « prêt » pour le grand voyage… Franchement, la fièvre le fait vraiment délirer, je vous jure.

— Il faut peut-être que je termine mon testament… Peux-tu essayer d'appeler mon notaire pour qu'il y ajoute certaines précisions en ce qui concerne l'exécuteur testamentaire ? J'aimerais aussi verser un don à la fondation des « streptococtiens »…

Vous voyez, il niaise de temps à autre, mais en même temps…

— Arrête de parler sans arrêt, ça va peut-être aider ta gorge un peu.

— Ma carrière est fichue…

Pauvre petit bébé d'amour… Je vais lui faire une tasse de NeoCitran pour soulager ses symptômes (et, du coup, l'assommer raide) ! Matt est passé plus tôt ce matin pour rendre visite au patient mourant. Les *shows* du week-end à venir sont annulés, bien entendu. Il en avait deux à l'horaire ; un vendredi à Victoriaville, et l'autre samedi à Trois-Rivières. Pas l'idéal comme situation. C'est très compliqué de rembourser tout le monde, de changer les dates, de rouvrir le guichet des ventes. Ouf ! Souvent, les billets sont vendus depuis plusieurs mois (et la gardienne déjà réservée). Mais comme mon chanteur va y passer, la tournée n'a plus vraiment d'importance de toute façon…

Il gémit de nouveau (peut-être est-ce son dernier souffle ?) :

— Flatte-moi…

Seigneur ! Bercer son enfant intérieur, hein ? Je ne l'ai jamais vu comme ça ! Je vous jure, c'est un gamin d'environ trois ans d'âge mental (et de six pieds) qui se meurt devant moi.

Mon emploi du temps : je lui prépare de la soupe aux tomates en boîte (faite avec du lait et non de l'eau) ou des sachets de soupe Lipton poulet et nouilles (à laquelle j'ajoute des spaghettis coupés – il n'y en a jamais assez), des *grilled cheese* (spécial

Mali – double tranche de fromage jaune) coupés en minimor-ceaux et du Jell-O aux fraises (que j'ai mis dans de petites verrines pour faire *cute*). Je lui flatte les cheveux, lui apporte ses comprimés dans son lit, lui tapote le visage avec des débar-bouillettes humides, lui masse le cou avec du Vicks, lui fait couler des bains… Il écoute même de temps à autre des films animés pour enfants à Super Écran (entre deux films de guerre) ; l'autre fois, il a regardé *Shrek 3* (vraiment bon !), et ce matin *Les Bagnoles 2* ! Il a presque voulu me faire signer des documents officiels, m'interdisant de révéler cette vérité à qui que ce soit.

Misère ! Je rigole bien dans son dos, mais mon homme fait réellement pitié. Sauf que je le soupçonne d'aimer (un peu) ça et d'en donner plus (beaucoup plus) que le client en demande.

Garde-malade Allison est « déménagée » chez lui le temps qu'il se remette sur pied. J'accomplis mes supervisions de stage le matin et je reviens chez lui pour me glisser dans mon rôle de parfaite infirmière. Nous ne tenons sa mère que partiellement au courant des détails : « Une simple grippe… », a-t-il feint. Sinon, je vous jure qu'elle serait débarquée ici pour prendre soin de son « petit bébé » ! Elle appelle tous les jours pour prendre des nouvelles.

Pendant que j'épie mon *chum* en train de fermer doucement les yeux (NeoCitran = 1, Bobby = 0), mon cellulaire claironne. Je m'éloigne pour répondre afin de ne pas déranger mon patient en phase terminale.

— Allô ?

— Je suis grosse, j'ai mal au dos, mes pieds sont enflés et j'ai de grosses flatulences nauséabondes…

Bon ! Sacha en pleine crise d'hystérie ! Il ne manquait plus que ça !

— T'es resplendissante, enceinte, heureuse de l'être et tu n'as pas de flatulences !

— *Shit* oui ! Dis, Mali, tu m'aimes ?

— Oui, je t'aime !

— Parfait, donc viens avec moi au cours prénatal ce soir ; le père de mon enfant avait oublié et il fait des heures supplémentaires au travail. C'est à dix-huit heures trente…

Je suis dans une phase aiguë de « don de soi », alors pourquoi pas ?

— Avec plaisir, ma belle Sacha d'amour. Veux-tu que je passe te chercher ?

— Ah, t'es vraiment super !

Lorsque je raccroche, mon mourant qui écoutait aux portes se plaint, en râlant difficilement :

— Tu t'en vas encore ? Nonnnnn…

— Bébé, je vais revenir tout de suite après…

— Huuummmm…

Non, mais je suis une aidante naturelle très courue ! Au fait, a-t-on le droit d'accompagner son amie à un cours prénatal ? Il me semble que c'est bizarre…

Bouchon muqueux et dilatation du col de l'utérus

Juste avant d'entrer dans la salle où se donne le cours, Sacha me met en garde :

— Ne fais pas le saut, la femme qui donne le cours est folle !

— Hein ? Comment ça ?

En entrant, je n'ai même pas le temps de faire visuellement le tour de la pièce et des gens qui y sont présents qu'une blondinette un peu rondelette fonce droit sur nous en gesticulant :

— Bonjour, mouuuuman ! Bonjour, béééééééé !

Elle parle littéralement à la bedaine de Sacha, qui la regarde en laissant fuser de petits rires forcés. Bon, quand Hugo parle à son enfant de cette façon, la scène s'avère attendrissante. Mais là, la madame est presque rendue à genoux devant Sacha et elle parle vraiment (extrêmement) en bébé au bébé, vous voyez le genre ? Disons qu'elle est cent fois pire que nous lorsqu'on s'adresse à notre bébé-gars Subban ! Et voulez-vous bien me dire ce qu'est ce « mouuuuman » ?

Elle cesse finalement de gazouiller et se relève vers moi, l'air perplexe.

Je me présente :

— Bonjour, Mali ! J'accompagne ma copine, car son conjoint a eu un imprévu de dernière minute.

— Zut, flûte ! Mouman doit être déçue, déçue, déçue… C'était important aujourd'hui pour les poupas.

164

OK… Juste folle ? Aliénée, plutôt !

— Je sais…

Je reçois justement un texto de « poupa ».

(Merci Mali chérie de me remplacer. Tu sais, avec le congé de paternité que mon *boss* m'accorde, je suis un peu embêté de lui refuser quoi que ce soit. En revenant du cours, entre me dire bonjour, je devrais être à la maison ! Je t'avertis : la madame est cinglée ! xxx)

Je le sais ! Ayoye !

Elle nous invite à nous asseoir au sol avec toutes les « moumans » et tous les « poupas » déjà présents. Le thème du jour : la préparation à l'accouchement. Le deuxième cours d'un total de quatre. Voici les sous-thèmes inscrits au tableau :

1 – *Déroulement de l'accouchement*

2 – *Gestion de la douleur*

3 – *Le père comme accompagnant*

4 – *Vidéo*

Quand même intéressant comme contenu. Nous débutons par le thème 1, où nous voyons les étapes de l'accouchement : contractions, dilatation progressive du col de l'utérus (échelle jusqu'à 10), bouchon muqueux (mais qu'est-ce ?), etc. Avec à l'appui des images et des diapositives de dessins ; la présentation magistrale s'avère très instructive. La femme paraît franchement débile, oui, mais elle connaît son sujet sur le bout de ses doigts, étant elle-même mère de six enfants (je répète, six…).

Dans le thème 2, elle explique les différents points de pression pour apaiser la douleur. Je note le tout sur une feuille ; Hugo doit vraiment savoir tout ça. Nous nous faisons souffrir à tour de rôle en exerçant une pression sur des endroits stratégiques du corps qui font très mal. Je songe : « Si ÇA, ça soulage la douleur d'une contraction, c'est parce que ça fait mal pas à peu près ! »

Comme le temps passe vite (il ne reste que 45 minutes au cours), nous débutons le volet pratique du point 3. Simulation de début de travail, accueil et attitude de compréhension du conjoint, le tout sous forme de mises en situation devant tout le monde. Quoi ? Bien là, c'est un peu ridicule, je ne vais pas me plier à ça ? Devant tout le groupe, en plus ?

— Oui, oui, oui, vous faites comme si vous étiez le vrai de vrai poupa ! m'ordonne madame-langage-verbal-préscolaire d'une petite voix aiguë (qui commence royalement à m'irriter).

Sacha m'adresse une mimique signifiant : « Vas-y, on s'en fout… », en commençant sa mise en scène. Tout le groupe nous observe en semblant trouver ça franchement absurde.

— Chérie, je crois que ça y est !

Franchement ! Je vous le confirme : ma vie, c'est du gros n'importe quoi !

Expéditive, je réponds sans enthousiasme :

— Ah oui, mon amour, j'attrape la valise et on y va.

Je me sens complètement crétine. « Moudame » s'amène vers moi et dresse son index en l'air en faisant des bruits d'écureuil avec sa bouche :

— Tut, tut, tut ! « Poupa » ? Vous devez accueillir la « mouman »…

— Oui, mais il se trouve que je ne suis pas le « poupa » justement. Pas que je veuille qu'on s'enfarge dans les détails, mais…, que je précise en la dévisageant, un peu bête.

Sacha reprend illico la mise en scène pour qu'on en finisse (au plus sacrant !) :

— Chéri ! Ça y est…

— Comment te sens-tu ?

La folle-perturbée-qui-donne-le-cours secoue encore la tête de gauche à droite, comme pour désapprouver de nouveau ma performance d'intervention paternelle. Elle se penche et prend un ton très calme pour me susurrer :

— Non, non, non. « Mouman » est anxieuse ; prenez le contrôle, « poupa », rassurez-la…

Eille, simonaque ! Elle commence à me pomper l'air, elle. Voyant que mon non-verbal commence sérieusement à s'impatienter, Sacha enchaîne de nouveau :

— Je suis nerveuse, mon amour…

Je puise dans mon for intérieur (je suis quand même psy, après tout) pour répondre quelque chose de sensé : qu'est-ce qu'une mère inquiète, qui n'a pas encore de grandes douleurs, pourrait avoir besoin ? Qu'est-ce que moi j'aurais besoin que mon *chum* fasse ou dise ?

Je me lance :

— Mon amour, viens t'asseoir deux minutes.

Sacha, qui sourit en coin, semble se demander si je serai capable de m'en sortir une fois pour toutes. Je lui prends les mains, très sérieuse :

— Mon cœur, nous partons maintenant pour une grande aventure. Nous vivrons ce moment ensemble, liés, comme toujours, mais de prime abord, je veux te dire à quel point je te suis reconnaissant de porter notre enfant. À quel point je te trouve merveilleusement belle ainsi en fusion avec notre petit bébé et à quel point, à partir de maintenant, je serai à ton service pour tout ce que tu nécessites. Tu me demandes n'importe quoi, tu me partages ce que tu veux bien me partager. J'aimerais à cet instant changer de place avec toi, mais c'est impossible. L'étape qui suit t'implique directement plus qu'elle ne peut m'impliquer moi-même ; t'es forte, mon amour, t'es capable, j'ai confiance en toi, et je resterai à tes côtés afin de te soutenir, de veiller sur toi et, surtout, de vivre le tout aux premières loges, près de toi. Je suis le père le plus chanceux du monde. T'es ma princesse. T'es la plus belle. Je t'aime tellement…

Fin de ma simulation. Silence. Personne ne parle. Même Sacha me regarde presque le regard amoureux. Si nous n'étions pas en plein hiver, une mouche volerait probablement.

Dans la pièce, les femmes semblent touchées, et les hommes plutôt perplexes face à ma scène bizarre de déclaration d'amour de lesbienne. Madame-blondinette-attardée se met à applaudir et tout le groupe l'imite. Je les remercie de la tête pour leur appréciation de ma prestation de Mali de Bergerac.

— Voilà un « poupa » qui comprend et qui rassure sa « mouman » ! Bravo !

Les pauvres futurs pères semblent tous se dire : « Bordel, je ne serai jamais capable de formuler le quart de ce que cette lesbienne vient de dire ! » Sacha me dévisage drôlement. Je lui chuchote :

— Je vais écrire le texte intégral à Hugo !

Elle hoche la tête pour approuver.

À la dernière étape, celle des vidéos, on a droit à deux types d'accouchement. Un dans une maison des naissances (dans l'eau) et l'autre dans un hôpital (dans un lit). J'ai si hâte de voir !

Le premier film présente, dès le début, la femme dans le bain, l'air en transe, qui pousse de longs gémissements. Mon Dieu ! Un frisson parcourt ma colonne vertébrale en l'entendant. Ouch ! « La "mouman" canalise sa douleur en criant… », nous explique madame-dysphasie-de-la-syllabe-« ou ». Sacha semble étrangement calme. Je jette un œil dans sa direction toutes les trois secondes, comme si je m'attendais à ce qu'elle craque. La femme de la vidéo, qui se tord toujours de douleur, est plongée dans une baignoire plus vaste que les modèles conventionnels. Au moment où le caméraman (du genre amateur) fait un gros plan sur son entrejambe poilu pour qu'on aperçoive l'arrivée de la tête du bébé, une sage-femme saute dans l'eau pour s'agenouiller devant elle. La vidéo étant très *vintage*, je me demande si son immense touffe de poil pubien nous empêchera de bien voir la suite. Le bébé va assurément y rester prisonnier, telle une toile d'araignée. Les cris quintuplent de volume et le bébé commence à sortir. Prise d'un haut-le-cœur mêlé à une bouffée de chaleur incroyable, je détourne le regard en murmurant en direction de mon amie :

— Désolée ! Je ne peux pas…

Celle-ci fixe toujours la télé, hypnotisée, muette.

Parenthèse : je tiens solennellement à féliciter toutes les mamans du monde entier ; je vous vénère à genoux comme des déesses grecques ancestrales, et vous affirme que, comparée à vous, je ne suis rien ! Ma vie n'est qu'un amas de futilités ! Misère...

Je devine la scène finale du film d'épouvante qui tourne toujours en entendant le cri de douleur ultime, suivi d'un : « *My baby...* » murmuré entre deux sanglots.

Non, merci. Voilà, c'est décidé, je n'aurai pas d'enfant ! Enfin, je suis fixée. Parlez-moi d'une bonne chose de réglée !

Comme les cris ont cessé, je me retourne pour voir la suite. La femme regarde son bébé toujours submergé sous l'eau. Il vit de cette façon sans problème, étant donné que seule la nature du liquide dans lequel il baigne a changé et que le cordon ombilical le relie toujours à sa mère. Après avoir pris deux longues inspirations, la mère soulève doucement son nouveau-né (tout propre = avantage du bain) pour le maintenir à bout de bras tout près de son visage. La rencontre a lieu ; ils se fixent droit dans les orbites. Gros plan sur lui (petit pénis à l'appui), il cligne des yeux une fois, deux fois et le miracle se produit. Il ouvre légèrement la bouche et respire par lui-même pour la première fois de sa courte vie. On voit son torse se bomber graduellement et ses yeux deviennent plus grands ; il paraît comme surpris de la sensation de l'air qui pénètre dans ses poumons. Il ne pleure pas, sa mère elle, oui. Je n'ai jamais vu une scène de ce genre. Je n'imaginais pas que ça pouvait se passer « techniquement » de cette façon. Extraordinaire... J'avoue que c'est peut-être un accouchement sur mille où tout se déroule dans un moment de gloire de la sorte. Peut-être que, parfois, le bébé pleure quand même ou que la maman est trop épuisée pour savourer ainsi ce moment, mais dans cette vidéo, vraiment... Ouf... ça ébranle.

J'ai changé d'idée ; je veux un bébé finalement… Demain, tiens !

Sacha, toujours muette comme une carpe, observe madame-je-vous-parle-comme-des-attardés-mentaux mettre le second DVD dans le lecteur. Accouchement dans un hôpital. Plus froid comme ambiance. On met maintenant l'accent sur les aspects plus technico-pratiques. Gros plan sur l'entrejambe (moins poilu) en pleine lumière. *Oh boy…* le scénario se répète pour moi ; chaleur et étourdissement suivis d'un catégorique : « Je ne veux pas d'enfant finalement… » Je ne sais pas comment Sacha fait pour demeurer si zen. Je présume qu'on doit se programmer à devoir franchir cette étape une fois enceinte.

Je détourne la tête avant la fin de la première poussée. C'est assez de visuels pour moi aujourd'hui. Je vais me contenter des cris de douleur pour clôturer ce superbe visionnement.

Comme le cours se termine, des gens viennent personnellement me féliciter pour ma déclaration d'amour paternel et nous quittons les lieux. Quelle soirée !

Je placote de tout et de rien jusqu'à la voiture :

— Drôle de femme. Franchement, me faire jouer le rôle du père ; on sait bien que ce n'est pas le cas. Le couple à ta droite semblait bizarre aussi, hein ? Et le gars super grand avec la fille super petite, ils vont avoir un enfant grand, petit ou moyen ?

Je regarde mon amie en tournant la clé dans le contact. Elle a le regard absent. Elle fixe le tableau de bord sans mot dire.

— Allô ?

Elle se met à respirer rapidement comme si elle avait une attaque subite de suffocation et se met à crier :

— NONNNNNN ! JE VEUX PAS VIVRE ÇA…

Bon ! Il me semblait aussi qu'elle était bien trop zen, elle, devant ces accouchements douloureux projetés en rafales.

— Sacha…

— NOOOOONNN !

Une odeur nauséabonde me monte au nez.

— Pouah ! Ça pue…

— JE TE L'AI DIT ! J'AI DES FLATULENCES…, pleurniche-t-elle, toujours hystérique.

Lorsque j'arrive chez Hugo avec sa femme en crise de larmes, il me dévisage, perplexe, en écartant les bras. Il semble me dire : « Qu'est-ce que tu lui as fait ? »

Je lui explique :

— On a regardé deux belles vidéos d'accouchements, avec des gros plans en HD !

— NOOONNNN ! s'écrie de nouveau Sacha.

— Mon amour, on va prendre la « péridorodurale » !

Vous savez, Hugo, dans son nouveau langage de futur papa, parle toujours au « on » : ON est enceintes, ON va accoucher, ON va demander la péridurale (et non la *péridoro* ou je ne sais quoi). ON va allaiter le temps que ça nous conviendra. C'est *cute*, hein !

Il poursuit :

— ON va se faire geler, donc ON ne sentira rien !

— Tu ne sentiras rien certain, toé ! Tu vas rester planté debout à côté de moi, comme un creton, pendant que je vais fendre jusque dans le milieu du dos ! Non, je veux être endormie ! beugle Sacha.

Je vous le rappelle, nous sommes à moins de six semaines de la date présumée de son (de leur) accouchement.

— Mon amour…, s'approche You Go pour la prendre dans ses bras.

Elle se calme un peu en balbutiant des trucs incompréhensibles. Je propose avec motivation :

— Viens, Sacha, on va montrer à « poupa » ce que l'on a appris sur les points de pression.

— Oui, bonne idée ! approuve Hugo en me faisant un clin d'œil complice.

Saint-Valen-merde, en effet !

Bonne Saint-Valentin à tous en ce beau dimanche soir d'amour ! *Wow*, que je passe une super soirée (ironie) !

Par ici (chez Bobby), rien ne s'améliore…

— Il faut que tu boives de l'eau pour t'hydrater.

— Chaque fois que je vais aux toilettes, c'est liquide et ça…

— ARRÊTE ! Pas de détails, bébé, s'il te plaît, que je le prie la main en l'air.

S'il a besoin d'aide pour la toilette, c'est NON ! Qu'il engage une infirmière privée, il y a tout de même des limites à la compassion ! La mienne commence tranquillement à s'effriter…

— Veux-tu bien me dire comment j'ai pogné ce maudit virus-là, moi ?

— Ton organisme était déjà faible…

Pfft… Bobby vient d'ajouter une gastroentérite aux causes expliquant sa mort imminente. Maintenant, plus qu'une question d'heures, à ce qu'il paraît.

Vous savez la vérité ? Je crains que ce soit moi qui ai ramené le virus ici. Je m'en veux tellement. En garderie, lorsqu'on traverse une période de temps doux comme celle des derniers jours, qu'est-ce que vous pensez qui prolifère dans les petites mains des enfants ? Des beaux germes de gastro ! Sacha l'a chopée aussi. Moi ? Je suis en forme olympique ! J'ai juste servi de moyen de transport à la maladie.

— Le cœur me lève encore…

— Il faut que tu recommences à manger un peu, tout de même. Veux-tu une *toast* ?

Comme si je venais de lui décrire en détail la mixture verte du « crastillon » du chef Groleau, il se met la main devant la bouche et part de nouveau en courant vers la salle de bain. Bon !

Il ne « garde » rien depuis hier. Il va tomber pour vrai à un moment donné. En revenant, il plonge la tête la première dans son lit de mort et semble du coup s'endormir d'épuisement, à bout de forces. Je le couvre légèrement, il fait encore un peu de fièvre. Je m'éloigne au sous-sol pour appeler Hugo.

— Salut. Et puis ?

— Bof ! Elle est dans le pire, tout a commencé hier. Elle vomit sans arrêt, ne mange pas. J'ai appelé Info-Santé, ce n'est pas grave pour le bébé, sauf si les symptômes dépassent trois jours. L'infirmière m'a dit de faire attention au danger de chutes, si elle devient trop faible. Elle reste lourde à porter pour son propre corps.

— *My God !* Ne lui dis jamais ça !

— T'inquiète pas. J'ai pris congé demain avant-midi.

— OK, je vais passer en après-midi, je n'ai pas de rencontres de stage de la semaine. Juste de la correction de travaux.

— Et de ton côté ?

— Ça sort par tous les côtés, justement. Il dort trente minutes, se lève, va à la toilette, se rendort pour se relever et y retourner. Je suis un peu impuissante.

— Calvince ! Bonne Saint-Valentin de merde !

— Tu dis ! Merci, toi aussi !

— Petite vie ! Et dans mon cas, tu connais ma blonde ; j'ai les détails précis de ce qui se passe durant ses « moments » aux toilettes, et ça, c'est lorsqu'elle ne veut pas carrément que je reste avec elle dans la salle de bain. Tu capoterais !

— Ark ! Voyons donc !

— Et toi ? Facile de tenir votre pari d'abstinence temporaire dans ces conditions ?

Bien évidemment, toute la ville est désormais au courant ! Ils ont dû rédiger un communiqué municipal qu'ils ont distribué en faisant du porte-à-porte pour que tout le monde de la métropole sache que mon *chum* et moi, on ne baise plus par choix !

— Disons qu'il n'est pas le plus chaud lapin du quartier !

— Tsé, Mali, une petite pipe quand t'es malade, c'est toujours le bienvenu…

— C'est beau, You Go, merci pour le conseil.

— De rien ! Ge est avec Cori ?

— Oui, et elle ne doit pas « feeler » fort fort, elle non plus, en cette fête de l'amour. Une chance que Ge n'avait rien au programme. On est dans le jus à s'occuper de tout le monde. Il va falloir engager du personnel !

— Ha ! ha ! ha ! Oui !

Comme j'entends Sacha qui l'appelle, je lui propose de raccrocher. Je poursuis ma tournée paroissiale téléphonique en appelant sur le cellulaire de Coriande.

— OUI ! répond-elle, essoufflée.

— Mon Dieu ! Qu'est-ce que tu fais ?

— On est encore au maudit tableau 5, mais on vient tout juste de découvrir un truc : quand on abat un bison, il faut retirer dessus quand il est mort afin de réclamer des points supplémentaires. C'est pas génial ?

Ge crie en arrière pour me témoigner son excitation.

— Euh… êtes-vous paquetées ?

— Un peu, oui !

— Une chance, il est tôt !

Voyez-vous la belle scène de Saint-Valentin de célibat-stars ? Elles chassent le *buck* et c'est le cas de le dire ! Peu de chances de terminer la soirée avec quelque chose de potentiellement intéressant, par contre.

Je formule un commentaire :

— C'est drôle, j'aurais cru que vous auriez eu le goût de sortir un peu pour vous divertir en ville, question de faire une chasse sportive efficace en lançant deux ou trois carottes faciles de Saint-Valentin, je ne sais pas.

— Non ! Pantoute ! Je viens de rejoindre Ge dans sa clique d'abstinentes ; les hommes font juste de la peine aux femmes, donc c'est terminé !

Coudonc ? Je rêve ou j'ai déjà eu vent d'une consœurie de célibat-stars qui chassaient en buvant le champagne, dans laquelle les membres en règle devaient entretenir plus d'un amant à la fois afin de pratiquer le S sans grand A ? On envoyait des carottes par-ci, par-là, on se faisait des congrès de chasse de groupe, on avait des techniques précises pour appâter le gibier, on vivait plein d'histoires excitantes… Et là, tout le monde est abstinent ? La consœurie des bonnes sœurs qui tricotent en buvant (juste un petit verre) de champagne ? On se fait un congrès de macramé le week-end prochain ?

— Bon, bien, on se croise demain. Prête-moi Ge.

— Bye !

— Salut, Mali ! Elle t'a dit pour le truc des points bonis ? déclare-t-elle, hystérique, en attrapant le cellulaire.

— Oui, oui, elle me l'a raconté. Elle va bien ?

— T'as pas idée à quel point on se demandait pourquoi la carcasse des bisons restait au sol en clignotant, tu comprends ?

Bon, décidément, je vais les laisser dans leur univers et retourner à mon mourant. Je commente leur découverte avec peu d'enthousiasme :

— Super, les bisons, les carcasses, les points pis toute ! *Wow !* Bon, je vous laisse !

— Bye.

Avant même que je ne réponde, elle n'y est plus. J'entends Bobby gémir à l'étage principal.

— J'arrive, mon bébé…

Certaines personnes s'autogèrent adéquatement, mais d'autres pas, hein !

Calme-toi, Ge !

➥ **Décompte officiel : Sacha, 35 semaines ; Ge, 45 semaines ; Bobby-Mali ainsi que Coriande, 3 semaines**

Je piétine dans la maison telle une vraie folle, quasiment comme si c'était moi que l'équipe d'*Opération séduction* venait filmer.

— Qu'est-ce que tu vas porter ? que je panique en me prenant la tête à deux mains.

— J'hésite encore… On m'a suggéré de choisir mes vêtements tout bonnement devant la caméra. Un concept de préparation en direct, tu comprends ?

— Calme-toi, là ! que je lui conseille, comme si elle était nerveuse.

— Euh, c'est plutôt toi qui devrais relaxer, Mali.

La semaine dernière, j'ai écouté l'émission tous les soirs pour me faire une tête. C'est vrai que le tout semble respectueux des concurrents (contrairement à certains concepts que l'on ne nommera pas). Cette semaine, par exemple, c'était un gars de la construction qui avait un petit côté intellectuel. Surprenant ! Une chose reste certaine, je me pousse d'ici avant que le tournage commence. De toute façon, mon malade n'est pas encore remis sur pied, donc je vais passer la semaine chez lui. Le réalisateur voulait que deux personnes proches de Ge soient là pour partager quelques commentaires à son sujet en début d'émission. Du genre : « Quel sorte de fille est Geneviève ? Quel type d'homme cherche-t-elle ? » Est-ce que j'ai besoin de vous dire qu'il n'était pas question que je m'acquitte de cette tâche ? Non, merci ! Coriande s'en chargera (en espérant que sa note du jour soit d'au moins cinq ou six sur dix). Je l'imagine avec son air triste dire : « Ge est ben ben fine, là… » Ou encore l'air hyper dépressive : « Elle cherche un homme, là… » Hish… J'espère qu'elle prendra une boisson énergisante avant qu'on allume la caméra, afin de se motiver la face-de-peine-d'amour un peu !

Ge paraît toujours aussi sereine après avoir terminé sa mise en plis. J'ai fait un saut illico ici pour la déstresser. Je ne sais pas si c'est réellement le cas…

— Dis de quoi ? Fais de quoi ? que je lui reproche comme si mon attitude de femme paniquée était réellement de mise.

— Quoi ? Je me sens calme et en contrôle ; je sais que je vais rencontrer l'homme de ma vie. Je ne sais juste pas quel jour !

J'ai un drôle de *feeling* ; comme une vague impression que ça ne se passera pas comme elle l'anticipe.

— L'équipe arrive à quelle heure ?

— Autour de seize heures…

— Mais, c'est dans vingt minutes, ça ! que je gueule comme si elle ne le savait pas. Où est Coriande ?

— Elle s'en vient.

— Bon, je me sauve. Ça va bien aller, là… Calme-toi !

— Je sais, Mali.

— Arrête donc de faire comme si c'était normal !

— Qu'est-ce que tu veux que je fasse ?

— Je ne le sais pas… Ça va bien aller, que je répète, avant de l'embrasser et de sortir de la salle de bain.

La porte du *condo* s'ouvre au même moment. En arrivant en bas, je croise Coriande, que je questionne d'emblée :

— T'es prête ?

— Mali ! C'est pas une prestation digne des Oscars que je vais livrer…

— Tu vas dire quoi ?

Elle soupire comme si je l'agaçais royalement.

— Ge est ben ben fine, là…

Je vous l'avais dit ! Je m'en vais d'ici ! Je ne veux pas voir la suite…

Affront à l'organisation

— Calme-toi. Elle n'est pas au front avec l'armée de terre pendant une guerre planétaire quand même, m'ordonne Bobby, tanné de me voir piétiner nerveusement dans son salon.

— Presque !

— C'est pas si *heavy* que ça, passer à la télé…

— Pour toi, non ! Tout le monde t'aime déjà : tu entres sur un plateau et les filles mouillent à tout coup leur petite culotte en songeant : « Ah ! l'amour voyage, l'amour voyage… »

Il rit devant mon exaspération théâtrale face aux filles hystériques se trémoussant de désir pour lui.

J'attends impatiemment vingt et une heures pour appeler la concurrente de la semaine. Les tournages auront lieu tous les soirs et ils se terminent autour de cette heure. À moins quart, je ne peux plus me retenir et j'appelle. Pas de réponse. Misère !

Elle me rappelle quelques minutes plus tard.

— Et puis ?

— Et puis quoi ?

— Arrête de niaiser !

— Ç'a bien été…

— Accouche !

— C'est tout ce que je vais vous dévoiler. On l'écoutera ensemble dans deux semaines…

— Tu déconnes royalement. Vas-y !

— Non, je suis très sérieuse, Mali. On regardera l'émission toutes ensemble ici !

— Quoi ?

Je raccroche après avoir tenté par tous les moyens d'en savoir un peu plus, mais rien à faire. Sacrée Ge ! Elle avait l'air calme, zen… Comment fait-elle ?

Notre vie s'étale

Je me rends au *condo* pour croiser Françoise ; c'est son jour de ménage hebdomadaire. À vrai dire, le ménage est maintenant bihebdomadaire, étant donné qu'elle n'ira plus chez Coriande trois semaines sur quatre.

Lorsque j'entre chez moi, elle s'y trouve déjà ; elle possède désormais sa propre clé, depuis le temps !

— Madame Mali ! J'avais hâte de vous voir ! Bobby est toujours malade ? Sacha m'a raconté ça mercredi…

— Oui, il va de mieux en mieux. Je n'avais jamais vu un homme à terre de même.

— Le seul point positif est que ça vous a aidés durant votre deuxième semaine d'abstinence ! Hi ! hi ! hi ! s'esclaffe-t-elle en me tapotant doucement l'épaule.

Ah bien oui ! Aucune réaction de surprise de ma part. Aucun sourcillement. Ni aucun « Mais comment sait-elle ça ? ». Je me demande cependant si elle l'a appris dans le communiqué municipal public ou simplement par Sacha. Je vous gage ma chemise que Jy Hong est aussi au courant ainsi que sa femme.

Elle poursuit :

— La femme de Westmount trouve votre décision bien bizarre. Elle se demandait pourquoi vous ne tentiez pas de mettre un peu de piquant dans votre vie sexuelle à la place…

La femme de Westmount qui juge notre décision de couple, maintenant ? J'aurais peut-être dû l'appeler avant de prendre une telle résolution ? Aucune herméticité dans cette consœurie de macramé de mes deux ! Avouez que c'est terrible !

— Ah bon ! Elle trouvait ça ? que je fais, totalement désemparée de devoir commenter l'affirmation d'une pure inconnue à mon sujet.

— Ouais ! Mais par contre, elle était très contente que Ge participe à *Opération séduction*. Elle va l'écouter, c'est certain ! Ç'a bien été, hier, pour la première journée de tournage ?

Non mais, qu'elle vienne visionner le tout ici, tiens ! On va souper, apprendre à se connaître. Elle est si impliquée dans notre vie, de toute façon !

— Françoise, Ge reste muette comme une carpe. Elle ne veut rien nous dire avant qu'on ne constate le tout, nous-mêmes, devant la télé…

— Quelle bonne idée !

— Non, je ne trouve pas, moi.

— Ne vous en faites pas, je suis certaine que ç'a très bien été.

J'espère… Imaginez qu'elle tombe en rafales sur quatre mecs complètement nuls. Ou pire, un gars qu'elle connaît. Le comble du malheur : une ancienne carotte remisée à la filière treize. Je chasse tout de suite mes anticipations négatives en quémandant des nouvelles fraîches du voisinage montréalais :

— La femme de Westmount va bien ? Son histoire d'adultère ?

Bien quoi ? Ne me jugez pas. Elle s'informe, donc moi aussi. C'est toujours croustillant leur escapade.

— La semaine derrière, son mari est resté à la maison pour travailler. Ç'a chamboulé les plans du lundi avec son amant. Elle est donc allée « prendre une marche » afin de le rejoindre et faire l'amour dans sa voiture.

— En plein jour ? Où ?

— Ils ont changé de place trois fois ; ils se sont d'abord garés en face d'une épicerie ; trop bondé. Ils se sont ensuite déplacés près d'un parc où ils se sont fait surprendre. Ils ont finalement été dans le stationnement souterrain du Stade olympique. La paix pour douze dollars !

— Quelle histoire ! L'hôtel n'était pas une option ?

Quoi ? Moi aussi je peux bien juger ses choix !

— Non, vraiment moins excitant, selon elle.

— J'espère que ça en valait le coup.

— Oui ! oui ! Elle a des relations sexuelles très satisfaisantes avec cet homme ; il est très tendre et doux, soucieux qu'elle atteigne « vaginalement » l'orgasme chaque fois, et…

— Ça va, Françoise ! Ma question était plus générale, que je la coupe.

Non, mais je n'en demandais vraiment pas tant. Bien que ce sera probablement la première information que je vais transmettre aux consœurs : « Savez-vous quoi ? La femme de Westmount atteint l'orgasme VAGINAL chaque fois avec son amant... » Les filles, en général, sont différentes, mais tout de même semblables, hein. Disons qu'on se rejoint toutes quelque part à la croisée des chemins entre nos émotions-d'hormones-mal-gérées, notre désir-latent-de-se-sentir-toute-petite-dans-les-bras-de-notre-*chum* et notre capacité-de-gestion-phénoménale-capable-de-faire-fonctionner-trois-multinationales-en-même-temps-en-claquant-des-doigts !

Comme Françoise achève de déballer ses nouvelles (Hugo ne fera pas d'heures supplémentaires demain et Sacha est bien contente et elle va mieux), celle-ci part à la recherche de croquant informatif bien frais.

— Et vous, madame Mali ?

— Ça va bien, je m'occupe de mon malade. Je me disais cette semaine : « Mon Dieu ! Je ne suis pas certaine qu'il ferait tout ça pour moi... Le ferait-il ? » Ensuite, je me suis dit : « Si demain je tombais mal en point comme lui, il agirait comment ? » Et...

— Madame Mali ! m'interrompt-elle à son tour, désemparée.

Qu'est-ce que j'ai dit de mal ? Elle se radoucit, respire un peu et m'explique :

— Vous vivez demain, madame. Vous anticipez demain, vous tentez de prévoir demain...

Elle vient de découvrir ça, elle, la belle Françoise ? ! Et on lui a accordé son diplôme de voyante ? Misère ! Je le sais déjà ; c'est un gros problème (ultra-méga-récurrent) chez moi. On dirait que, dans la vie, j'ai trop de temps pour penser. Est-ce possible ?

— Arrêtez d'anticiper de la sorte, Dieu du ciel ! Pendant que vous prévoyez demain, vous ne vivez pas aujourd'hui. Vous allez mourir avant votre temps…

Mourir ? Est-ce une prédiction ou une simple expression ? Ouin… tout compte fait, elle exagère ; je vis un petit peu tout de même. Du moins, il me semble. Je respire et tout !

— Comment faire pour contrôler cette manie ?

— Il faut apprendre tout d'abord à calmer son esprit, et ensuite on vit le moment présent !

Ah bien, super ! Merci, je commence tout de suite… *Go !*

— Je vous apporterai quelque chose vendredi lorsque je reviendrai. Un livre pour vous guider.

— Oui, ça m'intéresse.

C'est vrai. Je suis tannée de toujours me sentir mal en projetant mes drames planétaires dans le futur. Il y a forcément des gens qui vivent au jour le jour, heureux. Je regarde mon *chum* parfois, en bobettes sur le divan à rire des conneries stupides à la télé, et je me dis : « La vie est simple et douce sous le soleil, hein ! » Une fois, lorsqu'il était silencieux en voiture, je lui avais balancé la réplique-de-fille-classique : « À quoi tu penses ? » Il avait répondu la réponse-de-gars-classique : « À rien. » Les femmes se disent toujours que les hommes mentent, car « ne penser à rien » s'avère impossible. Erreur ! Cette fois-là, Bobby m'a expliqué que, souvent, il ne pense à rien ; il regarde quelque chose, la route, le bord du chemin, un oiseau, et ne pense à rien sauf à l'oiseau ou au paysage qui défile devant lui. Hein ? À ses côtés, il y avait moi, assise sur le siège passager, avec le crâne fendu tellement je pensais à trois cents millions de choses en même temps. Passant de mes supervisions de stage au souper du soir, puis à cette question « Mon *chum* est-il heureux avec moi ? », avant de revenir à mon étudiante à voir le lundi en rentrant. Pendant ce temps, l'homme songeait à un oiseau, une montagne, un chemin, en regardant autour de lui tranquillement. Je veux être comme ça !

La patiente envisage pour la première fois de sa vie une démarche concrète pour se libérer de sa compulsion à toujours imaginer le pire pour ne pas être déçue. Vous m'en voyez un peu perplexe, mais heureusement surprise. Je l'encourage bien sûr à poursuivre son cheminement en étant tout de même consciente que ce ne sera pas une mince tâche et qu'elle devra se laisser du temps pour y parvenir. Beaucoup de temps…

Un prompt rétablissement ?

Enfin ! Dieu soit loué ! Mon malade reprend du poil de la bête. Il était temps, je vous jure. C'est bien beau la compassion, le don de soi, l'altruisme, mais à un moment donné, il y a des maususses de limites à devenir plus généreuse de sa personne que mère Teresa.

— Tu crois être en mesure de faire ton *show* samedi ?

— C'est dans quatre jours… ouais, je pense bien. De toute façon, c'est tellement complexe d'annuler. Je vais avertir le public d'être indulgent si ma voix fausse un peu.

— Ta voix est vraiment mieux !

— Je sais, mais tsé, il y a quelque chose qui m'aiderait tellement à me remettre d'aplomb…

Comme il a une mine un peu piteuse, je m'avance et m'assois près de lui, sur le divan.

— Quoi, mon bébé ?

— Tu sais, Mali, t'as tellement été présente pour moi. Je te remercie infiniment. T'as pris soin de moi, tu m'as dorloté, t'as vraiment été parfaite et je voulais te dire sincèrement merci…

Il est donc bien fin !

— Ça me fait super plaisir.

— Je ne peux pas t'en demander plus, tu comprends ; je vais m'arranger…

— Bien non ! Si je peux faire quelque chose de plus, dis-le-moi ! Tu as besoin de quelque chose à la pharmacie ?

— C'est un truc qui aide vraiment pour la voix, mais la plupart des gens ne le savent pas. C'est gênant un peu… Une astuce de chanteur, pour les cordes vocales. Les Chinois font ça… Ah non ! Je ne peux pas t'en demander plus. Oublie ça.

— Allez ! Voyons !

Il semble terriblement mal à l'aise. Hum… il parle de petites pilules qui ne s'avalent pas, je crois.

— Parce que tu insistes seulement. Tu t'approches, ici…

Hein ? Je m'exécute en me collant près de lui. Il se couche sur le dos et relève les coudes.

— Tu dois te pencher ici et…

Il détache sa braguette et me tire un peu vers le bas…

— Franchement ! Méchant pervers ! que je fais en me redressant d'un coup.

Moi qui le croyais gêné de me parler de suppositoires ! Belle naïve !

— Bien oui, chinois mon œil ! Un truc pour les cordes vocales de qui ?

— Tu vois ! Je savais que tu ne voudrais pas !

— Manipulateur ! Je pensais que tu voulais que je te rentre quelque chose dans le derrière !

— Ce serait juste « utilitaire » pour mon prompt rétablissement… et, en passant, RIEN ne rentre dans mon derrière, c'est bien clair ?

Bon, les traits légèrement homophobes qui ressortent encore. Je pense que mon *chum* mourrait à la place de se mettre un suppositoire. Je lui attrape la main droite avant de dire :

— Utilise-la, pour te « prompt rétablir » tout seul, que je lui balance avant de retourner à la cuisine terminer la vaisselle.

— Certain ! Eille, m'as-tu vu l'autre perturbée qui veut me rentrer des objets dans le derrière !

— T'aimerais ça ! Méchante stratégie à deux sous en tout cas ton affaire… Tu pouvais bien chigner en écoutant *Shrek* !

Hish… c'était complètement gratuit, juste pour le relancer. Toujours dans la cuisine, j'anticipe la suite en faisant une grimace au mur. Je reste dos à lui en attendant qu'il me catapulte sa réplique.

— Ça, c'est pas drôle, Mali !

Nouvelle grimace au mur. Je souris dans ma barbe. Je tente de garder mon sérieux.

— Comment ça, « pas drôle » ?

— Eille, j'étais malade, presque en train de mourir. T'as pas le droit de te moquer de moi en utilisant la période la plus vulnérable de ma vie.

— « Flatte-moi », que je l'imite avec une petite voix éraillée.

Il réplique, très sérieux :

— T'es vraiment pas comique, Mali.

OK, j'arrête… Il vient de se transformer en boudin sur le divan. Il monte le son de la télé. Hon, hon, hon ! Pauvre bébé. Je poursuis ma tâche, il ne faut pas que je rie…

Ma psy avait tellement raison : « … il n'aimera guère revenir sur cet épisode, car il se sentira peu fier (voire honteux) ». Trop fort !

Souper avec les filles

— EILLE ! Qu'est-ce que tu fais ? beugle Coriande en direction de Sacha, en reprenant brusquement son verre de vin rouge.

Sacha vient d'y prendre une minigorgée sans crier gare.

— T'ES FOLLE OU QUOI ? gueule à son tour Ge, comme si Sacha venait d'avaler deux cents épingles.

— Calmez-vous les nerfs ! Je voulais juste y goûter…

— Toi, le syndrome de l'alcoolisation fœtale, ça ne te dit rien ? que je fais, en m'en mêlant à mon tour, scandalisée.

— Les malformations congénitales, la trisomie 21, les handicaps physiques, les enfants hyperactifs, les becs-de-lièvre…, énumère Coriande, visiblement sous le choc, en tenant si fort son verre de vin que je crains qu'il n'éclate.

— Je me suis à peine trempé les lèvres dans le verre ! Je ne mérite pas d'être exécutée sur la place publique quand même ! Vous êtes vraiment folles !

Nous rapprochons toutes notre coupe de vin très près de nous en la tenant fermement, comme si Sacha allait se jeter dessus pour les boire d'un trait. La peau graisseuse du poulet au St-Hubert, on s'en souvient… Silence. Nous la dévisageons, le regard sévère. Elle fixe la table un instant avant de faire un mouvement brusque pour s'emparer de la bouteille de vin qui gît au milieu.

— EILLE ! crie de nouveau Ge.

— Ha ! ha ! ha ! Vous ne vous êtes pas vu la face ! se moque-t-elle en la déposant de nouveau au centre.

— Qu'on ne t'y reprenne plus…

— Vous me prenez pour qui ? Je n'ai pas envie de boire d'alcool du tout ; mon bébé, je l'aime et il sera le plus beau et le plus en santé du monde !

Ah ! Le beau soleil ! C'est une bonne journée ! Je me tourne vers le tableau de communication.

Le silence fait souffrir (à mort) quiconque le subit...

Il faut flatter la vache avant de la traire.

– Ge

Il y a des silences qui en disent bien plus que les mots. – Cabrel

Coriande : 2/10

Ah, Coriande a ajouté deux points de plus cette semaine. C'est bien, on chemine !

— Mali tente de me faire sentir coupable, commente Ge à propos de mes citations éloquentes sur le silence. Où t'as pêché ton truc de « souffrir à mort » ?

— Dans ma tête ! que j'avoue.

— Aaahhh! Me semblait. Je me demandais c'était qui le « zouf » qui avait inventé une affaire poche de même! fait Ge, soulagée.

— D'où ta réplique avec « ta vache qu'il faut traire »?

Elle hausse les épaules. Je l'imite, étant donné que je ne saisis pas très bien son allusion bovine.

— Tu veux qu'on te supplie à genoux? Qu'on te flatte? La vache, c'est bien toi? suppute Sacha, fière que ce soit légitime de la traiter ouvertement de « vache ».

— Mali a raison! T'es cruelle, Ge, avec ton silence concernant l'émission! approuve Coriande, tout aussi curieuse que moi.

— Arrêtez donc! On va avoir du *fun* tout le monde ensemble la semaine prochaine!

— En tout cas, tu stresses ma grossesse, exagère Sacha en tournant la tête. Toi, Cori, tu as dit quoi sur elle à la télé?

— Ge est ben ben fine…, répète machinalement celle-ci en roulant des yeux.

— C'est tout?

Elle lâche un soupir comme pour signifier : « Oui, c'est assez… »

Ge s'étire pour se resservir du vin. Elle sourit avec béatitude au luminaire :

— T'as vraiment rencontré un gars? que j'analyse, certaine de déceler l'hormone du bonheur (et de la reproduction) sur son visage.

— J'en ai rencontré quatre! déconne-t-elle, en jouant la sotte.

193

— Quelqu'un d'intéressant ? s'excite Sacha. C'est quoi les activités que t'as faites avec les candidats ?

— Je ne sais pas…, se défile doucement Ge en détournant le regard pour ne pas se trahir.

— Aaaaahhh ! Je t'haïs ! réagit à son tour Cori, exaspérée.

Ge change de sujet, voyant bien qu'à trois on pourrait réussir à lui extraire le ver qui dépasse de sa narine (ark, je déteste tellement cette expression…).

— Bobby avait un *show* ce soir ?

— Dieu merci : oui ! Il était temps qu'il recommence à travailler. Il a été à plat pendant presque dix jours, mais quand il s'est mis à aller mieux, il était le plus hyperactif de la terre entière. Son énergie s'est comme accumulée je ne sais où…

— Il n'a pas tenté de coucher avec toi du tout ? demande Ge.

— Tout le temps ! Pas quand il était très, très malade, mais dès qu'il s'est remis à vivre ; hier, il a contre-attaqué ! La première fois, il m'a quémandé une fellation de « prompt rétablissement » !

— Ha ! ha ! ha !

— Il est vraiment terrible. Il m'accroche un sein ou me prend les fesses, il entre constamment dans la salle de bain pour me voir toute nue. J'ai essayé de lui dire : « Ça me dérange pas, tu tentes le diable pour rien ! » Il m'a dit qu'il allait réussir à me faire flancher avant la fin du pari. Pfft !

— Et toi, pas d'envies ?

— C'est certain que oui. Je fantasme sur le moment ultime…

— En pensant à lui ou au sexe tout court ? me demande Sacha.

— Qu'est-ce que tu veux dire ?

— Bien, des fois, on songe au sexe sans penser à notre *chum* nécessairement…

Enthousiasmée à souhait par le sujet, Ge lance une question à la tablée :

— C'est quoi votre plus grand fantasme ? Le top du top !

Hum… quelle question ! Est-ce que j'ai ça, moi, un top fantasme ?

— Toi, Mali, nomme-nous autre chose que Charles Tisseyre, s'il vous plaît…, plaisante Ge.

— Franchement, je ne « trippe » pas « sexuellement » sur le beau Charles. C'est plutôt sa voix de ténor puissante et virile qui me fait craquer. En fait, je voudrais le louer, une heure, de temps en temps, pour qu'il me raconte des histoires avant de m'endormir[12].

— Des histoires ? se désole Cori, ouvertement déçue de mon désir, effectivement à des années-lumière d'un fantasme sexuel torride.

— Est-ce que c'est ça qu'on appelle un « homme-objet » ? se questionne Sacha, pas certaine.

_____

[12] OK ! Je vous l'accorde : je fais également une fixation sur sa voix (comme vous vous en êtes sûrement rendu compte dans *Ce qui se passe au Mexique reste au Mexique !*).

— Hum… peut-être, que j'approuve en grimaçant, regrettant d'emblée d'avoir réduit mon idole vocale à ce stade peu valorisant.

Comme si ma stupidité l'avait inspirée, Sacha se lance.

— Moi, mon fantasme est grand, tout habillé en cuir noir. Il est en moto, moi aussi. Je ne le connais pas, jamais vu. Et là, il se place près de moi sur la route, il me regarde à travers sa visière. Nous roulons. À un moment donné, il me fait signe de prendre la prochaine sortie. Sans savoir pourquoi, je l'écoute. En arrivant au bout d'un chemin de terre isolé, nous débarquons. Sans rien dire, il avance et m'embrasse fougueusement. Il est beau, animal dans ses gestes, mais tendre à la fois. Il me désire tellement. Il m'entraîne dans un boisé. On marche pour arriver à une clairière donnant sur un petit lac. Il y a là une couverture, une bonne bouteille de vin déjà ouverte, plongée dans un seau à glace. On s'installe, il ne dit rien et me regarde avec volupté. Il fait si chaud. On se dévêt un peu. Jamais un homme n'a semblé me trouver si belle. Il m'embrasse de nouveau. On fait l'amour sur la couverture. C'est incroyable, il a un corps parfait. Ensuite, il me prend dans ses bras puissants pour m'emmener dans le lac. À ce moment-là seulement, il se présente, en nommant juste son prénom…

Toutes fascinées par son histoire de motard-kidnappeur, nous restons là, l'air rêveur, en souriant.

Inspirée, Ge enchaîne en parlant très vite :

— Moi, ce serait un gars en costume-cravate dans l'ascenseur. On resterait pris et on ferait l'amour comme des bêtes, je me tiendrais sur la rampe, là. Ou encore, un homme que je rencontrerais sur un parcours de golf, et là, on irait dans le petit boisé et on baiserait… ou encore un mec super séduisant que je croiserais dans un congrès qui me ferait un clin d'œil, et on sortirait en douce de la réunion pour faire l'amour torridement dans une grande salle de conférences adjacente vide…

Je l'arrête en levant une main :

— En fait, Ge, ça serait n'importe quoi avec n'importe qui ? Tant que tu fais l'amour dans l'histoire, c'est ça ?

Les filles éclatent de rire.

— Ouin, j'avoue. Je me suis comme un peu laissé emporter.

Je songe à mon cas… hum. L'inspiration surgit.

— Je dois avouer craquer pour le cowboy solitaire *sexy*. Mystérieux, qui ne parle pas, sauf avec les yeux. Costaud, brut, il travaille dans un ranch. Je me promène dans un champ, je porte une robe légère, il fait chaud. On s'est croisés à plusieurs reprises et on se trouve beaux, c'est évident. Il m'invite à faire une promenade, je monte à cheval avec lui. Je le tiens par-derrière, il sent bon. On arrive sur une plage déserte, c'est beau. On gambade, je respire l'air marin. Il me ramène au ranch. C'est tout, il n'en veut pas plus. En descendant de la monture une fois arrivée à l'écurie, j'ai trop envie de l'embrasser, mais je le remercie et me tourne pour m'en aller. Avant que je franchisse la porte, il court vers moi sans rien dire, me fait pivoter fermement et nous nous embrassons avant de faire l'amour dans le foin, toujours sans rien se dire…

J'arrête mon histoire un instant, en réfléchissant…

— Voyons ? Je suis donc ben quétaine avec ma baise campagnarde avec un chevalier !

— Ben non, Mali, t'as le droit de fantasmer sur ce que tu veux.

— J'aime mieux l'image de ton cowboy dans le foin que celle de Charles qui te raconte *Blanche-Neige et les sept nains* assis au pied de ton lit[13] ! confesse Coriande, toujours perplexe face à ma déclaration précédente.

— Vous savez quoi ? Il y a vraiment des similitudes flagrantes dans vos histoires, analyse Ge. Le mec beau et mystérieux qui ne parle pas, qui vous prend sauvagement sans avertissement…

— C'est vrai, hein !

— Bizarre ! Pourquoi, une fois en couple, on veut que les gars communiquent tout le temps plus, d'abord ?

— La réalité versus le fantasme, *right* !

Je réfléchis. Avouez que la scène de Sacha et la mienne sont plutôt d'ordre relationnel que sexuel ? La partie de jambes en l'air s'avère secondaire ; il y a un contexte, un décor, une ambiance, des odeurs… Probablement que la même discussion entre gars à la Cage aux Sports aurait ressemblé à : « M'envoyer en l'air avec deux jumelles asiatiques ! » ou encore : « Baiser la sœur de mon ex ! » Je ne crois pas que la majorité des gars auraient rêvé de caresses tendres sur une couverture près d'un lac ou de balades à cheval sur la plage !

Coriande me tire de mon analyse de comportements fantasmatiques.

— Ben moi, je n'en ai pas de fantasmes. J'en ai plus… j'ai le cœur séché…

---

[13] Pas la version porno d'Annie dans *Oui je le veux… et vite !*, j'espère ?

Nous la regardons. Pauvre chouette, loin d'être guérie de son chagrin d'amour. Voyant notre état d'impuissance, elle change elle-même de sujet :

— C'est quoi le livre que Françoise t'a laissé ?

— *Mettre en pratique le pouvoir du moment présent* d'Eckhart Tolle, que je fais en allant le chercher sur la table du salon.

Intéressée, Sacha le prend dans ses mains.

— Je veux le lire après...

— Ouin, je veux apprendre à vivre ici, maintenant, et non toujours demain, que j'explique en répétant textuellement les propos de Françoise.

— OK, fait Ge, pas certaine d'être si interpellée par le sujet.

— Moi aussi, je veux le lire après, affirme Coriande.

Ah oui ? Je suis contente de l'entendre formuler cette demande. Lorsque les filles vivent une peine d'amour récente, il est rare qu'elles essayent de mettre concrètement des choses en place pour aller mieux (outre l'alcool et le Nintendo). Je suis bien fière d'elle. De toute façon, je devrais le lire rapidement, il ne paraît pas si volumineux.

Je poursuis avec un sujet inévitable et crucial, qui aurait presque dû être abordé en priorité :

— Savez-vous quoi ? La femme de Westmount atteint l'orgasme VAGINAL chaque fois avec son amant ! Lundi dernier, ils ont dû aller se cacher parce que...

Eh oui ! La vie est si prévisible dans ce bas monde !

Dans le dos de Ge...

« Le mental cherche continuellement à dissimuler l'instant présent derrière le passé et le futur[14]. »

C'est vrai qu'on fait tous ça : « J'ai de la peine pour hier… j'ai si hâte à demain ! » Et le « maintenant », lui ? On rêve à nos vacances d'été, à nos futures rénovations, à la nouvelle voiture qu'on va s'acheter, au futur *chum* qu'on aura et à ce moment-là, seulement, nous serons heureux ? C'est n'importe quoi ! On peut mettre la vie en plan de la sorte pendant combien de temps ? On va tous se réveiller dans un CHSLD pour réaliser (entre deux repas en purée) que notre foutu dentier est encore mal ajusté et que… la vie nous a malencontreusement glissé entre les doigts sans qu'on s'en aperçoive.

Le seul moment où je suis capable d'être réellement « présente », c'est en voyage. Je me souviens qu'un de mes cousins (voyageur comme moi) m'avait écrit un super beau courriel lors d'un de mes premiers voyages en Amérique du Sud. Une phrase disait quelque chose du genre : « Savoure chaque instant doucement, ne songe pas à demain, vis tes journées une à la fois… » Et je m'étais rendu compte que ce n'était pas ce que je faisais du tout. Je visitais des ruines incas en me disant que j'avais hâte au lendemain de vivre mon excursion en bateau. Une fois sur ledit bateau, je songeais à la ville suivante sur mon itinéraire. Je ne profitais donc de rien ! Depuis, c'est beaucoup mieux. Mais bon, je suis encore loin d'être une sommité en matière de « vivre pleinement l'instant présent », car dès que je remets les pieds au

---

[14] Eckhart Tolle, *Mettre en pratique le pouvoir du moment présent*, Ariane Éditions, Outremont, 2002, p. 29.

Québec après mes escapades, je perds tous mes bons réflexes. D'un seul coup, pouf !

Ge cogne à ma porte de chambre et entre.

— Salut. Écoute, j'ai une sortie ce soir. Cori semblait très moche ce matin. Je me sens mal de la laisser toute seule…

— OK. Mais moi aussi, j'ai quelque chose…

— Mais tsé, en même temps, on ne peut pas toujours être ici avec elle.

— Je sais, Ge… Je vais demander à Sacha quels sont ses plans. Qu'est-ce que tu fais ce soir ?

— Rien…

— T'es ben niaiseuse. Tu viens de me dire que tu avais un truc de prévu.

Elle sourit comme une garce et sort sans mot dire. Je la pourchasse dans le corridor, presque sur ses talons.

— Ah ben ! Tu vois le gars que t'as rencontré durant le tournage de la téléréalité ?

Elle expose ses dents de nouveau au grand jour tout en fouillant dans sa garde-robe. Elle saisit une robe grise assez *sexy*, qu'elle lance agilement sur son lit.

— Cette robe-là, en plus ? C'est clair que tu rencontres un mec !

Silence éloquent. Je la suis des yeux. Juste pour me faire suer encore plus, elle sort de son tiroir un soutien-gorge affriolant rose bonbon, assorti à une petite culotte tout aussi aguichante. Elle dépose le tout près de sa robe grise.

— Parce que tu prévois te déshabiller en plus ? Coudonc, as-tu participé à l'émission *Marions-nous* ou à *Opération séduction* ?

Aucune réponse de sa part.

— Tu m'énarves avec ton petit air autosuffisant de je-ne-te-dirai-rien !

Je quitte sa chambre presque en furie. Outrage au tribunal consœurial ! Ça devrait être illégal ! On avait plein de règlements là-dessus avant ! Des briques interminables de règles sévères à respecter ! Décidément, la législation de l'organisation se ramollit. Je décide de mettre la consœurie (pancanadienne au grand complet) dans le coup. Avec mon téléphone intelligent, je crée une conversation de groupe par texto en incluant Sacha et Coriande, mais en excluant Geneviève, naturellement.

Je largue la bombe :

(Chères consœurs, Geneviève *date* un gars ce soir. Elle ne veut rien me dire. L'heure est grave. On doit absolument découvrir qui c'est, et ce, contre son gré !)

Sacha me réécrit :

(Hein, ce soir ? On doit le découvrir certain ! Stratégie ?)

Coriande texte :

(C'est qui ?)

(On ne sait pas, c'est ça le problème… Je vais tenter de l'espionner aujourd'hui.)

Sacha ordonne :

(Fouille dans son cell !)

(Bonne idée !)

Oh que oui, je ne vais pas me gêner ! Avec un gars, on ne peut pas faire cela, mais avec une consœur qui refuse de coopérer en dérogeant aux règles : oui, madame !

Je flâne une partie de la journée dans les pièces centrales du *condo*. Ge semble se préparer tranquillement. Je la suis du regard à tout moment. Colombo Allison, porteuse d'une mission d'envergure nationale. Je me dissimule le visage derrière une revue (un beau classique à la Mr. Bean), je fais semblant de fouiller dans le frigo (en déplaçant seulement le ketchup d'étagère), je monte à l'étage pour rien (en sifflant pour paraître décontractée), j'actionne la chasse d'eau pour feindre d'être allée à la toilette (brillant)… Une mauvaise comédie d'enquête, vous direz ? Exactement ! Étant donné que je suis subtile comme un orignal dans un jeu de quilles, elle traîne son téléphone partout avec elle, telle une guenon avec son bébé naissant (flatteur ?). Elle se doute assurément de mes intentions malsaines.

Coriande, qui revient du boulot, entre dans la pièce. Elle m'adresse un haussement d'épaules voulant dire : « Et puis ? » Je lui renvoie une expression impuissante et un signe du menton lui signifiant que le téléphone si convoité se trouve près de Ge, sur le divan. Peu subtile, Cori prend place près de la fautive (pour ne pas dire de la traîtresse) sur le canapé et lui demande sans préambule :

— Qu'est-ce que tu fais ce soir ?

— Rien !

— T'as pas une soirée avec un gars ? dit Cori, surprise, en me regardant comme si je lui avais menti.

Bravo, Cori ! Pas un orignal, mais bien un tyrannosaure dans une allée de quilles. Mon Dieu qu'elle est cérébrale ! Un plus un égalent...

Ge rit ENCORE. Je n'en peux plus de son petit air.

— T'as mis rapidement tout le monde au courant ma belle Mali, me lance-t-elle, arrogante.

— Au courant de quoi ? Je ne sais rien.

— T'as une *date* ou pas ? questionne Coriande, confuse.

— Oui, elle a un rancard. Et madame ne veut pas en parler.

Ge fait diversion en parlant au chat qui saute sur elle.

— C'est le bébé-gars de sa maman. LUI, il le sait le bébé-gars, parce que sa maman lui a dit dans le creux de son oreille de chat...

Baveuse ! Elle utilise notre enfant en plus ! Il va se sentir divisé, comme s'il avait un choix à faire. Aliénation parentale ! Elle exagère !

— Tu nous casses les oreilles avec ton abstinence, ton manque de sexe et tes *dates* poches depuis déjà trente quelques semaines... Juste à cause de ça, t'es obligée de nous le dire !

— Quarante-cinq semaines. Ça fait quarante-cinq semaines.

— On s'en SACRE comme de l'an quarante du nombre de semaines !

— Ha ! ha ! Quarante-cinq semaines ; l'an quarante... T'as de la suite dans les idées ! s'amuse-t-elle.

Elle se lève et passe devant moi, tout sourire, en poursuivant son stratagème malicieux :

— Bon ! Je vais aller me préparer pour ce soir… Je suis si excitée !

Elle tient encore son portable bien solidement dans ses mains. Grrr…

Pas Lucky Luke ?

— Vous êtes tellement fouineuses, les filles ! me balance tout bonnement Bobby à la fin de mon récit concernant la grave trahison de Ge.

Bon, depuis quand monsieur n'est-il pas curieux ? Toujours scandalisée, je lui crache avec ferveur :

— Elle ne veut rien nous dire !

— Ce n'est pas de vos affaires, raisonne colonel rationnel.

Pas envie qu'on s'obstine encore ; changeons de sujet.

— Ta voix, ç'a bien été au spectacle ?

— Oui, deux ou trois petites séquences plus difficiles avec les sons aigus, mais en général, c'était bien, je pense.

Confortablement installés dans son sous-sol, nous dégustons un bon verre de vin. Il veut me faire entendre une nouvelle chanson. Excitant ! En empoignant sa guitare, il remplit mon verre qui n'était même pas vide.

— Tu veux me soûler ?

— Mets-en !

— Avoue-le pas publiquement, au moins ! Mets donc du GHB dans mon verre, tant qu'à y être !

Clin d'œil ; il s'installe. La cadence de la chanson s'avère assez rapide ; pas une ballade romantique, cette fois. C'est accrocheur, rythmé ; j'aime ça. Il parle d'un gars solitaire, vivant près de la nature : « … la terre c'est moi, le silence le ciel… Celui qui parle trop s'enterre, j'préfère me taire… » Parle-t-il de son père ?

On dirait finalement une chanson de cowboy ! Coudonc, a-t-il installé des micros chez Ge et entendu mon fantasme ?

« … tente pas de me suivre dans mon rodéo… »

À la fin de sa prestation, ma spontanéité légendaire (légèrement imbibée) lui crie par la tête :

— On dirait mon fantasme !

— De quoi tu parles ?

— Je dois t'avouer que je fais une fixation sur les cowboys solitaires…

— Tu parles tout le temps, tu t'ennuierais à mort avec un cowboy.

Il marque un point là, que j'avais déjà soulevé d'ailleurs…

— Les fantasmes, c'est purement sexuel, et non un idéal de relation de couple.

Il me dévisage en agrandissant à l'extrême ses yeux. Oups ! C'était peut-être un peu trop d'information.

— Tu te masturbes en pensant à un cowboy pour vrai ?

Bon, voilà encore des questions à propos de la masturbation ! Décidément ! Silence de ma part. Il me presse de poursuivre, agacé :

— Réponds !

— Ben là…

— Calvaire ! Ma blonde se « doune » en pensant à Lucky Luke, sti !

— Pas rapport !

Réplique scolaire un peu, mais bon !

— On prend une tequila ?

C'est quoi cette illumination soudaine ? Du coq à l'âne, Gaétan ? J'accepte juste pour faire diversion au sujet de la masturbation.

— Tequila !

Il se précipite en haut comme une trombe pour aller chercher la bouteille…

Du GHB dans mon verre

— Hummmm…

J'ouvre un œil, confuse, la vue embrouillée. Où suis-je ?

Je me plains à voix haute :

— Ma têêête…

Je fais demi-tour sur moi-même pour constater que je suis seule dans le lit de mon *chum*. Je me sens super mal et nauséeuse. En bougeant de nouveau, je réalise que j'ai les fesses nues. Je porte encore mon chandail et mon soutien-gorge par contre. Hein ? Je songe à la veille au soir en fixant le plafonnier. On s'envoyait des tequilas au sous-sol, et ensuite… Je souffle avec la bouche, car juste d'y penser, j'ai le sentiment que je vais dégobiller. Je ne bois pas de tequila habituellement (depuis que j'ai pris une brosse lamentable en troisième secondaire). Mon corps me rappelle ce douloureux souvenir assez bien, merci, ce matin. J'agrippe mon cellulaire qui gît sur la table de chevet (MA table de chevet).

Incapable de crier, je texte Bobby qui doit être au salon. Manœuvre très lâche de ma part, je vous l'accorde.

(Au secours !)

Trois minutes plus tard, il arrive.

— Bon matin, ma belle !

— *Shit*…

Il s'assoit au pied du lit. Il a l'air bien (lui !).

— Je t'ai montée du sous-sol dans mes bras. Assez cowboy, merci, hein !

— Simonaque…

Il faudrait peut-être que je prononce des mots renfermant un peu de contenu ! Incapable d'employer des termes substantiels, je soulève la couverture pour lui présenter mes fesses. Une image vaut mille mots…

— Agace ! T'es certaine de vouloir baiser maintenant ? Le mois n'est pas terminé et compte tenu de ton état…

— T'es malade ! Hier, tu m'as soûlée et tu m'as violée ! Peut-être même droguée…

— Ha ! ha ! ha ! C'est plutôt toi que j'ai dû retenir à deux mains… cochonne, ma blonde !

Me retenir ? Menteur ! Je ne le crois pas une miette.

— Pfft !

— Ne me dis pas que tu ne te souviens de rien, Mali ?

Je réfléchis. Me souvenir de quoi, au juste ? Penser, ça donne mal à la tête le lendemain d'une cuite, hein ?

— Euh… je m'en souviens certain, que je mens allégrement.

— Je n'avais jamais fait ça avec une fille ! Une première !

— Quoi ? On a couché ensemble ou pas ?

— Tu ne te souviens de rien pour vrai, sti !

Il semble dépassé par les évènements et trop content à la fois. Qu'est-ce qu'on a fait ?

Mon *chum* paraît réellement se délecter de la situation. Fier comme un paon de pouvoir me faire accroire n'importe quoi, lui ayant ainsi confirmé que mes souvenirs de la soirée s'avéraient très flous (voire inexistants). Avant qu'il me raconte des histoires saugrenues, je creuse au maximum mon petit cerveau ramolli par l'abus d'élixir mexicain. On boit des tequilas, on déconne sur sa nouvelle chanson, on s'embrasse, et… néant total ! Cibole ! C'est quoi l'idée de boire autant sans aucune raison festive particulière ?

— On s'est masturbés en groupe, ma belle !

— Dans tes rêves !

Re-menteur ! Elle est vraiment bonne celle-là !

— Un en face de l'autre sur le divan… c'était tellement *hot*, *babe*, je capote. Je vais m'en souvenir toute ma vie !

Il niaise. Voyons ? Il surfe sur notre conversation de fantasme de cowboy et il tente de me faire suer.

— Quand tu m'as dit : « On ne peut pas baiser, mais on peut se toucher soi-même… » en enlevant tes pantalons… Ouf ! Je ne comprenais pas trop où tu voulais en venir, sur le coup !

— T'es tellement mauvais mythomane !

« Mythomane », quel mot savant ! Ça fait mal à la tête.

— T'as dansé aussi… En tout cas, c'était vraiment écœurant ! Dorénavant, la tequila sera *available* tant que tu veux !

Danser en plus ? Il s'avance et me plaque un bec sur le front avant de s'enfuir de la chambre en arborant un petit air autosuf-fisant bien maîtrisé, juste pour en rajouter.

Sérieux, ai-je osé ? Non, impossible…

Claude Poirier 10-4

Au moment où j'essaye de me convaincre en m'observant dans le miroir que je suis bel et bien en vie et non cliniquement morte comme la glace me le renvoie, mon cellulaire vibre. Un message texte qui poursuit notre conversation-Columbo-secrète dans le dos de Ge…

(Indice recueilli hier : elle n'a pas pris son auto, donc le gars en a une !)

Ouin ! Tout un indice, ça, ma Coriande : homme pas à pied ! *Wow !* On le tient !

(C'est l'élément qui nous manquait pour découvrir c'est qui !), déconne à son tour Sacha.

(Plus détective que toi, tu meurs !), que j'ajoute à mon tour.

(Attendez. J'ai un autre indice : elle est rentrée à minuit et elle a dormi SEULE ici…)

Pas très révélateur non plus, mais c'est un début.

Sacha commente en réfléchissant :

(OK…)

(Suis-la au pas et, surtout, écoute aux portes. Si elle laisse son cell quelque part, fouille dedans !) que je commande à Coriande, la seule enquêteuse présente sur les lieux du crime.

Elle répond :

(OK ! Je vais interroger le chat et tenter de le faire parler avec des gâteries… 10-4)

10-4 certain ! On pourrait appeler Claude Poirier : « Madame Geneviève fréquenterait, selon mes sources, un "dividu" suspect possédant une voiture, mais heureusement, comme elle est rentrée avant minuit ledit soir du crime, elle a ainsi évité de justesse de se transformer en citrouille. Mesdames, messieurs, 10-4. »

Je ne sais pas si Claude Poirier pourrait m'aider pour ma mésaventure d'hier. Alcoolique finie que je suis ! C'est très mature, à presque trente-quatre ans, de perdre la *map*, comme une ado lors de sa première brosse. Voyons ? Voir si j'ai dansé pour vrai ! Je me frottais sur le cadre de porte, un coup parti ? Impossible…

Je rejoins mon « public » (ou client ?) au salon.

— *Sexy bitch* ! me balance l'autre innocent, en levant les sourcils en l'air.

— Reviens-en ! C'est dans ta tête tout ça ! Tu prends tes désirs pour la réalité…

— Toi ? Avec ton fantasme de cowboy muet, t'es pas mieux !

Cette histoire l'a réellement piqué ! Un haut-le-cœur me soulève presque de terre. Je vais vomir. Seigneur, j'ai sans aucun doute fait exploser l'IB, hier soir. Je m'élance vers la salle de bain. Dans la vie, je suis capable de beaucoup de choses ; je suis une fille forte, vaillante, sans aucune limite, sauf une… vomir. J'en suis incapable ! Des reflux gastro-œsophagiens amers me remontent dans les joues. Je me concentre pour contrôler mon malaise les yeux fermés, assise au sol, accoudée sur le rebord du bain. Je respire profondément. Oufff… Ça passe tranquillement. Comme ma valise se trouve dans la salle de bain (comme toujours), je saisis mon livre en m'assoyant sur la toilette.

Mme Allison se sent coupable de sa soirée d'hier, et avec raison. Consommation abusive d'alcool, manque de maturité et, possiblement, comportements sexuels déviants… Portrait honteux pour une femme de son âge. Il m'apparaît bien évident que la patiente présente certains comportements pulsionnels de pertes de contrôle dans sa consommation de stupéfiants (ici l'alcool). Heureusement, je ne note pas la présence de récurrence dans son trouble, ni de conséquences dommageables à long terme, que ce soit pour sa santé, sa sécurité personnelle ou celle d'autrui.

My God ! Elle est donc bien intense, elle, aujourd'hui. Elle veut me faire entrer au Portage ou quoi ?

Beaucoup plus en contrôle que la patiente, le BIG BUCK semble ne conserver que peu de séquelles négatives de la soirée de débauche de madame. Il laisse par contre sous-entendre avoir eu recours à certaines pratiques sexuelles peu courantes dans leurs habitudes de couple. J'hésite à croire l'intégralité de son discours. Peut-être tente-t-il de faire réaliser à madame Allison l'ampleur de son imposture en lui faisant craindre le pire ? Si c'est le cas, je le félicite ! C'est un bon moyen de sensibiliser les gens qui présentent un trouble de consommation.

Bobby le héros maintenant ! Il cogne à la porte.

— Ça va ?

— Bof...

— Je peux entrer ?

Je me lève rapidement du siège de toilette (moi !) et je réponds par l'affirmative. Il entre et me complimente gentiment :

— Calvince que t'as l'air maganée !

— Eille, merci ! Toi, tu me fais sentir beaucoup mieux...

Je fixe mon reflet verdâtre dans le miroir. Je vous jure : je suis certaine que je suis morte.

Je partage cette impression avec mon homme :

— Je pense que je suis décédée...

— Bon, elle exagère encore !

— Eille, chose ! Pour un gars qui tenait à refaire son testament la semaine dernière parce qu'il allait mourir de son petit mal de gorge… donne-moi un *break* !

— Madame boit deux, trois tequilas de rien du tout pis elle se met à danser partout en se déshabillant…

— ARK ! J't'haïs !

Tout de même en riant de bon cœur, je me sauve dans le salon dans une mise en scène de fille super offusquée. Vous savez qu'on se fait toujours des simulations ? C'est n'importe quoi !

En me couchant sur le divan (la tête me tourne d'avoir bougé trop vite), je râle à mon tour :

— Flatte-moi…

— Booonnn…

— Écoute, j'ai pris soin de toi pendant deux semaines ; aujourd'hui, t'es à mon service…

— Je vais te cuisiner un pâté chinois ce soir !

Ouin… Je songeais plutôt à une poutine bien graisseuse pour me remettre en vie, mais bon, laissons le mâle nourrir sa femelle !

La danse du pâté chinois

Après avoir visionné deux films (choisis par madame, c'est moi la mourante !), Bobby se lève du divan, solennel comme s'il allait prononcer un discours à l'Assemblée nationale.

Il me lance, l'air terriblement important :

— Excusez-moi, madame, j'ai un pâté chinois à faire !

Il est déjà dix-sept heures ; je trouve qu'il s'y prend tard. Vous vous dites : « Bien voyons, ça ne prend pas trois heures cuisiner un foutu pâté chinois ! » Heu… détrompez-vous : oui ! Le cerveau de l'homme étant ce qu'il est, la superposition d'étapes culinaires s'avère, pour eux, impossible. Ils doivent plutôt exécuter les tâches l'une à la suite de l'autre pour suivre avec rigueur le processus de confection. À l'exception des quelques Ricardo et Stefano de ce monde, bien sûr. Il n'y a pas juste Thérèse dans *La Petite Vie* qui ne saisit pas le concept du fameux pâté !

Exemple concret de la théorie : le sujet (que j'appellerai ici le cuistot-mâle) ne fera pas bouillir l'eau dans la casserole pendant qu'il épluche les pommes de terre… Non, non, non ! Une chose à la fois ! Une fois que toutes les patates seront bien coupées en cubes et bien rincées, il allumera le rond. Voilà ! Aucun chevauchement, on règle le point un avant de passer à l'indication suivante.

Je me lève du canapé et marche dans sa direction pour jeter un œil à son laborieux projet. En me voyant ainsi approcher de SA cuisine, il me crache presque avec de l'écume aux commissures des lèvres, une paire de ciseaux dans les mains :

— LAISSE-MOI FAIRE !

— Mon Dieu ! Calme-toi le Gaétan, là ! Je n'ai rien dit ; tu peux baisser ton arme…

Il semble débordé, comme s'il gérait une équipe de trente cuisiniers préparant un banquet pour cinq cents convives royaux. Mon Dieu !

— Tu vas tout « fucker » mon plan…

Voyez ici le comportement de domination et d'appropriation que le cuistot-mâle a fait de son territoire, qu'il défend de façon quasi agressive. En le voyant ouvrir le paquet de viande hachée, je me demande s'il n'en prendra pas une grosse bouchée pour sentir le sang frais lui dégouliner dans la gorge comme au temps des cavernes…

Non, il change d'idée, repose le paquet de viande, et sort plutôt une planche de bois pour hacher un oignon. Il semble déstabilisé que je l'observe ainsi…

En fait, il me scie les jambes en deux ; il n'a pas commencé par les patates… Fascinant ! J'aurais envie de le filmer pour en faire une étude scientifique rigoureuse.

— Va-t'en ! T'es fatigante !

Il me chasse en agitant maintenant un couteau dans ma direction. Comme il est encore armé, je m'éloigne, le nez en l'air, pour aller me poster près du divan, en biais. Je conserve ainsi un accès visuel avantageux sur le chantier en cours. Après dix minutes de tranchage d'oignon, il ouvre enfin le rond du poêle et attend, attend et attend que le beurre fonde (impossible pour le cuistot-mâle de le faire avant, vraiment captivant). Il fait revenir l'oignon (à feu beaucoup trop doux, ça va prendre des heures…). Ma fibre féminine de prise-en-charge-de-la-grotte-néandertalienne me remue tranquillement. J'ai tellement le goût de prendre le contrôle pour régler le tout en deux temps, trois mouvements ! Mais non, laissons le cuistot-mâle vivre son expérimentation et observons la bête de loin…

Après vingt-cinq interminables minutes, la cuisson de la viande s'achève enfin. Comme il sait que je jette un regard vers lui de temps à autre (tout le temps, plutôt), il me dit :

— Regarde pas. J'ai des ingrédients secrets à ajouter.

Bon ! bon ! bon ! La recette classique du cuistot-mâle renferme des secrets, maintenant. Je triche et ouvre légèrement un œil : sauce Worcestershire et épices à steak. Ses fameuses épices… Il en utilise partout. Je le soupçonne même d'en mettre sur ses rôties le matin quand je ne suis pas là !

Les patates maintenant ! Ouf ! On va y arriver ! Comme je l'avais prédit, il épluche minutieusement les pommes de terre qu'il rince dans un grand bol. Le chaudron n'est même pas sorti du placard lorsqu'il termine sa tâche. Faisons bouillir l'eau, maintenant ! Pendant ce temps, il s'ouvre une bière et flâne dans la cuisine. Je le rejoins. C'est déjà le bordel ; au lieu de laisser la viande dans la casserole, il l'a versée dans un autre cul-de-poule pour bien visualiser toutes les étapes de superposition des aliments. Les trois boîtes de maïs sont sorties, l'ouvre-boîte bien en vue, tout près. J'espère qu'il ne fera pas l'erreur classique fatale avec le maïs en grains… (vous savez de quoi je parle ?) Ceci dit, je constate qu'il y a de la viande hachée partout sur le poêle ainsi que sur le comptoir, que les pelures de pommes de terre n'ont pas été ramassées et que certaines jonchent même le sol (pourquoi ?). Non, je ne me mêle de rien.

— Je suis bon, hein ?

Quoi ? Il faut déjà débuter l'étape de la valorisation ? Habituelle-ment, les compliments sont quémandés seulement au moment de la mise au four. Pas dans son cas. Le torse bombé de fierté, le cuistot-mâle sollicite déjà un flot de « bravos » et de « félicitations », qui devra probablement durer jusqu'au coucher... Eh oui !

— Oui, t'es super bon, mon bébé !

— Tu vas rire, c'est la première fois que je fais ça ! J'ai eu un *flash* parce que j'avais de la viande hachée, mais je ne me cuisine jamais ça d'habitude ! Ma mère m'en apporte un chaque fois qu'elle vient à Montréal.

Merde, c'est sa première fois en plus ? Un dépucelage de pâté chinois... Il tombera assurément dans le piège de l'erreur fatale... mais je ne suis pas une blonde fatigante et contrôlante qui dit quoi faire à son *big buck*. Oh que non !

Les pommes de terre prêtes, il me chasse de nouveau de la cuisine, le pilon dans les mains. Un truc secret pour les patates aussi à ce qu'il paraît. Hum...

J'observe de loin ; beurre, touillage, broyage, lait, épices à steak (encore ?), broyage, touillage, lait (pas trop, ça va être liquide...), aucun touillage, encore du lait (oh...).

— Ah *shit*, c'est trop liquide ! Trop de lait, rugit-il, l'air presque au bord de la crise de larmes.

Je savais. Dédramatisons.

— Pas grave, bébé...

Bon, l'étape cruciale de la disposition des ingrédients ; moment préféré du cuistot-mâle où le fruit de son dur labeur prend enfin forme. Il étale la viande dans le fond du plat. Il étend, étend, étend, lissant la surface avec une spatule en plastique. Il se penche pour s'assurer que tout est parfaitement droit. S'il existait un niveau en cuisine pour égaliser les strates du pâté chinois, il irait de ce pas s'en procurer un. Blé d'Inde maintenant… Misère ! Comme mentionné précédemment : deux boîtes de maïs en crème (ça va) et une de maïs en grains (cataclysme potentiel). Il ouvre les premières et les verse délicatement sur la viande (pour ne pas endommager la surface parfaite). Il égalise le tout une fois de plus (coudonc, mon *chum* souffrirait-il d'un trouble obsessif compulsif ?). Il prend la dernière boîte dans ses mains (c'est une grosse, en plus) l'ouvre et… Merde, il la verse au complet dans le plat. Il se rend tout de suite compte de sa bourde :

— AH ! CALVINCE ! Il y a plein d'eau dans mon pâté chinois ! J'ai versé la canne de blé d'Inde sans l'égoutter…

L'intensité de sa détresse est palpable. Je le rassure en me retournant vers le mur pour rire de nouveau dans ma barbe. Tel un automate, je répète :

— Pas grave, bébé…

Complètement découragé, il pleurniche :

— Déjà que les patates étaient trop molles, et là, plein d'eau dedans…

Tenace, il termine tout de même la dernière couche en ajoutant (je devrais dire en coulant) la purée sur l'ensemble. Déterminé au combat jusqu'à la dernière minute, le cuistot-mâle lisse la surface supérieure pendant un bon moment. Comme si le simple fait de voir le plat complété lui permettait d'oublier les irrégularités de texture de son contenu, il jubile :

— Fini ! Je suis bon, hein ?

Encore ? Il fait chauffer le four (ça non plus, il ne pouvait pas y penser avant…).

Il anticipe fièrement le résultat :

— *Wow !* Ça va être bon !

Je le rejoins pour vivre ce moment de gloire incommensurable à ses côtés. Il fixe la porte du four, tout sourire. Son état de béatitude disparaît net au moment où il constate le désordre de la cuisine.

— Ark ! Pas le goût de ranger maintenant ; j'ai travaillé ben trop fort !

L'heure : dix-huit heures quarante-cinq. Quand même pas trois heures comme j'avais dit, mais une heure quarante-cinq de préparation ! Faut le faire !

— Je vais t'aider, bébé.

Mon cellulaire vibre au moment où je m'apprête à rincer les gros chaudrons. Un texto de Cori :

(Je l'ai : on la menace de l'expulser de la consœurie !)

Sacha s'informe :

(À la pointe d'un couteau ou non ?)

(On organise un souper demain ; on l'accote au pied du mur…)

(Parfait !)

(On mange quoi ?)

En textant, je vois Bobby qui ouvre la porte du four aux trois secondes.

(J'ai le goût d'escargots à l'ail… ça serait bon aussi des brioches à la cannelle. Mmmm)

Pas besoin de vous dire de qui vient le texto…

(Ark ! Laisse faire les escargots ! Je vais partir un rôti dans la mijoteuse demain. xx)

(OK, bonne soirée !)

(Prout ! prout ! Hahahaha)

Bon ! Sacha qui termine la conversation à la hauteur de son niveau de maturité !

Le cuistot-mâle, toujours à regarder cuire le fruit de son dur labeur, a finalement allumé la lumière intérieure pour observer la progression en continu de son œuvre.

— Ça sent bon !

Absolument pas, ça ne fait que cinq minutes que le plat est au four…

Dans les trente minutes qui suivent, il est incapable de ne pas se lever à tout moment pour regarder-voir. Beau pléonasme !

— Je vais juste regarder, voir !

Arrive enfin le moment de se mettre à table ; ça sent bon, j'ai faim ! Le cuistot-mâle a presque fait une disposition digne d'un banquet royal : nappe, serviettes de table de père Noël (restants du temps des fêtes, mais tout de même), assiettes (pareilles) déjà sur la table, ustensiles bien placés, pain, beurre dans une petite assiette, salière et poivrière côte à côte… Il me prie de m'asseoir en tirant ma chaise tel un galant serviteur.

Naturellement, ce qui doit arriver, arrive. Au moment du service, la texture de son plat sublime s'avère plutôt flasque. C'est un pâté chinois liquide ! Il semble si déçu, que je le rassure rapidement :

— Ça fait toujours ça quand on le sort tout juste du four !

— Ouin… On va y goûter !

Le cuistot-mâle aimerait à ce moment précis un roulement de tambours, une acclamation debout, un discours présidentiel soulignant son exploit.

Pressé, il y goûte.

— Mmmm ! Écœurant ! Hein ?

Il est content, content, content. J'y goûte, c'est bon. C'est du pâté chinois. Pour le valoriser encore (et du coup l'inciter à faire plus souvent la cuisine), je feins l'extase quasi orgasmique :

— Miam ! VRAIMENT écœurant !

— Hein ! hein ! Pas pire, hein !

Il m'épie encore avec appréhension après ma seconde bouchée, comme si la deuxième allait être encore meilleure. Je m'extasie de nouveau :

— Mmmm, le meilleur du monde en ville !

En fait, il est si fier qu'il aimerait recevoir une mention d'honneur comme quoi on reconnaît publiquement son talent culinaire insoupçonné. Pourquoi ne pas lui accorder ce plaisir en affichant sa photo ainsi que sa recette sur les boîtes de maïs ? Je suis certaine qu'il songe : « Il doit y avoir des concours de pâté chinois quelque part dans le monde, faut que je m'y inscrive ! » Le cuistot-mâle désirerait tant exposer son talent au grand jour et l'exploiter de façon compétitive. Peut-être aussi l'exporter à l'étranger…

— Je vais être prêt pour l'émission *Les Chefs* bientôt ! Apportes-en à Ge et Cori pour qu'elles y goûtent. À Hugo et Sacha aussi !

Je vous l'avais dit… Et j'en ai pour la soirée entière à revenir là-dessus. Non mais, on s'entend qu'une femme aurait réglé le tout en quarante-cinq minutes (vaisselle incluse, sans besoin d'interminables félicitations). Présentement, monsieur est fier comme s'il avait découvert un vaccin contre le cancer ! Steak-blé-d'Inde-patates ; on est quand même à des années-lumière d'un prix Nobel !

Deuxième séparation à l'horizon

➥ **Décompte officiel : Sacha, 36 semaines ; Ge, 46 semaines ; Bobby-Mali ainsi que Coriande, 4 semaines**

L'eau renversée est bien difficile à rattraper. Peut-être qu'on ne te pardonnera jamais, Ge… Traîtresse !
Quelle soirée de rêve !!! My God !
— Ge 🙂
Agace ! On te déteste !
Coriande : 4/10

Au moment de servir le rôti, je prends un air dramatique exagéré.

— Ge, il faut qu'on te parle. L'heure est grave…

Elle sourit en semblant se douter de la suite.

— Je vous écoute, chères consœurs !

— On a pris une grande décision…, débute Sacha, aussi sérieuse que moi.

— On te quitte ! lâche Coriande en coupant agressivement la pièce de viande dans une grande assiette de service.

Cette affirmation, venant directement de la bouche de Cori, laisse planer une drôle d'ambiance pendant une fraction de seconde. Un mélange de sarcasme et d'autodérision envers sa propre situation, le tout en meurtrissant un rôti…

Sacha poursuit dans la même veine, en nuançant tout de même les propos de chacune :

— Plutôt : on te met dehors de la consœurie. Ton mutisme, les mystères et tout, tu enfreins les règles de l'organisation. Tu nous as blessées, on ne peut pas passer l'éponge. C'est terminé.

— OK… Vous ai-je dit que ma soirée avait été tout simplement géniale ? reprend celle-ci, l'air complètement hermétique face à nos menaces de « séparation ».

— On le sait, tu l'as écrit sur le tableau. Tu vois ? Tu fais exprès, en plus, et tu sembles t'en amuser. Inacceptable !

— Vous allez quitter mon appart après le souper, je suppose ? Ou demain matin ? s'informe la fautive, désinvolte.

224

— Eille ! eille ! eille ! que je panique, consciente qu'elle tient là le gros bout du bâton.

— On se calme ! réagit à son tour Cori, qui craint elle aussi de se retrouver sans logis.

Bébé-gars Subban, attiré par le fumet du rôti, approche doucement de la table. Il s'en mêle en nous miaulant allégrement : « C'est vrai que si vous excluez ma maman numéro 1 de la consœurie, elle vous mettra à la porte… » Bon, il met encore son grain de sel de chat, lui ?

— Le petit bébé-gars à sa maman va maintenant habiter tout seul avec sa maman ! lui répond Ge.

— On est dans la rue ! que je m'affole en dévisageant Cori.

Sacha lève sa main vers nous pour nous rassurer qu'elle prend désormais en charge la dramatique situation. Adoptant une attitude plus douce, elle formule, les deux mains sur la bedaine (moyen de pression ?) :

— Si tu nous donnes de l'information, on pourrait rediscuter de ton exclusion et… peut-être bien revenir sur notre décision.

— Tabarnak, je ne veux pas aller vivre chez ma mère ! pleurniche Coriande.

Sacha, scandalisée, lève les yeux vers elle, les mains toujours sur son ventre.

— Sakarnaque, matante veut dire, se reprend Cori, en parlant en direction du ventre de la future maman.

— OK ! UNE information ! consent Ge.

— Oui, parfait, juste une, et on annule ta radiation !

Ge termine de garnir son assiette, se verse du vin et commence à manger tranquillement. Tout le monde fait de même. Silence radio. On la fixe en s'enfonçant un peu machinalement la fourchette dans la bouche. Elle sourit aux anges entre chaque bouchée.

— C'est bon !

— Ben oui, ben oui ! la presse Cori, visiblement désintéressée par son appréciation culinaire.

Elle n'a pas besoin d'autant de valorisation qu'un certain cuistot-mâle que l'on ne nommera pas !

— La viande est super tendre…, poursuit Ge.

— On s'en sacre de la viande ! beugle Sacha.

Nouveau silence. Elle se moque tellement de nous. Ce n'est pas croyable.

— L'information, c'est pour cette année ou quoi ? s'informe Cori, toujours montée sur ses ergots.

Ge hausse les épaules comme si elle ne savait pas trop. Elle agrippe finalement le pot de gelée de pommes et de canneberges sur la table et commence à en lire l'étiquette.

— Geneviève, je vais t'enfoncer la tête dans la mijoteuse si t'arrêtes pas ! la menace ouvertement Sacha en brandissant agressivement sa fourchette en l'air.

— OK ! OK ! Mon Dieu, pas moyen d'apprécier un bon repas tranquille.

Je lève à mon tour ma fourchette dans sa direction. Cori nous imite. Sous la pression répétée des ustensiles maintenus haut dans les airs (et en direction de son visage), elle cède et explique :

— J'ai participé à une téléréalité sur la chaîne V…

Je l'interromps, impatiente, en approchant encore plus mon arme :

— On le sait ; accouche cibole !

— C'est à moi que tu parles ? me questionne Sacha en se prenant le ventre, tout en pointant maintenant sa fourchette dans ma direction.

Décidément, on est très drôles, ce soir ! Belle énergie de connerie consœuriale. Une conne-sœurie, oui !

— Non, toi, attends encore un peu…

— Je disais donc ; j'ai participé à une téléréalité sur la chaîne V et j'ai rencontré un homme ! annonce fièrement Ge avant de se remettre à manger.

C'est tout ? C'est ça, son « information » ? Elle ne va pas s'arrêter là…

— Qui ?

— Non ! répond-elle, en confirmant ainsi mon hypothèse concernant la suite.

— Ah Ge ! *Come on !*

— Fin du sujet. Je ne vous dirai rien d'autre !

— Laissez-la faire ! Est bouchée des deux bords ! On ne peut pas te mettre dehors, mais c'est bien juste parce qu'on n'a pas de place où habiter et qu'on t'utilise, rage Coriande.

— Quand est-ce que Julie vient nous voir ? demande Ge, satisfaite de nous faire suer une fois de plus.

Notre amie de Québec vient nous rendre visite avec ses marmots le week-end prochain.

— Samedi matin. Elle restera à souper, mais rejoindra son *chum* après.

— Super !

— Ça adonne bien…, envoie Coriande en devenant un peu triste.

Mon frère revient ce samedi-ci, justement ; pour une semaine. Elle doit appréhender ce retour. Je ne lui pas reparlé moi non plus. Je devrais… Malgré la situation, il reste tout de même mon frère.

— Ouin…

— Je lui ai écrit un courriel. On va se parler. J'ai besoin de lui dire que je suis désolée…, nous avoue-t-elle.

Oh ! Est-ce que je verrais poindre à l'horizon la troisième phase du deuil amoureux ? Je crois bien que oui.

PHASE 3 : LA CHANSON À RÉPONDRE (ALIAS « J'AURAIS DÛ DONC DÛ BEN DÛ »)

Durant cette étape, plus ou moins longue, l'endeuillé de l'amour cherche par tous les moyens à se culpabiliser en s'attribuant la seule et unique responsabilité de l'échec amoureux. Une sorte d'autoflagellation à travers les regrets. Les phrases de cette personne débutent alors habituellement par « Si j'avais… » ou encore « Si j'aurais… » (pour ceux qui maîtrisent plus ou moins la fameuse règle grammaticale des « si » qui n'aiment pas les « rais »). On entend aussi beaucoup des « J'aurais dû ceci… » ou « J'aurais dû cela… » de la bouche de l'« échaudé de la vie ». À cette étape, la personne rêve habituellement de voir sa relation se renouer en affirmant avoir compris ses torts, dans l'espoir de changer la perception de l'ex-conjoint. Malheureusement, certaines personnes tomberont parfois bien bas en faisant presque tout pour gagner leur cause. Elles cherchent alors le contact via les réseaux sociaux (messages de détresse sur le fil de nouvelles Facebook) ou par téléphone (ou plus souvent par message texte). Elles accumulent les défaites pour voir l'autre en plaidant souvent le « besoin de comprendre » pour parvenir à leurs fins. Bien qu'il soit indéniable qu'elle veut comprendre, la personne sait, à cette étape, qu'elle souhaiterait plutôt voir le rétablissement de la relation. Lorsque l'adultère est en cause dans la séparation, certaines personnes iront même jusqu'à jeter le blâme sur elles-mêmes, de façon totalement irrationnelle. Il est très difficile de faire raisonner une personne qui amorce cette phase, car le hamster tourne souvent trop vite dans la tête (de nœuds) de cette dernière.

— Tu crois que c'est une bonne idée ? ose dire Sacha avec délicatesse.

— Bonne idée ou pas, j'en ai besoin, je dois comprendre, m'excuser…, répond expéditivement Cori, pour signifier qu'elle ne veut pas subir d'analyse de groupe quant à sa décision.

Vous voyez ? Elle doit comprendre et s'excuser… Porter le blâme ? Cori regarde partout, elle soupire ; elle ne veut visiblement pas en parler.

Je change de sujet pour en aborder un plus léger :

— J'ai un problème d'alcool !

— Hein ?

Je leur raconte les supposés « faits » énumérés par Bobby concernant mon comportement dévergondée-alcoolique de samedi soir dernier.

— Danser ?

— Il paraît…

— Masturbation de groupe ?

— Il paraît aussi…

— Tu penses qu'il te niaise ?

— Je ne sais pas…

— Je l'ai déjà fait avec Hugo !

— Oui, mais toi et You Go, y a-t-il quelque chose que vous n'ayez pas essayé ?

— Heu… non !

— Vous avez couché ensemble et il ne veut pas te le dire ! en conclut Ge.

— Je ne pense pas…

— Il reste combien de temps à votre gageure ?

— Une semaine. Techniquement, la semaine prochaine, ça fera un mois…

— Avez-vous une activité de prévue pour fêter ça ? demande Sacha.

— Non, pas songé à ça encore.

— Peut-être que lui, oui !

Hein ? C'est vrai, je n'y avais même pas pensé…

Je suis évincée

En me rendant à ma rencontre de stage ce matin, je songe à Françoise. Un vrai complot entre elle et Ge, cette affaire-là ! Hier, mardi (jour de ménage 1), Ge est revenue dîner à la maison spécialement pour voir notre chère ménagère. En entrant, elle lui a fait une mimique resplendissante de fille super excitée, du genre : « Tu devines ce qui se passe ? » Françoise lui a renvoyé un « Madame Geneviève… » hyper complice, signifiant : « Je vous l'avais bien dit ! » Et là, Ge lui a empoigné le bras pour la diriger vers sa chambre. Motivée (et trop impliquée), j'ai suivi les deux femmes dans l'escalier pour finalement me faire fermer la porte au nez ! « Désolée, c'est privé ! », m'a annoncé Ge en m'expulsant littéralement en dehors de la pièce. Après ma troisième menace, stipulant que j'allais défoncer la porte, Ge est ressortie pour me dire : « Mali, ça sera juste plus drôle d'attendre. Arrêtez donc de capoter… Va-t'en ! »

Exclue et rejetée, je suis redescendue en pleurnichant à haute voix avant de saisir mon cellulaire pour moucharder mon expérience traumatisante d'exclusion à l'aide de notre conversation secrète.

(Grosse réunion *top secret* entre Françoise et Ge en haut… Elle m'a évincée de sa chambre comme une sauvage ! ☹)

Sacha a répondu :

231

(Erreur de sa part ; Françoise va tout répéter à tout le monde. On la tient !)

(Tu crois ?)

(C'est sûr, je la cuisinerai demain… Toi, tente de nouveau d'interroger le chat.)

(Oublie ça ; on est en froid. Je l'ai chassé de ma chambre à coups de pied cette nuit parce qu'il grouillait trop. On ne s'est pas reparlé depuis…)

(Donne-lui des Minouches ! Bye.)

Coriande n'a pas pris part à la conversation, probablement par manque de temps libre au travail. Ou encore, elle devait être trop occupée à se taper sur la tête avec une batte de baseball…

Lorsque Ge est repartie au bureau, j'ai presque sauté à pieds joints sur Françoise (au sens figuré). Désinvolte, j'ai feint d'être la fille-la-plus-au-courant-du-monde : « On est bien contentes pour Ge… elle le mérite tellement. » Elle a répondu : « Mais quelle surprise que son choix ce soit porté sur LUI… » J'ai demandé : « Qui ça, lui ? » Elle m'a ensuite dit qu'elle savait que je n'étais pas du tout au courant de la nouvelle et que Ge nous en réservait la surprise lors de la diffusion des émissions.

Zut ! Mais bon, il ne reste que cette semaine et la semaine prochaine à patienter… Torture !

Lorsque j'entre au CPE où travaille ma stagiaire, c'est le branle-bas de combat des matins d'hiver. J'aimerais juste préciser aux gens qui n'ont pas d'enfant que le mot « hiver » pour un parent rime avec « moins de temps » dans une journée ! Habiller un enfant d'âge préscolaire peut parfois ressembler à un sport olympique. Surtout lorsqu'il a « terriblement » deux ans.

Deux parents ont droit simultanément à une belle «crise de bacon» dans les règles de l'art, leur rejeton s'agitant dans tous les sens sur le plancher du vestiaire. Compatissante, je leur souris. Certains parents sont très embarrassés quand cela se produit, mais s'il y a un endroit sur terre où l'on comprend l'enfant et son développement sans porter de jugement, c'est bien ici !

Mon étudiante se trouve déjà dans son local avec un groupe d'enfants de dix-huit à vingt-quatre mois. Elle est douce et bien à sa place dans ce métier, selon moi. C'est la deuxième fois que je la supervise. Lorsque je fais mes rencontres, je tente soit de me terrer dans un coin pour que l'étudiante m'oublie (à ce qu'il paraît, ça ne fonctionne pas), ou encore de prendre part au jeu, selon le cas. Ce matin, je m'assois dans le fond du local (sur une minichaise vert lime), car c'est la routine des jeux libres avant la collation du matin. Un des deux enfants (petit diable) qui se tortillaient arrive dans le local avec sa maman qui le tient dans ses bras. Le tout-petit pleure toujours à chaudes larmes, agrippé à sa mère comme un bébé singe terrorisé. Mauvaise journée...

— Maman s'en va, mon amour...

— NAAAAN..., beugle-t-il, apeuré, comme si elle allait le lancer dans une piscine infestée de requins.

C'est amusant, car certains bouts de chou de son groupe font mine de ne pas entendre les cris de détresse de leur copain et continuent de jouer comme si de rien n'était, tandis que d'autres cessent d'un coup leur jeu pour fixer la scène d'horreur, les yeux ronds, la bouche ouverte. Ma stagiaire me regarde, ne sachant trop quoi faire. Une crise n'est jamais souhaitée lors d'une visite de supervision. Je dis toujours aux stagiaires qu'elles doivent «aider» le parent dans ce genre de situation, et tenter de capti-ver l'attention de l'enfant pour l'encourager à prendre part à un jeu avec un ami. Je saisis une marionnette d'ours polaire qui traîne sur une bibliothèque et je la lui lance en souriant. Mon étudiante s'approche de lui. Comme elle est en stage dans ce groupe depuis plusieurs semaines, l'enfant la connaît bien. Elle lui propose, en lui montrant la peluche, de jouer avec elle. Il refuse et tourne sa tête en la camouflant dans le cou de sa mère, toujours en pleurant ; celle-ci commence un peu à s'impatienter, car elle doit sûrement se rendre au travail. On peut comprendre qu'elle n'a probablement pas envie d'asseoir son enfant en crise par terre et de le quitter sauvagement. Mon étudiante poursuit sa tentative de persuasion et, finalement, va chercher un livre qu'elle lui montre. Il se calme et ne grogne pas quand sa mère le pose au sol (délicatement, comme une mallette contenant des tonnes d'explosifs). La stagiaire continue à intéresser l'enfant et la maman s'éclipse en douce en reculant les bras ouverts comme si la bombe pouvait encore exploser à tout moment. Il ne se retourne pas et suit docilement mon étudiante pour l'activité de lecture suggérée. Bravo ! Ça ne fonctionne pas toujours aussi facilement, mais cette fois-ci, chapeau ! Je note des détails sur son comportement pour y revenir plus tard, après ma période d'observation.

Pendant que je rédige mes notes, une fillette vient près de moi et me prend dans ses bras, en m'enlaçant de côté. Petite puce. Elle appuie sa tête contre moi et la redresse pour me regarder avec ses magnifiques yeux bruns pétillants. C'est la deuxième fois que je viens dans ce groupe et, chaque fois, j'ai eu droit à des câlins gratuits de la sorte. Sans crier gare, elle me manifeste son amour. Comme ça. Et chaque fois (aussi sans crier gare), ma fibre maternelle néandertalienne fait un quart de tour dans mon cœur…

Maman : emploi à temps plein ?

Julie arrive assez tôt au *condo* avec ses deux mousses : Victor, maintenant rendu un petit homme de trois ans, et bébé Constance, une fée de bientôt sept mois. Julie doit effectuer deux allers-retours à sa voiture tellement elle a apporté de choses (tout ça pour quelques heures ?). Il me semble qu'une couche suffit, non ? Sacha prend en charge mini Constance, et moi *big* Vic, qui m'explique d'emblée qu'il a apporté son camion qui va vite, vite, vite. Super ! Je le déshabille (il coopère comme un grand). Subban le bébé-gars-curieux s'approche en me demandant : « C'est qui ces deux petites personnes-là ? Des modèles réduits d'humain ? »

— Regarde mon bébé chat ; c'est un ami pour jouer avec toi !

Victor, en extase totale devant l'animal, répète compulsivement, les yeux ronds comme des billes :

— Le bébé chat, le bébé chat, le bébé chat…

Il aimerait bien le prendre tout de suite, je crois…

— Attends un peu, mon cœur, matante Mali va enlever tes bottes.

Il répète, toujours l'air complètement gaga :

— Le bébé chat…

Subban me questionne encore en venant plus près : « Il est gentil ce demi-humain ? Un ami, tu dis ? »

Au moment où je libère Victor de sa dernière botte, il saute littéralement sur le chat pour le plaquer au sol avec ses deux mains.

— Le bébé chat, le bébé chat…

— Doucement mon amour avec le bébé chat, doux, doux, doux…

Subban miaule de détresse en se dandinant pour fuir, pendant que Victor, de son côté, semble beaucoup apprécier le contact avec l'animal.

— Le bébé chat…

— On n'écrase pas le bébé chat, que je fais en soulevant ses petites mains du pauvre siamois affolé.

Disons qu'il l'a peut-être « aimé » un peu trop fort. Naturellement, Subban déguerpit en me miaulant à tue-tête : « Ce mec est un cinglé ou quoi ? Il veut me tuer ? Je me barre… » (Encore son accent français…)

— Il s'en va faire de beaux dodos, le bébé chat…, que j'explique à mon jeune ami, qui semble très déçu que sa peluche vivante ait ainsi fui.

Coriande déclare à Julie, qui revient de nouveau dans le *condo*, les bras chargés :

— Coudonc, t'aurais dû engager des déménageurs !

— Écoutez ! Victor a faim toutes les trois secondes, ça prend des provisions dignes d'un régiment de scouts au grand complet !

Nous papotons dans le salon en jouant avec Victor et en nous passant Constance de bras en bras, pour que chacune profite de son moment de « câlinage ». Elle est si belle. Évidemment, vous devinerez que chaque fois que c'est mon tour, je veux un bébé sur-le-champ ! Pfft !

Julie nous détaille son horaire de fous, en nous confiant qu'elle anticipe avec découragement son retour au travail dans quelques semaines. J'avoue que ça ne doit pas être évident de concilier travail à temps plein et famille. Sacha écoute avec beaucoup d'attention.

Pour nous faire rire, Julie me chuchote :

— Demande à Vic c'est quoi son nom de code…

Je fronce les sourcils, ne comprenant pas de quoi il s'agit au juste. Je questionne tout de même l'enfant :

— Victor, c'est quoi ton nom de code, toi ?

Le garçonnet se retourne, tout content, et me dit en levant son petit pouce :

— C'est Pepito !

Tout le monde se met aussitôt à rire en demandant à Julie des explications.

— Je ne sais pas, il m'est arrivé avec ça hier. Une histoire père-fils ; mon *chum* m'a dit que c'était LEUR secret !

— C'est vraiment drôle !

— Moi aussi, je veux un nom de code ! déclare Coriande.

C'est quoi ton nom de code ?

Après le départ de Julie (et après environ six heures de discussion à propos des enfants), nous analysons le train de vie qui diffère quand on a une famille – et c'est le moins qu'on puisse dire. Vous auriez dû la voir. Une vraie madame Organisation. Elle avait des collations pour Pepito (salade de fruits en conserve, mûres, bâtonnets de céleri, morceaux de fromage, biscuits, une pomme et une barre tendre). Je crois qu'il a tout mangé ! Ensuite, l'essentiel pour les repas de bébé Constance (elle mange pas mal, elle aussi !), composés principalement de lait et de céréales (c'est plus simple que son frère). Des jouets pour chacun (même si Pepito a couru après « son ami » le chat pendant presque toute la journée). Le nécessaire pour laver et désinfecter ses deux beaux loupiots (Purell pour bébés, lingettes, débarbouillettes, alouette !). Des vêtements de rechange pour trois jours ; elle a dû changer Constance au complet une demi-heure après son arrivée et Victor partiellement après le souper. Un parc portatif (pour la sieste de princesse Constance) ainsi qu'une douillette et un oreiller pour Victor, qui a refusé catégoriquement de dormir (il cherchait toujours le chat pour l'aimer encore plus). Elle avait aussi apporté un petit tableau de motivation avec collants (pour l'apprentissage de la propreté de son grand garçon) et des couches pour tout le monde (sauf pour elle, bien sûr) ! Des tonnes de couches (il faut les changer souvent, hein, les marmots !). Ouf ! Je me demandais : si j'étais maman, serais-je aussi organisée ?

Le *condo* étant devenu plus calme, notre bébé-gars descend tranquillement les escaliers en nous demandant, avant de mettre le nez dans la pièce : « Le demi-mec-maniaque qui voulait ma peau est-il parti ? »

— Viens ici, le bébé-gars de sa maman ! Il a peur, le pauvre petit bébé-gars !

Il entre finalement dans la pièce (avec son air de siamois-distingué-au-dessus-de-ses-affaires) et saute sur les genoux de Ge. Celle-ci le met finalement sur son épaule (il adore !) pour se diriger vers le tableau et y écrire : « C'est quoi ton nom de code ? »

— Oui ! On se trouve un nom de code secret !

Pourquoi ? Allez savoir !

— La grosse ! fait d'emblée Sacha avec un enthousiasme désarmant.

— Ben non…

— La grosse baleine ? Ou encore la grosse éléphante ? suggère-t-elle pour étoffer sa proposition précédente.

— Sacha…

Je me lève et me saisis de la craie que tient Ge. J'inscris le mien : Rantanplan.

— C'est quoi le rapport ? me demande Cori, visiblement déçue de mon choix.

— Je ne peux pas coucher avec Lucky Luke, mon fantasme, parce que je suis en couple. Mon seul moyen « légal » de faire du cheval avec lui est d'incarner son chien !

— Mali, ça devrait être « El Masturbatora » ! propose Sacha en se moquant de moi.

— Franchement !

Coriande nous fait part de son inspiration :

— Pour le mien, je songeais plutôt à : « Nose Shit » ou encore « Big Poo ».

— Ben là, pas un nom renfermant le mot « merde ». Trouve quelque chose de plus positif quand même.

— Pourquoi ? C'est comme ça que je me sens : de la marde…

— Moi, c'est décidé, statue Sacha en se levant pour me prendre la craie des mains. Elle inscrit : « Moi, c'est Balena ! »

C'est toujours un peu plus poétique que « grosse quelque chose ».

— Je choisis…, affirme à son tour Cori, qui s'avance vers le tableau en écrivant « Nose Shit ».

— Pas d'accord…

— Refusé !

— C'est MON nom de code, je prends celui-là, affirme Nose Shit, très fière de son choix.

— Ge ?

— Facile, fait-elle en replaçant Subban sur son épaule pour lui permettre de bien écrire sur le tableau : « G-Hunter ».

— Ah ? C'est quoi, une chasseuse de point G ?

— Entre autres, oui !

— Bon, parle-moi d'une bonne chose de réglée !

C'est quoi ton nom de code ?
— Rantanplan
— Moi, c'est Balena !
— Nose Shit : 5/10
— G-Hunter

Nose Shit s'écrase sur sa chaise, la mine complètement abattue.

— Il doit être arrivé à cette heure-ci…

— Votre entente, c'est quoi ?

— Il m'appellera dans le courant de la semaine et on prendra un café pour discuter…

Elle se met les mains devant le visage et commence à pleurer. G-Hunter s'approche d'elle.

— Je veux être seule.

Nous échangeons quelques regards impuissants en la voyant se lever pour prendre la direction de sa chambre.

Vous savez, c'est souvent le problème avec les peines d'amour. Les gens autour de nous continuent leur vie, leur occupation, sans partager notre peine, et ils s'imaginent parfois que plus le temps passe, plus on passe à autre chose ; mais une peine d'amour peut durer des mois, parfois des années pour certains. La pire chose que nous pourrions faire en ce moment serait de considérer que Coriande va bien parce qu'elle en parle peu ou pas. Ce n'est visiblement pas le cas. Elle vit en mode pilote automatique depuis déjà plusieurs semaines. Il faut être là pour elle, malgré nos vies de couple, nos activités, notre train-train quotidien. S'occuper d'elle, l'inscrire comme priorité dans notre agenda et, surtout, ne pas se fier au fait qu'elle ne souffle mot de sa souffrance.

Souvent, à la suite d'un deuil ou d'une peine d'amour comme celle-ci, les proches entourent la personne les premières semaines, puis tout le monde oublie et ne se soucie plus d'elle ensuite. Mais le travail relatif au deuil reste à faire et la souffrance perdure bien au-delà des premières semaines.

Balena doit partir. Je décide de rester à la maison ce soir. Bobby terminera son spectacle tard de toute façon. G-Hunter nous chuchote, embêtée :

— Je dois partir…

— Je reste ici, que je lui confirme.

— Ouf ! Super !

Conversation sur le tapis

Lorsque les filles quittent le *condo*, je prépare deux tisanes à la camomille (consœurie de macramé, je vous l'avais bien dit) et je monte à la chambre de mon amie. Elle m'autorise à y entrer. Elle est assise par terre, sur un tapis blanc et épais, étendue devant son lit. Elle joue avec une boule de caoutchouc. Une sorte de balle antistress molle. Les épaules relâchées, presque face contre terre, elle lève ses yeux cernés vers moi, n'essayant même pas de cacher la tristesse qui l'habite. Elle doit parvenir à la masquer au travail ou dans d'autres situations sociales (même parfois avec nous, ici), mais ce soir, je sens qu'elle n'a pas envie de jouer à ce jeu-là. Elle me fait si pitié. Je ne lui avouerai jamais, mais misère que je sens mon amie toute petite. Pas besoin de vous informer qu'elle a perdu les quelques livres qu'elle avait prises au cours des derniers mois. Ses joues creusent même un peu. Elle ne prend pas soin d'elle du tout. Une impression de déjà-vu. Comme lorsque Ge avait fait son *burnout*, il y a deux ans…

Elle saisit la tasse que je lui tends et la pose près d'elle, sur le plancher. Je m'assois sur le tapis et fais de même avec la mienne.

— Je suis tannée, Mali. Tannée de tout le temps penser à lui. Tannée de ne jamais rien trouver d'amusant, de drôle ou presque. Tannée d'avoir de la peine, de me dire que je ne vaux rien, de ne pas comprendre exactement pourquoi il m'a laissée, de me dire que j'ai tellement merdé, que c'est ma faute tout ce qui arrive…

Elle pleure doucement…

— Je suis lourde et de mauvaise compagnie. Je m'énarve tellement. Certains matins je me lève, presque de bonne humeur, et je me dis : « Bon, ça va mieux. Enfin ! » Et je termine la journée complètement « scrappe », toujours aussi triste en me disant : « Criss, ça finira jamais ! » Combien de temps je vais me sentir de même calvaire ?

Méchante bonne question…

— Je ne sais pas. Donne-toi du temps, ça fait juste un peu plus d'un mois…

— Oui, mais écoute : je n'ai plus quatorze ans tout de même. La vie continue, il faut que j'en revienne !

Là on met le doigt sur quelque chose : la honte d'avoir de la peine. Est-ce que c'est pire que la tristesse tout court ou est-ce juste un facteur qui aggrave son état ?

— C'est ça qui te fait suer : de ne pas être forte et de ne pouvoir passer à autre chose, comme s'il n'y avait rien là ?

— Hum, peut-être… La dernière fois que j'ai vécu une vraie rupture, c'est lorsque j'ai sacré mon Français là, juste avant la formation de la consœurie, il y a quatre ans. Est-ce que j'ai besoin de te dire que je n'ai pas eu de peine longtemps ?

— Je comprends…

— Sinon, je crois que la dernière fois que j'ai vraiment eu de la peine pour un gars, c'est au début de la vingtaine, donc il y a presque quinze ans. Je ne m'en souviens que vaguement. Mais, à presque trente-quatre ans, je trouve que je gère ça très mal, comme une petite fille, pas mature, qui pleure dans son lit… Quessé ça ?

— Attends. Selon ton raisonnement, tu voudrais être insensible, parce que tu as vieilli ?

— Non, pas carrément insensible, mais moins sensible, oui !

— Tu sais, je crois que c'est le contraire qui se produit dans la vie ; plus on vieillit, plus on devient sensible à plein de choses, plus connecté à soi-même. Regarde mon père ; il pleure devant *Décore ta vie* à la télé. Il me dit souvent qu'il n'était pas aussi émotif avant. Peut-être que lorsqu'on se connaît plus, on utilise moins de mécanismes de défense : on devient ainsi plus fidèle à soi-même.

— C'est quoi ? Parce que je suis connectée à moi-même, je vais pleurer pendant les prochains dix ans ?

— Non. Mais tu vas vivre ce que tu as à vivre, et ensuite tu vas prendre ta situation en main pour te divertir et trouver des issues positives à ta peine ; tu canaliseras le tout pour en ressortir plus grande.

Je ne veux pas lui balancer une réplique du genre : « La vie fait bien les choses et tout… » Ça ne fait pas du bien ce genre de phrase creuse en pareille situation. Et je veux encore moins lui sortir : « Un de perdu, dix de retrouvés… » Cette expression nulle devrait catégoriquement être bannie à tout jamais de la langue française. Elle fait suer tout le monde. Quand notre homme nous quitte, on s'en fout tellement des dix prochains.

Elle prend sa tasse et en hume le contenu avant de prendre une gorgée.

— Tu sais, ce que tu dis a du sens. À partir du moment où je suis calme, je peux te parler, et ça me fait du bien… Mais le problème est que parfois, je me mets à paniquer ; la peine prend toute la place, et là je braille comme un veau. À ce moment-là, plus rien n'a de sens et je me sens comme une ostie de Nose Shit…

Les émotions en dents de scie. Il n'y a rien de pire… Nose Shit ? Elle m'énerve avec ça, elle !

— Je sais bien. Tsé, Cori, je ne suis pas là pour te dire que c'est facile…

Prise d'une illumination soudaine, je me lève et me dirige vers ma chambre pour en revenir avec le livre que Françoise m'a prêté. Pour le moment, Cori en a plus besoin que moi. Je le terminerai plus tard.

— Tiens, un «conseiller» pour vivre ta peine journée par journée.

— Merci, je vais le commencer dès ce soir.

— En attendant, qu'est-ce que tu veux faire ?

Elle me regarde les lèvres allongées en un demi-sourire, comme une enfant qui n'ose pas demander un jouet très dispendieux à sa maman.

— Toi… le jeu de chasse sur la Wii, ça te tente ?

— Ark…

Elle ajoute à son sourire, qui faisait déjà super pitié à lui tout seul, les yeux du Chat botté dans *Shrek*.

— Ben là… OK !

— Et on ouvre un bon rouge ! Mais t'es mieux de ne pas te mettre à danser partout…

— Eille, toi ! Nose Shit…

Elle rit. Je la sens mieux. Libérée. Coriande est du genre à dire : « Ça ne fait pas nécessairement du bien d'en parler… » pour se justifier à elle-même d'être difficile d'approche. En tout cas, si notre discussion ne vient pas de lui faire du bien, mon nom de code, ce n'est pas Rantanplan !

Pendant qu'elle met en marche l'appareil, j'amorce une conversation par textos dans son dos. Vous allez vous dire : « Quelle consœurie de jouage dans le dos de niaisage… », mais dans le cas de Ge, c'est plus que nécessaire, et dans le cas de Coriande, vous allez comprendre. Naturellement, sur nos cellulaires, nous avons toutes changé nos vrais prénoms pour les nouveaux noms de code.

(Rantanplan appelle Balena et G-Hunter !…)

(La grosse est présente !), répond Balena, toujours aussi fière de se dévaloriser publiquement.

(QUOI ? Vous voulez me faire suer pendant ma *date* ? Vous êtes des PARASITES !), se plaint G-Hunter.

(Ben non, calme-toi le parasite ; je veux qu'on trouve une activité « trippante » à faire avec Nose Shit le week-end prochain.

Une sortie, n'importe quoi d'autre qu'un souper ici ou qu'une tuerie d'orignal sur la Wii…)

Balena réécrit :

(Si vous sortez dans un bar, oubliez-moi ; grosse Balena ne sort pas dans cet état d'obésité morbide !)

(Non, non, on trouve quelque chose pour être toutes ensemble…), que je lui précise.

G-Hunter tente de suspendre la conversation :

(OK, on s'en reparle… BYE.)

(G-Hunter ? Vous êtes donc bien bête ?)

(Ouin, nous on a le goût de te parler toute la soirée !) la nargue Balena.

(Je ferme mon téléphone, gang de &$%?%/)

(Bon ! bon ! bon ! Bonne soirée Rantan, occupe-toi bien de Nose Shit ! Prout ! xxx)

Eh oui, n'ajustez pas vos lunettes ; c'est bel et bien une conversation de trentenaires… bientôt mi-trentenaires, à vrai dire. La vie n'est pas compliquée, hein ? Trois ou quatre noms ridicules et on va les utiliser pendant des mois pour s'amuser.

— Et c'est parti ! s'époumone Cori en commençant le carnage (toujours au fameux tableau 5…).

C-Hunter, plutôt ?

Mission : divertir Coriande

➥ **Décompte officiel : Sacha, 37 semaines ; Ge, 47 semaines ;
Coriande, 5 semaines ; Bobby et Mali, c'est techniquement terminé !**

Je corrige à la maison les travaux de mes étudiantes une partie de la journée. Hier soir, mon *chum* avait une soirée de gars (qu'est-ce qu'ils font pendant leurs soirées de gars ? Classer leurs outils ?). Je crois qu'on se verra ce soir. Rien n'a été statué officiellement, mais bon, on doit se parler plus tard.

Balena écrit un message en mode conversation de groupe dans le dos de Nose Shit :

(J'ai une super idée pour ce week-end ; Louis-José Houde est en *show* au DIX30 vendredi !)

G-Hunter réagit aussitôt :

(Oui, vraiment bonne idée ; voilà la meilleure chose pour divertir une fille en détresse.)

Balena propose :

(J'appelle tout de suite pour avoir des billets et je vous reviens…)

(Parfait !)

Je poursuis ma lecture de la fiche de planification sur la routine de la sieste d'une de mes étudiantes.

Balena nous revient au sujet des billets :

(Zut, c'est déjà complet…☹)

Hum… Je songe à une solution. Éclair de génie !

(Je demande à Bobby s'il peut nous aider et je vous en reparle.)

Je texte mon *chum* :

(On voudrait faire une surprise à Cori vendredi et l'emmener voir Louis-José Houde à L'Étoile du DIX30. C'est déjà complet. Ce pourrait-il qu'il reste tout de même des places ?)

Il me réécrit :

(Sûrement, ce n'est jamais trop compliqué de rajouter quelques sièges. Je vais appeler le gars de la salle. Il est super fin, je le connais bien…)

Super ! C'est toujours appréciable un *chum* qui se rend utile !

En moins de deux, il me confirme :

(C'est correct. Vos quatre billets seront à la porte, à mon nom !)

(*Wow* ! Merci bébé, t'es génial !)

Il me répond :

(De rien, on se voit plus tard…)

Trop excitée, je partage la bonne nouvelle avec les consœurs :

(C'est réglé ; quatre billets pour vendredi !)

(Yéééé ! Bravo, Rantan ! On lui réserve la surprise !), propose G-Hunter.

(10-4), conclut Balena.

J'écris un texto à Nose Shit :

(Ne prévois rien pour vendredi soir ; on t'emmène quelque part !)

Elle ne répond pas.

Environ deux heures plus tard, toujours pas de nouvelles de Cori. Ge, qui revient du boulot, me questionne à ce sujet.

— Non, elle n'a pas donné signe de vie.

— Ah bien…

Comme si elle faisait de la télépathie, Nose Shit m'écrit au même moment :

(Criss de marde…☹)

(Quoi ?), que je m'informe.

Elle ne répond pas encore.

Inquiète, étant sans réponse d'elle après presque vingt minutes, je pose à nouveau une question :

(T'es où ?)

Elle écrit :

(J'arrive au *condo*… ☹)

Elle a l'air vraiment mal en point.

— Peut-être qu'elle est allée voir ton frère, présume Ge.

— Il est juste dix-huit heures, leur discussion aurait été courte si elle a terminé de travailler à dix-sept heures…

Elle arrive quelques instants plus tard, totalement démolie (encore une fois). Scène de déjà-vu ; elle pleure dans l'entrée (mais, cette fois-ci, elle n'est pas assise par terre). J'en conclus qu'elle a vu Chad, effectivement. Elle nous explique :

— Monsieur va bien, lui ! Monsieur avait l'air en forme, lui. Tout heureux de vivre ! C'est quoi ? J'ai donc été que de la marde dans sa vie ?

— T'es restée là-bas longtemps ?

— Quand il m'a appelée, moi, alias la conne, j'ai décidé de prendre mon après-midi pour courir chez nous, pour le voir. Monsieur semblait s'être donné la mission de me convaincre que la vie continue, dans toute sa splendeur… Euh… excusez-moi, mais la dernière chose que j'avais le goût d'entendre, c'est à quel point sa vie est légère depuis que je ne suis plus dedans !

Voyons ? Il ne lui a pas fait cette remarque ? *Wow !* Mon frère se surpasse dans l'art de comprendre les femmes. Son attitude me choque. Mais le pire, c'est que je ne suis absolument pas surprise. « La vie est belle, allons de l'avant, la vie continue ! » C'est tellement son genre. Méchant Cromo erectus insensible !

— Viens-t'en, la prie Ge en l'encourageant à se dévêtir.

Bobby me texte à cet instant même. J'attrape mon cellulaire et je lis en vitesse :

(Et puis ? Viens-tu ?)

Je lui réponds :

(On se parle plus tard. Ici c'est la panique pour Cori…☹)

Il ne renvoie rien. On entraîne Coriande dans le salon, en lui parlant doucement, afin de lui faire comprendre la façon différente qu'ont les hommes de percevoir les évènements de la vie, de réagir aux ruptures. Leur *modus operandi* est de passer à autre chose plus rapidement, possiblement pour se protéger. On la rassure quant à l'importance qu'elle a eue dans sa vie, même si, en ce moment, elle perçoit le contraire. Je commence à avoir hâte de parler de nouveau à mon cher frangin. C'est quoi ? Il a vraiment l'air de s'en balancer pour vrai. C'est impossible, il me semble. Il a peut-être rencontré quelqu'un d'autre ? Je ne ferais jamais part de cette hypothèse à Cori, mais c'est en effet une possibilité.

Nous travaillons donc une partie de la soirée à remonter la mine, assez basse merci, de notre consœur en détresse. Nous la forçons à avaler quelque chose autour de vingt heures.

— Jusqu'à présent, je fondais des espoirs. Je me disais : après un autre mois passé là-bas, il aura analysé la situation. Peut-être que ça va revenir si je fais mine que c'est ma faute dans le fond…

Je m'en doutais bien également. Elle franchit une étape cruciale ce soir : la prise de conscience du point de non-retour. Cori vient de voir surgir la fatalité, je crois. Ouf ! Les filles, on s'invente tellement de scénarios dans nos petites têtes de nœuds. Elle vient de « pogner un nœud » justement.

— Va falloir que je rapatrie mes affaires, que je déménage mes trucs…, constate-t-elle en se remettant à pleurer de plus belle. J'ai vraiment tout bousillé…

Bobby me texte de nouveau :

(Et puis ?)

Ouin… Je dois rester ici ce soir, je crois. Mon amie a besoin de moi. Il comprendra.

(Écoute, bébé, elle a beaucoup de peine. Je vais rester ici ce soir. On se voit demain, d'accord ?)

Je me retourne vers Coriande, qui tente maintenant d'analyser dans les moindres détails les indices lui ayant fait croire que leur relation aurait pu se rétablir. On dirait qu'elle essaye maintenant de se convaincre que c'est Chad en réalité qui n'a pas été clair sur ses intentions. La recherche d'un coupable semble prendre une autre direction, tout à coup. Se dirige-t-elle vers la phase 4 ? Celle-là, je la crains beaucoup…

En me couchant ce soir-là, je songe encore à tout ce que vit Cori. Pauvre elle. C'est si difficile… En activant l'alarme sur mon portable, je me rends compte que Bobby ne m'a pas réécrit finalement. Il a dû roupiller sur le divan en se tortillant une mèche de cheveux devant un film de gars archi-plate !

Un souper presque parfait

Je suis réveillée au petit matin, non pas par mon alarme, mais bien par un message texte qui entre sur mon cellulaire. C'est Bobby. Pas un message, mais bien une photo. Les yeux encore dans le même trou, j'ouvre l'image. Ce qu'elle montre ? Sa table de cuisine, un seau à glace avec une bouteille dedans, une fleur rouge dans une assiette (?), des chandelles, un plat à fondue… Hein, c'est quoi cette mise en scène ? Je me redresse dans mon lit pour tenter de comprendre. Merde de merde de re-merde. Il m'avait organisé une soirée d'amoureux hier soir. Ah non, calvaire ! C'était pour ça son insistance : pour savoir si je m'en venais. Et je lui ai balancé un « Je reste ici », et ce, sans trop m'informer de ses intentions. Pauvre lui. C'est donc bien plate. Il aurait dû me le dire, me mettre au courant, insister. Mais non, Mali, quand on organise une surprise pour sa blonde, on ne lui dit habituellement pas ; c'est le BUT d'une surprise. Je me sens tellement poche ! Qu'est-ce que je fais ?

Je l'appelle sur-le-champ. Comme il ne répond pas, je le texte :

(Excuse-moi, bébé ! Je ne savais pas que tu avais organisé une soirée… Vraiment, je suis désolée…)

Il réécrit finalement :

(J'enregistre l'émission *Le Tricheur* et j'en ai pour deux jours. xx)

Bon, naturellement, il est frustré. Je le comprends. Aaaahhh ! Je m'en veux tellement. Je suis en colère. Je lui fais les grandes déclarations (c'est-à-dire les reproches au « Je ») ; notre vie de couple est plate, on ne fout jamais rien, blablabla. Il organise un truc super et je deviens la fille la moins réceptive du monde. Mais Coriande avait besoin de moi… Maudit ! J'étais censée faire quoi ? La planter là pour courir rejoindre mon mec ? Je soupire dans mon lit. Je ne peux pas me diviser en deux. Établir mes priorités ? Mais l'état de Coriande est temporaire. Et qui savait qu'elle irait voir Chad hier et que ça se passerait si mal ? J'imagine mon *chum* totalement déçu (peut-être en colère) prendre en photo son *set-up* romantique, avant de défaire le tout. Il se croit digne de mériter une médaille du gouverneur général lorsqu'il fait un pâté chinois ; imaginez lorsqu'il organise une soirée de ce genre. Je ne suis pas rongée par la culpabilité ; elle m'a littéralement bouffée, cette chère « culpabilité ». Belle fin de gageure d'abstinence pour mon couple. Une grande réussite !

La patiente, dans tous ses états, se questionne sur sa responsabilité face à la déception de son conjoint et, surtout, face au choix qu'elle a fait ce soir-là, soit de rester avec sa copine pour l'accompagner dans sa souffrance. Madame doit trouver un équilibre ; prendre soin de son amie tout en laissant une place de choix à son conjoint. Elle n'a assurément pas été à l'écoute de celui-ci hier. Cependant, comme l'amitié a toujours pris une grande place dans la vie de la patiente, sa décision d'hier fut tout de même noble et généreuse.

Le BIG BUCK est en colère. Il a fourni beaucoup d'efforts pour surprendre sa femelle et celle-ci n'est même pas venue au rendez-vous. La peine d'amour de l'amie de sa conjointe doit sembler un peu abstraite dans sa tête de mâle. Depuis le début, il semble déjà mal comprendre pourquoi toute cette histoire prend autant de place. Il demeurera sans aucun doute très perplexe face aux motivations ayant poussé sa blonde à se désister ce soir-là.

En plus, je lui quémande des billets pour le *show* d'un humoriste et il fait des pieds et des mains pour nous en obtenir. Bouuuuh ! Je me sens vraiment nulle.

Je suis un monstre

Lorsque je descends à la cuisine, Cori se coule un café et Ge écoute *Salut, bonjour !* passionnément. Je ne dis rien à mes amies. Du moins, pas devant Coriande. En comparaison de sa situation, ma dispute peut paraître anodine, et il me semble qu'elle ne doit pas avoir envie d'entendre parler des « petits problèmes de couple » des autres. Je ne veux pas non plus la culpabiliser pour hier en plus.

Lorsqu'elle quitte le *condo*, je me dirige vers Ge et me couche sur le divan. Je pose ensuite ma tête sur ses genoux en soupirant.

— Voyons ? T'imites le chat ? fait-elle, peu maternelle relativement à mon comportement de petite fille.

— Je suis une grosse conne...

Je lui raconte l'histoire au complet, les échanges de textos d'hier, ma réflexion à ce moment-là et la photo de ce matin.

— T'es ben nulle, Mali ! s'exclame-t-elle, sans aucune gêne.

— Oh *wow* ! Merci !

Je me redresse en position horizontale, l'air offusqué. Non mais, un peu de délicatesse tout de même.

— Non, sérieusement ! J'aurais pu rester avec Cori hier…

— Après coup, je sais bien. Mais en n'étant pas au courant de ce qu'il tramait, je me suis dit : « Bon, écouter la télé chez mon *chum* ou prendre soin de mon amie ici ? »

— Je te l'avais dit qu'il devait préparer une surprise pour vos retrouvailles. Tu le sous-estimes tout le temps, Mali.

C'est bien effrayant ce qu'elle me dit ! Je sous-estime mon *chum* ? Je suis vraiment pire que je le pensais. Un vrai monstre !

— Eille, tu me fais du bien toi, ce matin, c'est fou ! que je réplique, un peu vexée.

— Non mais, c'est vrai. J'ai raison…

Ge a toujours été la défenderesse de Bobby, et ce, depuis la nuit des temps. Pas nouveau.

— Bon, je vais aller me suicider, je reviens plus tard…

— Premièrement, excuse-toi au plus vite, et à genoux de préférence.

— Il est, par hasard, « non disponible » pour quelques jours…

— Il est choqué, c'est bien normal.

Je quitte la pièce. Ge m'énerve royalement, mais la vérité est qu'elle a raison. Je possède une belle qualité dans la vie : celle d'être capable de me mettre à la place des autres. En reconstituant la scène, je comprends très bien pourquoi il semble amer. Reste à savoir comment je vais rattraper ma bourde.

Mon cellulaire qui retentit m'indique que ma chère mère est au bout du fil. Bon, voilà le moment idoine de recevoir un peu de réconfort dans cette matinée grise.

— Allô, maman, que je réponds sur un ton laissant croire que la journée débute sur une note un peu tristounette.

— Bonjour ! Avant que j'oublie, ton frère vient souper samedi. Peux-tu être là ?

— Euh…

Je n'ai pas revu mon frère depuis presque deux mois. En fait, depuis sa semaine de congé, soit un mois avant qu'il ne quitte Coriande. Mais bon, il faut que ça se passe à un moment donné… Il faut dire qu'on s'est beaucoup éloignés depuis le début de son contrat de travail là-bas. Je trouve la situation dommage et, vu les circonstances actuelles, ce n'est rien pour aider notre relation.

— Oui, j'y serai, que je confirme après une hésitation bien trop longue.

Ma mère, qui sent bien mon ambivalence, m'explique :

— Je sais, Mali, que c'est bien délicat pour tout le monde, mais ça reste ton frère. La famille…

— Je sais, maman, je viendrai, c'est certain.

— Bon, avec ma petite mémoire, je voulais être certaine de ne pas oublier. Et toi, comment ça va ? Tu sembles triste.

— Bof…

Je lui explique aussi l'épopée Bobby (sans donner de précisions sur notre abstinence sexuelle, quoique si la tendance se maintient, elle doit déjà être au courant…). Interloquée, elle me dit sans ménagement :

— Franchement, Mali !

— …

Je suis bouche bée. Bon, ma mère va-t-elle, elle aussi, me dire mes quatre vérités en pleine face ?

— Ton *chum* est toujours fin et attentionné avec toi, ce n'était pas fort de ta part…

Quoi ? « TOUJOURS » attentionné ? Il n'est pas parfait quand même ! De plus, est-ce que ma propre mère (alias celle qui m'a portée dans son sein) vient de me faire une mise en échec en disant « ce n'était pas fort » ?

— Je ne savais pas que…

— Comprends-le.

Oui ! oui ! oui ! Le dossier « compréhension de la situation » est déjà réglé. Merci ! Je suis vraiment un monstre, on le sait. Comme je ne dis rien, ma mère se radoucit un peu :

— C'est vrai que tu ne pouvais pas savoir, mais là, c'est vraiment à toi de t'excuser…

Ce volet-là a aussi été passé en revue. La question reste : comment ?

— Je sais…

Après quelques conseils flous de sa part concernant le fameux « comment », je raccroche encore plus démolie qu'avant de répondre à cet appel.

Subban entre dans ma chambre en miaulant. Bon, il ne va pas s'en mêler lui aussi ? Comme de raison, il grimpe sur mes genoux et me balance dans un râlement plaintif : « Même s'il me lance sur le divan des fois, je l'aime bien Bobby ! Pas fort, ton affaire ! » Pfft !

Après avoir de nouveau songé à l'option « m'enterrer-vivante-en-laissant-une-lettre-à-mes-proches », je prends mon mini courage à deux doigts pour lui écrire la vérité :

(Je suis poche et je me sens comme la pire blonde du monde entier…☹)

Il ne me répond pas. Il doit être en train de tricher…

Grosse quoi ?

Naturellement, je ne suis pas très productive de la journée. Quand est-ce qu'il termine ce maudit tournage ? Je songe même, pendant une phase de délire extrême, à me pointer à TVA. Mais non, je n'oserais jamais. Quoique…

À vingt heures, toujours pas de nouvelles de lui. Je descends à la cuisine en ne disant rien. Cori regarde la télé l'air dépressif, et Ge navigue sur son ordinateur l'air passionné. Comme mon état s'apparente plus à celui de Coriande, je m'assois près d'elle sans rien dire. J'écoute ce qu'elle a choisi de visionner à la télévision sans trop y prêter attention. Un texto entre. Enfin !

(Je suis crevé, gros tournage. On reprend demain tôt. On se reparle. xx)

C'est quoi les deux becs *cheaps* ? On se reparle quand ?

Je réécris :

(T'es choqué ? Je suis vraiment désolée…)

Une minute s'écoule, je fixe mon téléphone dans une attente insoutenable. Dieu soit loué, il répond :

(Ça va. xx)

Bon, pas la mer à boire, mais c'est quelque chose, au moins. Je peux donc écarter l'issue fatale du divorce (et, du coup, celle de porter atteinte à ma vie de façon tragique). Je vais le laisser digérer tout ça et lui parler de vive voix demain, s'il ne termine pas trop tard.

Me sentant un peu plus légère, je me lève pour jeter un œil sur ce que fabrique Geneviève. Elle fouine dans le compte Facebook d'un gars, qui me paraît inconnu de loin. Cheveux bruns, lunettes de soleil, il semble être sur un bateau d'après sa photo de profil. Sachant que j'approche d'elle à pas de louve, elle rabat l'écran de son portable en criant :

— Eille ! Grosse voyeuse !

— Grosse ? Décidément, tu ne me ménages pas aujourd'hui, hein ! C'est qui ?

— Pas de tes affaires !

— C'est lui ? Ton candidat vient de Montréal ? Êtes-vous ensemble ? Y a un bateau ?

— Ha ! ha ! ha !

Elle rit, comme pour dire : «Je ne vous ai rien dit jusqu'à présent, penses-tu vraiment que je vais le faire maintenant ?»

Je la menace ouvertement :

— Je vais aller voir tes nouveaux «amis» sur Facebook !

— J'ai masqué l'info concernant mes nouvelles adhésions pour que vous n'y ayez pas accès. Je vous ai même bloqué, à toutes les trois, l'accès à ma page au complet, au cas où il m'écrirait quelque chose…

— Aaaah, c'est toi la grosse…

— Grosse quoi ? me nargue-t-elle.

Je complète mon insulte mal préparée par un :

— Pfft…

Rien à faire. Elle nous a bloquées sur Facebook, c'est très insultant ! Impuissante, je remonte à ma chambre pour poursuivre ma lecture. Étrangement, une pensée me frappe. J'éloigne légèrement mon livre de moi pour penser à Hugo. Je m'ennuie de lui. Vous savez, depuis sa liaison avec Sacha, je ne le vois plus. Sauf lorsque nous sommes tous ensemble ou que je passe à leur appartement. J'étais si proche de lui avant. Vous vous souvenez, en Gaspésie, nos soirées de hockey, nos après-midi de patinage, ses soupes thaïes (pas thaïes pantoute) ?

Je le texte de ce pas :

(Hugo, viens dîner avec moi demain !)

Probablement surpris de ma proposition, il réécrit :

(Ça va ? Une urgence ?)

(Non, non, je m'ennuie de toi, c'est tout…)

(D'accord, je passe manger avec toi à ma pause !)

Je replonge dans mon livre.

Mon frère = un minable ?

Lorsque je reviens de mes commissions, Françoise termine activement son ménage. Évidemment, elle rôde autour de moi pendant que je range le contenu de mes sacs d'épicerie. Je la trouve drôle. Elle me fait penser à Subban lorsqu'il se prend pour un grand chasseur en se recroquevillant en boule sur ses pattes de derrière pour attaquer une mouche au sol. Il prend son temps, observe, patiente longuement et paf ! il attaque ! Présentement, Françoise époussette ici et là, elle me sourit, tourne autour de moi, ramasse un truc sur le divan… Elle va attaquer bientôt, je le sens.

— Et puis ? L'abstinence ? Bobby ?

Et voilà ! Sans détour en plus ! Au point où j'en suis, aussi bien lui raconter ma bévue, histoire qu'elle me traite de « mauvaise blonde » elle aussi !

À la fin de mon récit, elle m'envoie tout simplement un :

— Honnnnn…

Pas de « franchement » ou de « pas fort » ? Comme elle n'en pense sûrement pas moins, je la soulage d'avoir à me le dire en m'auto-insultant :

— Je suis une grosse pas fine qui ne prend pas soin de son *chum* !

— Ah non !

Serait-ce une lueur de compassion que je vois poindre dans ma maison ?

— Vous êtes dure avec vous, madame Mali. Vous avez eu la gentillesse de rester avec madame Coriande, qui était en détresse. Mais vous auriez quand même dû voir avec lui…

Sapristi ! Je savais que je ne pouvais pas terminer cette discussion la tête haute. Elle ne m'a pas crié des insultes, mais en aurait-elle eu envie dans son cœur ? Je vais essayer de trouver un carré de sable pour me rentrer la tête dedans, telle une autruche. En plein hiver, un banc de neige, est-ce que ça peut faire l'affaire ? Un peu froid pour le museau, par contre. Je pourrais aussi me taper un petit épisode psychotique avec un délire religieux. « Mon Dieu, je ne suis pas digne de le côtoyer, mais dites seulement une parole et je serai guérie… »

Françoise me tire de ma réflexion :

— Dans un autre ordre d'idées, est-ce que je peux vous confier un secret ?

Je croyais que le mot « secret » n'existait pas dans le vocabulaire de notre chère ménagère. Je suis vraiment intriguée. La femme de Westmount ? Sacha et Hugo ? Le cas de Ge ? Je laisse presque choir au sol la livre de beurre et la pomme de laitue que je m'apprêtais à ranger dans le frigo. Je garde finalement le tout en main et je tourne la tête avant de tendre l'oreille vers elle, en avançant de deux petits pas, très sérieuse. C'est maintenant moi qui ressemble à Subban chassant une mouche. Je l'encourage à poursuivre :

— Oui…

— C'est madame Coriande... Bien, en fait, plutôt monsieur Chad...

Comme il se trouvait à son appartement, elle doit y être allée pour faire le ménage. Je tente de la motiver de nouveau, étant donné son hésitation apparente :

— Ouiiiii...

— Quand j'y suis allée, j'ai trouvé dans le lave-vaisselle... non pas que je fouillais, mais... heu... deux coupes... puis une bouteille au recyclage...

OK, je vois bien où elle veut en venir. Il a eu de la visite. Mais qui ? Une fille ?

Je suggère tout bonnement une hypothèse :

— Il a dû recevoir un ami à lui...

Elle ne répond pas. Je la regarde, insistante, pour qu'elle me révèle tout ce qu'elle sait. Je me redresse en tenant toujours le beurre et la laitue de chaque côté de mon corps, levant une épaule vers elle, comme pour lui dire : « Allez ! » Elle me fait une moue peu convaincue, voulant par ce tic me signifier qu'elle ne croit pas une minute à ma théorie « de l'ami ». Quoi ? La poubelle débordait littéralement de condoms usagés ? Un string pendouillait après le ventilateur ? Voyant que mon air curieux se transforme littéralement en air scandalisé, elle semble changer d'idée :

— En effet ! Ça peut être n'importe qui ! Probablement un ami !

Elle déguerpit presque au trot à l'étage. Bon ! Qu'est-ce que la belle Françoise a essayé de me cacher ? Elle est devineresse peut-être, mais je suis quand même psy. Son malaise s'est fait ressentir sur les trois quarts de l'île de Montréal, je ne suis pas folle ! C'est évident qu'il y a eu une fille chez mon frère cette semaine et qu'elle le sait. Ah le con !

You Go Savard

Lorsqu'Hugo arrive, quelques heures plus tard, je suis presque encore là, debout dans la cuisine, stoïque, la bouche ouverte, le beurre dans une main, la laitue dans l'autre, à digérer tranquillement l'information de Françoise… plutôt, la piste potentielle qu'elle n'a pas tout à fait confirmée (compliqué comme genre de révélation). Un peu ce que l'on appelle un ouï-dire ! « Il paraît que… »

Je parie que vous vous dites actuellement : « Elle va finalement ranger ses provisions et tout raconter à Hugo ! » Non ! Premièrement, la verdure et le beurre sont dans le frigo depuis longtemps (c'était une image) et, deuxièmement, je n'en soufflerai pas un mot à You Go. Si mon frère voit une fille, Cori ne doit en aucun cas le découvrir maintenant. Un coup de mort assuré pour elle.

Notre cercle d'amis est une vraie passoire. Un tamis industriel ! Un peu moins depuis que le couple Coriande et Chad est dissous et que Sacha est enceinte, car on fait moins de soupers, mais tout de même. L'information circule toujours à la vitesse grand V, en s'égarant même de temps à autre vers des oreilles inconnues (surtout dans le cas de mes histoires avec Bobby).

Parlant de nouvelles, vous saviez que Sacha a eu des crampes après avoir fait l'amour avec Hugo dimanche soir passé ? Moi oui ! Françoise m'a livré cette information plus que cruciale avant de partir tout à l'heure. Des nouvelles de la femme de

Westmount (vous commencez à être accro, vous aussi…) ? Non, malheureusement, rien de nouveau à se mettre sous la dent cette semaine. Elle voit son amant tous les lundis et jeudis en après-midi, comme d'habitude. Oui, oui, elle atteint toujours son orgasme vaginal chaque fois.

— T'as quelque chose de bizarre, toi, me lance mon fidèle compagnon, qui me regarde curieusement en s'approchant de moi.

— Non… euh… oui !

Même si je ne parle pas des soupçons pesant sur Chad, je peux tout de même parler de ma propre situation désastreuse.

— Bobby et moi, on s'est chicanés…

— Encore ?

— Ben voyons ? On ne se chicane presque jamais !

— Pfft ! Vous devez avoir une bonne dispute régulièrement, digne d'un *soap* américain, pour être heureux vous deux. Ah les artistes !

— Je ne suis pas une artiste pantoute ! que je lui balance, fière de mon coup.

— Non. T'es un Poisson du mois de mars, c'est pire !

Comment ça un Poisson du mois de mars ? Il se la joue astrologue, maintenant ?

— T'aimes ça vivre ta vie en montagnes russes, avec trois cent mille émotions à la fois. Quand rien ne se passe, soit tu crées du trouble pour enfin ressentir une émotion, peu importe laquelle, soit tu en vis par procuration à travers les joies et les peines des autres. T'es un beau modèle classique, quoi !

— *WHAT ?* De quoi tu parles, You Go Savard ?

— Ce que je viens de te résumer s'applique à beaucoup de femmes en général. Mais toi, vu que t'es Poisson, c'est mille fois pire, parce que ta vie entière est une émotion géante. T'es une boule d'émotions et, dans ton cas, en particulier, tu les gères mal, donc ouf…

Je lève ma main en l'air. J'en ai assez entendu. Je vous jure, j'aurais dû rester couchée ce matin. Je ressasse vaguement l'idée de commettre un attentat-terroriste-sur-ma-propre-personne… J'en ai assez d'être madame Culpabilité qui se tape sur la tête en se disant (s'écrivant) ses quatre vérités. Il n'est pas nécessaire que vous vous y mettiez à plusieurs, en plus. C'est vrai que je vais y rester, ma foi !

— Pourquoi tu fais une tête d'enterrement, Mali ? Je t'apprends des choses, là ? Maintenant ?

— Attendez que je sois morte de honte avant de m'enterrer, quand même…

— OK ! On recommence. Pauvre Mali, c'est la faute à Bobby. Il aurait dû « mieux » t'attirer chez lui et rien de tout ça ne serait arrivé. T'es tellement équilibrée, tellement en contrôle de tout ton univers affectif, que tout aurait été merveilleux… De toute façon, c'est quoi l'idée de préparer des surprises géniales à la femme qu'on aime ?

— Ta yeule !

— Non mais, je peux te faire accroire ce que tu veux, sérieusement. C'est le même prix. Il me semble juste qu'on s'est toujours dit les vraies affaires, c'est tout, clame Hugo, désinvolte, en ouvrant le sac de livraison contenant des mets asiatiques.

— Tout est super ! Mais si ça ne te dérange pas, j'aimerais bien qu'on parle un peu de la température dehors finalement…

— *Fuck* non ! Moi aussi, il faut que je me confie…

— Quoi ? que je bredouille, un peu affolée étant donné que mon, heu… «notre », heu… leur bébé est peut-être impliqué.

— Le bébé est *top shape*. C'est la maman qui…

Il termine sa phrase en étirant la commissure gauche de ses lèvres vers son lobe d'oreille et en agrandissant les yeux. Sacha ?

Il me raconte que celle-ci a différentes sautes d'humeur selon les heures, mais que ce volet-là (depuis le temps) il le gère pas si mal. Il parvient toujours à transformer ses irritations, car il sait comment s'y prendre avec elle. Il dit marcher sur des nids (c'est pire que des œufs) depuis trente-sept semaines, mais là encore, il arrive à s'en sortir assez élégamment. Le pire, selon lui, c'est son angoisse perpétuelle. Concernant tout : l'accouchement, la santé du bébé, l'allaitement, trouver une place dans un CPE. Elle a peur de ne pas aimer son enfant ou encore que lui (ou elle) ne l'aime pas…

— Je ne sais plus quoi dire pour lui faire comprendre que l'on ne peut pas être demain. On ne peut pas savoir c'est quoi la suite.

— Rassure-la.

— Eille, je suis à la veille de lâcher ma job et de me mettre sur le BS pour rester à la maison et rassurer ma blonde à temps plein. Je lui confirme sans arrêt que, quoi qu'il arrive, on est là-dedans ensemble, qu'on va traverser le criss de pont rendu au criss de pont ! Rien à faire !

— Une autre qui devrait apprendre à vivre dans le moment présent. Décidément…

— Oui, mets-en ! Je ne sais pas ce que vous avez les filles à angoisser en pensant à demain tout le temps. C'est poison, cette maudite habitude-là.

Un autre Cromo néandertalien mâle qui regarde l'oiseau en réfléchissant : « Ah, un oiseau »…, mais sans penser à rien. À vous, les femmes du monde entier, je vous dis ceci : on a enjambé des rivières et escaladé des montagnes pour être reconnues comme étant égales à l'homme, et ce, depuis le temps des *Mille et une nuits* (peut-être même avant ?). Ce n'est pas vrai qu'on ne va pas réussir, nous aussi, à ne penser à rien en regardant un simonaque d'oiseau ! M'entendez-vous ? Il faut juste calmer notre mental, réduire la fréquence à laquelle on consulte des voyantes (même si dans notre cas on l'engage à l'année) et respirer par le nez en se disant que demain importe peu dans notre nouvelle façon d'envisager la vie.

Je me demande : qu'est-ce que je dirai à Bobby ce soir ?

You-Go Savard me tire de ma réflexion pro-moment-présent :

— Voilà ! Pas toujours évident de tenter de la ramener à vivre sa grossesse de façon zen. Moi, honnêtement, je ne pense pas à la possibilité que mon enfant ne m'aime pas. Je ne fais pas d'ulcères d'estomac en me disant que le CPE le plus près n'aura peut-être pas de place avant le retour au travail de Sacha, dans plus d'un an. On verra à ce moment-là, et sinon, on s'ajustera. Par exemple, toi, tu ne travailles jamais ; tu vas nous aider si on n'a pas de place en CPE !

Allons donc ! Je ne travaille pas, en plus ! Mauvaise blonde, pas travaillante ; ma vie est un échec total.

Il poursuit avec le même élan :

— Cibole, on n'est pas les premiers à avoir un enfant sur terre, il me semble !

— Oui, mais Hugo, c'est différent. T'es le père…

— Ouais, pis ? Parce que je ne porte pas le bébé, je ne suis pas concerné ? Parce que je ne vais pas allaiter, je ne suis rien ? C'est *tough* en criss de prendre sa place de père, justement. Je comprends les gars qui deviennent gros pour ressembler à leur blonde enceinte. Peut-être que, de cette façon-là, on se sent au moins impliqués dans une chose commune : la prise de poids !

Grosse crise de paternalisme ici. Je ne sais pas trop quoi lui dire. Dossier plus qu'inconnu pour moi. Surtout du point de vue du père. J'ai beau avoir joué avec brio le « poupa » pendant le cours prénatal de Sacha, ça ne fait pas de moi une référence en la matière.

— T'es impuissant et tu gères mal ça…, que j'ose lui lancer, étant donné que notre relation veut que l'on se dise toujours ce que l'on pense.

— Ben non, pantoute. Je suis juste tanné de la rassurer tout le temps.

— Non, tu te sens impuissant parce que, dans le fond, tu dois éprouver aussi des angoisses refoulées. Tu te trouves devant l'inconnu, ta blonde change, votre vie va changer bientôt et tu ne sais pas trop où te garrocher. Je pense que les gars en général, quand vous regardez un oiseau en supposant ne penser à rien, c'est que vous refoulez vos émotions dans le fond. C'est un pur exercice de concentration pour favoriser le refoulement. L'oiseau devient juste un élément de focalisation.

— Ayoye ? T'es de plus en plus perturbée, Mali. Qui parle d'oiseau ici ?

Ouin, j'avoue avoir mêlé mes pensées avec la conversation, mais mon exemple reste bon.

Me voyant perplexe, il enchaîne :

— À part ça, je ne me sens pas impuissant ; je n'angoisse pas comme elle justement, c'est ce que je te dis...

— Parce que tu focalises sur l'oiseau !

— OK ! Super ! T'es officiellement schizophrène. On va manger en faisant comme si de rien n'était...

Il me tapote le dessus de la main, avant de commencer son repas, en m'adressant des sourires niais comme si j'étais réellement une patiente en phase avancée de démence sénile et qu'il me rendait visite à l'hôpital psychiatrique. Ma prédiction : il va méditer mon hypothèse pendant environ deux à trois minutes et il reviendra à la charge pour valider ma supposition... Je ne dis rien, mangeant avec mes baguettes dans mon petit casseau en carton. Je vis le moment présent en lui souriant gaiement. Je savoure mon pad thaï. Est-ce ça, penser tout simplement à l'oiseau ? À court terme, je suis assez bonne, c'est à long terme mon problème.

— Tu penses que je me sens impuissant ?

Bingo ! Pas pire, hein ? En moins de deux minutes. Je vous impressionne ? Non, je connais You Go comme si je l'avais tricoté en macramé[15].

---

[15] Encore le macramé... Nouvelle fixation ?

— C'est normal. Avoir un enfant, ce n'est pas rien.

— Je suis super content. J'ai hâte au maximum, mais des fois, je me dis : j'espère tellement que Sacha ne restera pas sur les nerfs de même pour le reste de sa vie. Je m'ennuie de ma blonde, de sa légèreté, de sa folie... Tsé, avec une *joke* banale de pet, on peut faire tous les deux un bon bout de chemin habituellement !

— Votre vie va changer pour toujours, mais vous resterez les mêmes. Communique avec elle, en lui expliquant tes angoisses... en parlant au « je », toujours.

— Hein ?

— Du genre : J'ai peur des fois qu'on change, qu'on s'éloigne. JE m'inquiète plus qu'avant, JE ne veux pas angoisser comme ça toute ma vie, JE crains qu'on se perde.

— OK ! JE reprends ses comportements et JE me les attribue ?

— Tu peux, quand la situation le permet, mais sois vigilant et agis avec tact. Le principe, c'est juste de ne pas faire de reproches à l'autre.

— Oui, mais là, en disant « je crains ceci et cela », j'ai l'air d'un méchant « fif » qui a peur de sa mère.

— Non, Hugo, tu t'intéresses à ton couple, à son évolution, à votre façon de franchir des étapes ensemble, à la façon dont vous avancez dans la vie...

— Ah oui ? Je m'intéresse à tout ça ?

— C'est ce que tu viens de me dire.

Il semble un peu confus en ce qui a trait à mes analyses de Vénusienne.

— Moi, je ne veux juste pas que ma blonde change trop, c'est tout.

Bon, vous voyez, j'ai peut-être un peu trop décortiqué ses pensées. Je viens de le perdre.

— Dis-lui : « J'ai peur qu'on change trop ! »

— Oui, mais je suis la force entre nous deux. Si je me mets à avoir peur, imagine elle !

C'est ça les gars ! Ils veulent toujours conserver le titre du mâle et dégager la force tranquille de la brute ! Des invincibles ?

— Alors ne pleure pas trop en lui disant, mettons !

— Ouin… T'as peut-être moins besoin d'une camisole de force que je le pensais… mais ton histoire d'oiseau ? Sérieusement douteux, Mali !

Boudin !

En début de soirée, je texte (encore) Bobby pour que nous puissions (enfin) fixer un moment pour nous voir. J'ai décidé que ce serait ce soir ! Je lui donne donc des ordres dans mon texto :

(Dis-moi quand tu termines, je vais te rejoindre chez toi…)

Je n'ai pas de réponse avant vingt heures et son message s'avère peu enjoué, encore une fois :

(Je suis claqué… Je sors des studios de TVA…)

Il veut me faire comprendre indirectement que l'on se reprendra une autre fois. Non ! Pas question !

Je réponds :

(Parfait, on se rejoint chez toi, je pars dans cinq minutes !)

Pas le choix, le beau chanteur. Non, mais là, on ne va pas étirer le malaise jusqu'à la fin des temps !

Je fixe mon téléphone du coin de l'œil. Rien. Pas de nouvelles… donc… bonnes nouvelles ! Je m'habille (en tentant de me convaincre de ma pensée précédente) et salue les filles avant de déguerpir avec ma petite valise. Pas grave si j'arrive avant lui, j'ai la clé après tout.

Lorsque j'entre, il est déjà à son appartement. « Mali, sois à l'aise, détendue », que je m'encourage. Il est assis au salon dans sa position fétiche (le dos super mal appuyé, à moitié affalé dans le creux du divan, les pieds à plat au sol, les genoux écartés). Il secoue la tête dans ma direction en guise de salutations. Il esquisse un léger sourire… Hish, tellement léger que je ne sais même pas si je suis autorisée à appeler ça un sourire. Peut-être plutôt une mimique faciale ambivalente. Comme si la mimique elle-même ne savait pas si elle devait pencher vers le positif ou le négatif. Je lui renvoie clairement une face plus enjouée pour contrecarrer son hésitation. C'est moi la « vache » après tout, « l'indigne » de lui, « l'horrible personne » qui partage sa vie.

D'un ton beaucoup trop motivé, je lui demande :

— Et puis, as-tu été le tricheur ?

Bonne question, Mali ! Bonne émission, surtout. Je me demande effectivement s'il a été le tricheur.

— Non.

Bon, il formule des réponses comme son père maintenant. Je conserve mon ton enjoué en continuant de me dévêtir.

— Est-ce que le public pensait que tu étais le tricheur ?

— Oui.

Le mâle « effoiré » ici présent est terriblement bête ! Qu'est-ce que je dois faire ? Ramper par terre ? Menacer de me jeter par la fenêtre ?

— Bobby ! Je m'excuse. Je te l'ai dit. Je ne savais pas que tu organisais une soirée. J'aurais dû être plus à ton écoute. J'aurais dû te donner du temps dans mon horaire de la soirée même si mon amie était en détresse…

Wow ! Un paragraphe complet au « Je ».

— Je sais, Mali. Qu'est-ce que tu veux qu'on fasse ? C'est passé…

Il fixe toujours la télé. Maudite phrase de gars qui m'énerve. Passivité totale. Stoïcisme planétaire. *Statu quo* complet. Et puis son air bête, lui ? On fait quoi avec ?

Pas de crise, Mali, contrôle. Je miaule en me dirigeant vers lui :

— Bébéééé…

Je prends place sur le divan et m'assois en indien, de biais à lui, mais tout près. Il ne me regarde pas du tout. Je tape deux petits coups avec mon index sur son épaule, comme on le fait pour aborder quelqu'un d'occupé à qui l'on doit absolument parler. Il tourne la tête. Il ne rit pas ; il semble même me trouver franchement stupide. Habile dans ma technique de rapprochement à deux sous, j'en rajoute. Je me penche le visage près de lui et je lui murmure :

— Tu fais du boudin ?

Vu la stupidité de mon propos, il réagit enfin :

— Mali, criss, je n'ai pas quatre ans… Qu'est-ce que tu veux ?

Je souris. Pas lui. Non mais, c'est à moi de rétablir la situation. Tout Montréal m'a confirmé que c'était purement MA faute. Je tente l'humour. Je me redresse un peu avant de proférer de nouveau mon insulte préscolaire.

— Bou-din !

Devant ma ténacité (et surtout ma stupidité), il sourit en levant les yeux au ciel. *Yes !* Mais tout n'est pas gagné ; mon *chum* est également un boudeur professionnel (accrédité lui aussi par le ministère québécois de la Baboune). Je tente le tout pour le tout.

— Voudrais-tu une petite pipe de réconciliation ?

Mon ton de fille ayant l'air de lui offrir un sandwich aux tomates s'avère encore plus ridicule que ma proposition (dans le contexte). Il montre ses dents en secouant la tête de découragement. Prenez des notes, les filles (même si c'est très improvisé).

— T'es vraiment épaisse…

Techniquement, au cours des derniers jours, j'ai atteint mon quota d'insultes et de quatre vérités dites en pleine face (et ce, pour l'année), mais celle-ci reste très anodine dans mon cœur.

J'approuve donc en ronronnant :

— Je le sais…

Je lui bat des paupières. Il finit par hausser les épaules, l'air tout content de vivre, et me dit :

— Bon, OK ! Si tu insistes, et il descend d'un mouvement décidé la braguette de son pantalon.

Un fou dans une « poche » (c'est le cas de le dire) ! N'oubliez pas qu'on n'a pas fait l'amour depuis plus d'un mois. Disons que je m'attendais à un dénouement plus excitant pour souligner notre retour en force dans le clan des couples ayant une vie sexuelle active. Il sort littéralement son membre par la fente de son boxeur. Ayoye ! Il faisait du boudin il y a à peine trois secondes, et là, il arbore fièrement l'érection du siècle ! J'ai manqué une étape ?

Voyant ma réticence à m'exécuter, il commente :

— Ah, c'était juste un attrape-nigaud pour nous réconcilier ?

— Non… Mais ça fait pas mécanique un peu ?

L'air plus que sérieux, il se tourne légèrement, retire son porte-feuille de sa poche arrière et en sort un billet de vingt dollars, qu'il pose à plat sur la table à café, en disant :

— Regarde, pour t'encourager, je vais te payer !

Ah le con ! Je le déteste. Je lui assène trois coups de poing bien francs sur l'épaule au lieu de lui… (vous savez quoi).

— Aïe ! Je déconne, Mali. Je saute dans la douche, avant…

Avant quoi ? Il remballe son phallus de Cromo erectus, se lève et déguerpit comme un voleur. Je prends les vingt dollars que je glisse discrètement dans ma poche.

En sortant de la salle de bain, vêtu juste d'une serviette en guise de tenue, il me cherche dans le salon, mais se dirige finalement vers la chambre à coucher. J'y suis, et déjà à moitié nue en plus. Pas de temps à perdre ; on est solidement en manque ! Torride heure de sexe à venir…

Le néandertalien en rut grogne presque avant de foncer sur moi. Il empoigne mon visage entre ses mains pour m'embrasser. On s'est embrassés durant le mois dernier, mais pas de cette façon. Le désir est différent avant l'acte sexuel, la façon de le faire aussi. Ce n'est pas un bec échangé avant d'aller à l'épicerie ou avant de partir pour le travail. C'est un baiser cochon ! En prime, on s'est disputés dans les derniers jours. Le *make-up sex* n'est pas un mythe. Bon, on s'entend que ça n'a pas toujours sa place, mais parfois…

Je peux deviner (depuis le temps qu'on est ensemble) ce que mon homme aime sexuellement parlant. Ce qui l'excite. Ce soir, cependant, contre toute attente, il est doux, sensuel, et il me regarde fort amoureusement. Oh *boy* ! Naturellement, les préliminaires ne durent même pas assez longtemps pour qu'on se fasse accroire qu'il y en a eu. C'est correct de part et d'autre, je crois. Est-ce qu'on opte pour la position de la levrette cochonne (alias *doggy style* porno) ? Non. Moi dessus (pour un maximum de visuel masculin) ? Non. Un *reverse cowgirl* acrobatique ? Non plus. Nous choisissons sans nous consulter la position la plus commune du monde. La plus naturelle qui soit pour les corps. Celle où les visages sont le plus près. La plus utilisée parmi toutes les propositions du Kâmasûtra. La position des amoureux qui s'aiment. Nous faisons deux missionnaires de nous-mêmes…

Malgré la performance plutôt courte du mâle alpha en rut (après un mois, il faut lui donner une chance, le pauvre), je ressens un grand plaisir en l'entendant jouir le visage bien terré dans mon cou. Toutes les femmes du monde entier (les amoureuses et même les autres) adorent ce moment. Il reprend ses esprits tranquillement (bien que pour lui, ce soit beaucoup plus rapide que pour moi) et il se redresse un peu. Avant qu'il ne se relève complètement, je m'étire pour repérer mon jeans qui gît non loin de moi à la tête du lit. J'attrape quelque chose dans la poche et le lui tends en disant :

— Tiens, merci ! C'était le *fun* ! Tu repasses quand tu veux.

Il rigole en reprenant son vingt dollars.

— Je comprends que ç'a été un peu vite, mais là, juste vingt piastres ?

— *Business is business, baby !*

— T'es vraiment épaisse !

Je le tire vers moi pour le serrer de nouveau dans mes bras en lui embrassant la tempe.

Louis ou Alex…

La patiente a vécu deux jours de tendresse avec son conjoint, la discorde ayant créé après coup une ambiance très affective favorable aux réconciliations. Cependant, comme Mme Allison aime ressentir des émotions puissantes, elle ne doit pas associer la tendresse comme une étape venant incontestablement après un moment plus gris. Sinon, elle pourrait très bien vouloir provoquer la discorde pour ensuite s'abreuver à la fontaine du bonheur. Ce type de comportement étant souvent associé à des gens vivant différents troubles telle la bipolarité, je serais très déçue de voir la patiente se nourrir de ce type de relation amour-haine.

Le BIG BUCK semble aussi avoir tendance à apprécier les moments de réconciliation, un peu comme si le sentiment résiduel à la suite d'une dispute était euphorique. Comme sa conjointe semble présenter le même genre de faiblesse, il doit également faire attention de consciemment soustraire son couple à une récurrence de cycles de querelles-réconciliations. J'hésite à me prononcer si monsieur présente plus de vulnérabilité à ce phénomène que madame.

Ma psy semble d'accord avec la théorie d'Hugo : « Vous avez besoin d'avoir de bonnes chicanes pour vous sentir en vie… » Il n'a peut-être pas tort.

Quelqu'un entre en trombe dans ma chambre, me faisant ainsi sursauter.

— Vite ! On t'attend !

— Cori est arrivée ?

— Oui !

Super. Lorsque je descends au rez-de-chaussée, toutes les consœurs sont effectivement là. Je vais au frigo me chercher une bouteille d'eau pour la route.

0/10 – Balena (je suis pleine d'herpès…)
Quelqu'un a des nouvelles des orgasmes
VAGINAUX de la femme de Westmount ?
« Le sexe apaise les tensions. L'amour
les provoque. »
– Woody Allen (Mali)
Nose Shit : 10/10 (Mmmm, Louis-José…)

Eh oui, Coriande est au courant de sa surprise. Comme elle ne voulait plus vraiment sortir, on n'a pas eu le choix de lui dévoiler le secret.

Sacha approche en me montrant effectivement le bas de son visage orné de boutons virulents.

— Honnnn…

— Je vous jure que ce n'est pas facile de voir son corps changer. J'ai des vergetures qui commencent à se former sur mon ventre. Ça me fait vraiment suer.

Elle nous les montre aussi.

— Hum…

Difficile de répondre quoi que ce soit. C'est là, tout simplement. J'avoue que, en tant que femme, ça doit être tout de même pénible de voir son corps changer à ce point durant la grossesse. Et pas toujours pour le mieux, il faut bien le dire.

— J'ai dépensé des centaines de dollars en crèmes de toutes sortes et ça ne marche visiblement pas.

J'essaye de l'encourager :

— Ce serait un bonheur que de se dire : je veux un enfant et mon physique ne changera pas. J'aurai le même corps qu'avant. Mais ce n'est pas le cas. Il y a comme un prix à payer au bonheur ! On vivra la même chose à un moment donné. C'est la vie.

— Comment, « on vivra » ? Tu veux des enfants, toi, à présent ?

— Ben, je ne sais pas…

— T'en a jamais voulus, reprend Cori à son tour.

— Je ne sais pas…, que je répète.

— Faudrait que tu commences par avoir une vie sexuelle avec le futur papa !

— C'est fait ! Je l'ai écrit sur le tableau !

— Bon, on part et tu nous racontes ta baise-torride-de-retour-en-force dans l'auto !

Ge conduit pour aller au DIX30. En débutant mon récit, je me dis que les consœurs seront déçues. Elles spéculent.

— Vous vous êtes déchiré le linge sur le dos et vous l'avez fait partout ! présume Ge, toujours aussi avide de détails sur les ébats sexuels des autres.

— Non.

— Vous aviez tellement envie l'un de l'autre que vous avez éventré le divan et arraché la peinture des murs ? tente à son tour Sacha.

— Non.

— Vous n'avez pas baisé ou quoi ? se désole Coriande.

— Non plus.

— Accouche ! beugle Ge.

— Est-ce que tu me parles ? demande Sacha, assise à l'arrière.

C'est rendu sa blague classique. On s'esclaffe de bon cœur.

— On a fait l'amour ! que je leur balance, fière.

— Mais encore ?

— C'est ça, c'est tout ! C'était doux, sensuel... Deux jours de missionnaires, les yeux dans les yeux.

— Eh bien. Je m'attendais à quelque chose de plus animal.

— Moi aussi, c'est bien ça le pire. Mais non, rien de spectaculaire, juste l'amour, que je minaude en battant des cils.

— T'étais déçue ? demande Ge.

— Non. Pourquoi ?

— Je ne sais pas, tu souhaitais que cet arrêt crée de la passion, non ?

— C'était très passionné, Ge.

Elle me fait une moue comme si elle semblait plutôt sceptique.

— Tsé, les filles, pas obligées d'arracher le lambris au plafond et de briser des meubles pour que le sexe soit satisfaisant. Pas besoin d'un *dildo* ou de faire des trucs complètement inusités pour avoir du plaisir non plus…

— Hum…

En fait, je suis restée chez lui jusqu'à ce matin et le moment fut magique du début à la fin. Naturellement, on est plus ou moins revenus sur la pomme de discorde (beau classique de notre couple), mais la tendresse était au rendez-vous.

Semblant désintéressée par notre banale réconciliation, Ge change de sujet :

— Moi aussi, je vis des beaux moments de tendresse…

— Raconte !

— Non !

— Bien parle-nous-en pas, d'abord ! Agace…

Elle sourit en regardant la route. Sacha, qui semble prise d'une illumination soudaine, s'empare de son cellulaire en ouvrant son sac à main. Elle pianote sur son portable le temps d'écrire quelques mots et le dépose sur ses genoux. Au même moment, je reçois un message texte. Cori aussi. Mon Dieu, les planètes de nos téléphones sont alignées. J'ouvre mon message.

(J'ai oublié de vous dire que j'ai fouillé sur la page Facebook de G-Hunter via le compte d'Hugo hier et elle a ajouté un gars du nom de Rénald je-ne-sais-quoi…)

C'est la conversation de groupe qui a lieu dans le dos de Ge. Dans le dos, c'est le cas de le dire ; Balena est assise derrière le siège de la chauffeuse. Je réécris :

(Ark, Rénald ? C'est quoi ? Un mononcle ?)

Nose Shit ajoute :

(Photo ?)

Balena réactive ses doigts sur son clavier tactile :

(Non, sa photo de profil est un genre de paysage en forêt…)

Son message entre en même temps sur nos téléphones respectifs. L'effet de tous les messages texte qui entrent simultanément crée un joyeux tintamarre dans le véhicule. G-Hunter (alias « l'exclue ») commente :

— Voyons, c'est la symphonie des textos en même temps ? Vous parlez-vous ensemble, coudonc ?

— Euh… Ha ! ha ! Est bonne ! Non, voyons… c'est Hugo…, ment Balena.

— Bobby, que je fais vaguement en réécrivant.

(On s'en reparle, on a l'air louches… 10-4)

Les filles ne me répondent pas.

Lorsque nous sommes rendues aux 3 Brasseurs, Sacha court aux toilettes comme si on avait roulé depuis des heures. En revenant, elle explique :

— Je vous jure, quand le bébé m'écrase la vessie, je crains chaque fois de le faire dans mes culottes. Ça m'est arrivé un peu l'autre fois…

— Ah ouin, fait Coriande, un peu écœurée par la chose.

Celle-ci change ensuite de sujet, l'air un peu taquin. Je n'ai pas vu Cori si bien depuis longtemps. Ce doit être l'effet pré-Louis-José…

— Est-ce que c'est légal de guérir sa peine d'amour en se jetant dans les bras d'un autre ?

Hein ? Elle a rencontré quelqu'un d'autre ? *My God !* C'est la nouvelle du jour ! De l'année même !

— C'est TRÈS légal ! l'encourage Ge, presque hystérique.

— C'est LA chose à faire, mentionne Sacha, tout aussi exaltée.

— Ben OUI, absolument ! que j'ajoute.

Voyez ici la bande de joyeuses luronnes pas vraiment équilibrées qui conseillent à leur amie en détresse de coucher avec le premier venu. Comprenez ici que notre amie se traîne par terre depuis plus d'un mois. Et là, elle esquisse enfin un sourire. On l'encouragerait à commencer à fumer du crack si cela pouvait lui faire du bien !

— Qui ?

— Alex…

— HEIN ? Ton ex-employé ?

Trop croustillant ! Je suis littéralement abasourdie. Vous souvenez-vous d'Alex, alias « l'employé » ? Le gars qui lui a fait perdre son job à Drummondville à cause de quelques baises échappées çà et là sur le bureau du patron…

— Eh ben !

— On a toujours eu quelques contacts très espacés via Facebook, du genre deux fois par année. « Allô ! Tu vas bien ? Oui, moi j'habite là, je fais telle *job*. Porte-toi bien. Bye. » Rien de très élaboré, mais tout de même un léger *keep in touch*.

— Ça fait combien de temps, votre histoire ?

— Presque quatre ans déjà…

— Il doit être rendu dans la vingtaine, *wow* ! la taquine Sacha.

— Il est rendu à presque vingt-quatre ans. Je vous rappelle qu'il en avait eu vingt durant le temps qu'on se fréquentait.

— Pourquoi vous aviez arrêté de vous voir ?

— Je m'étais fait mettre dehors du boulot, lui était resté là. Les contacts avaient diminué. Je ne sais pas trop pourquoi. Comme si l'éloignement s'était fait tout seul. Imaginez-vous donc qu'il a hérité de mon ancien poste.

— Eille, belle société de machos à marde, hein ! Tu baises sur le bureau de ton *boss* avec lui. Tu te fais licencier, et lui, il obtient une promotion ! J'en reviens pas !

— Ainsi va la vie ! Mais bref, je lui ai balancé que j'étais célibataire. Il a proposé de me consoler…

— Excellente idée ! s'écrie de nouveau Ge, beaucoup trop enthousiaste.

Je planifie, tout aussi excitée :

— As-tu besoin de l'appart ? On va aller ailleurs si c'est le cas, hein Ge ?

— Bien oui ! On va déménager s'il le faut !

— Bien là, calmez-vous le pompon. Il a un appart à lui depuis le temps.

— Il habitait avec douze colocs à l'époque, se souvient Sacha.

— Plus maintenant. Il habite seul, toujours à Drummond...

— Sacha le sait ; elle avait baisé avec l'un d'eux ! Ha ! ha !

— Eille, oui ! J'avais rebaisé avec lui le matin, le mascara coulé tout partout dans la face ! Hon, hon, hon ! se remémore Sacha en rigolant.

— Tu y vas quand ? Demain ?

— Ne soyez pas si heureuses quand même. Il reste un méchant plan B de consolation.

— Oui, oui, on le sait, mais quelle nouvelle fantastique !

— Mais, j'aime quand même mieux lui..., fait Cori en pianotant sur son téléphone intelligent.

Elle nous présente la photo de Louis-José Houde sur la page d'accueil de son site Web.

— Bien oui !

— Merci, les filles, pour la belle soirée ! conclut Coriande en levant son verre de bière.

Hum... Louis !

Lorsque nous pénétrons dans la salle du DIX30, Ge balaie le *lobby* du regard, la tête bien haute. Naturellement, le public que l'humoriste attire reste une clientèle assez jeune. Il y a beaucoup de couples, mais quand même certains groupes de jeunes hommes.

— Calme-toi le catapultage de carottes ! Ce soir, c'est moi qui en lance, envoie Cori à Ge, visiblement trop excitée de voir sur scène « l'homme de sa vie ».

— J'espère que tes carottes vont vite. À parler comme il le fait, faut que ça roule !

— Oui, madame, elles vont vite ! Des carottes « Speedy Gonzales » !

Dès que je m'annonce au comptoir, la femme qui est de service me fait un grand sourire (pour accueillir dignement celle qui doit être la blonde du chanteur populaire), puis elle appelle quelqu'un au téléphone. Un homme se présente et nous escorte jusqu'à la salle. Il nous montre les chaises qui ont été ajoutées au bout de la première rangée. *Wow !* Des places VIP de choix. Merci, Bobby ! Les gens nous regardent et semblent se demander pourquoi on jouit d'un tel privilège, en plus d'être escortées par un employé.

Comme prévu, le spectacle s'avère excellent. On a à peine terminé de rire de la blague précédente qu'on éclate de nouveau pour la suivante, manquant ainsi presque le début de cette

dernière. Louis-José a une touche unique et sa façon de raconter les moments anodins de la vie est véritablement crampante.
Je l'adore. Pas autant que Coriande, bien sûr, mais tout de même.
Celle-ci semble littéralement en transe. Les yeux brillants, elle
le regarde amoureusement.

Inévitablement, le moment où le spectacle prendra fin
approche. Inévitablement aussi, on s'attend tous à ce que
Coriande veuille rencontrer « son » humoriste. Habituellement,
les artistes sortent par l'entrée de la salle pour une séance de
photos ou d'autographes. J'ai songé à une meilleure idée ;
comme je connais bien ceux qui travaillent en coulisses, je vais
tenter de repérer un visage connu pour être autorisée à circuler
derrière la scène.

Je fais part de mon plan aux filles :

— Restez assises, on va essayer de passer par les coulisses
quand tout le monde sera sorti…

— Oh mon Dieu ! crie Coriande en mettant la main devant sa
bouche.

Trois choses me préoccupent en même temps. Ça tourne vite
dans ma tête. Premièrement, il faut que le technicien accepte ma
proposition (ce n'est quand même pas moi qui fais des *shows* ici
régulièrement). Deuxièmement, j'espère ne pas déranger ou
offusquer le beau Louis-José (il ne nous a quand même pas
invitées). Troisièmement (point crucial), j'espère ne pas ressentir de malaise en raison du « groupisme » extrême de notre amie,
qui souffle maintenant bruyamment par la bouche en songeant
qu'elle va enfin rencontrer son idole. Non pas que je doute de sa
capacité à se contrôler, mais elle est surexcitée rare, pâmée
d'admiration, je vous jure !

Après avoir patienté pendant plusieurs minutes, je reconnais enfin le visage d'un homme qui s'affaire sur la scène. Je m'approche de lui et lui dis en préambule :

— Allô ! Tu te souviens de moi, la blonde de… (celui dont on ne nomme pas le vrai nom) ?

Eh oui, je m'en sers encore !

— Oui, oui, allô !

— Tu crois qu'on pourrait passer par-derrière pour dire bonjour à Louis-José ?

— Bien oui, pas de problème ! On n'autorise pas ce genre de chose habituellement, mais comme je te connais…

— Merci beaucoup !

Facile ! Super. Je dirige les filles vers le lieu de prédilection. Coriande ventile encore bruyamment, émoustillée comme une adolescente s'en allant rencontrer Justin Bieber. Lorsque nous arrivons près des loges, Louis-José se trouve dans celle que Bobby occupe habituellement. Je suis vraiment gênée. On n'a quand même AUCUNE raison de s'inviter de la sorte. Mais bon, vu que mon amie est encore en détresse, il faut ce qu'il faut. La porte est entrouverte. Je m'approche la première, à pas feutrés. Les filles restent derrière moi. Il est là, au milieu de la loge, tout seul, debout, une bière à la main. Il regarde LCN. On s'imagine toujours que, pour un artiste, un après-*show* c'est une partouze dans la loge et que tout le monde festoie en buvant un coup. Non, les artistes sont souvent seuls, attendant que leur équipe termine de démonter le décor pour repartir à la maison. C'est ce que Louis-José semble faire en ce moment.

— Salut ! que je lance en restant dans l'embrasure de la porte.

— Salut ! fait-il avec son petit ton expressif bien à lui.

— Excuse-moi de me pointer ici comme ça, mais on voulait juste te dire que c'était super bon ! On était assises juste en face, sur les chaises à droite.

Les filles avancent et il les salue. Il ne semble pas trop importuné par notre présence.

— Ouais, j'ai remarqué que vous étiez là, sur des chaises ajoutées. Pourquoi donc ?

— Mon *chum*… (celui qu'on ne nomme toujours pas) nous avait arrangé ça avec le gars de la salle parce qu'on était un peu à la dernière minute.

— Ah ouin ! T'es la blonde de… (vous connaissez la chanson). Content de te rencontrer ! J'ai vraiment aimé son dernier album ; et sa carrière en Europe, c'est *hot,* hein !

— Ouais, mais on ne voulait pas te déranger. Juste te dire que ton *show* est vraiment bon ! que je précise pour signifier qu'on s'en allait sans tarder.

— Mais non, venez prendre une bière ! J'attends les *boys, anyway* !

— Hi ! hi ! hi ! hi ! fait Coriande pour toute réponse.

Elle ne peut s'arrêter de glousser… Louis-José la regarde même d'un air curieux. Nous acceptons son invitation. Coriande suit le groupe, en riant toujours nerveusement. Complètement gaga, elle le dévisage comme une apparition divine. Pour faire diversion, les filles saisissent la bière qu'il nous tend et commentent futilement les lieux.

— Est grande la loge, comme dans les films…

On se remémore des parties hilarantes de son spectacle, on discute de sa carrière, toujours en restant dans le très général. On ne le connaît pas, quand même. Il est super gentil et, bien entendu, très drôle ; il parle aussi vite dans la réalité qu'en spectacle. Et la quantité d'onomatopées qu'il peut défiler en dix secondes est impressionnante. Un chic type. Coriande se tapit entre le mur et la peinture, elle ne prononce pas un traître mot et l'observe, toujours aussi ébahie. Misère !

Quelques instants plus tard, un gars entre dans la loge, nous salue et annonce à l'humoriste :

— Cinq minutes, *boy*, et on a fini !

— *Yes* !

— On va y aller de toute façon. Bien, merci beaucoup ! que j'annonce en déposant ma bière à moitié pleine sur le comptoir.

Il nous embrasse (sauf Sacha, pour cause d'herpès) et nous remercie également. Quant à Coriande, il l'embrasse aussi sur les joues. Elle lui serre les épaules, et reste immobile après avoir échangé les deux becs classiques. Un petit malaise s'installe. Bien que les becs soient terminés depuis au moins dix secondes, elle lui tient toujours les épaules. Euh… Elle retire finalement une de ses mains – l'autre restant toujours en place sur la clavicule de l'artiste. Dix autres secondes s'écoulent. Je crois vraiment qu'il faut intervenir. Il la regarde d'un air curieux ; il se tourne vers moi avec ce regard interrogateur, qui semble me dire : « Qu'est-ce qu'elle a votre amie bizarre qui n'a pas dit un mot depuis vingt minutes ? »

— On va y allez ! que je répète joyeusement, pour l'encourager à lâcher l'épaule du pauvre humoriste.

Elle balbutie :

— Louis…, en souriant sottement.

Il me dévisage de nouveau, en fronçant les sourcils, l'air de me dire maintenant : « OK, votre amie est handicapée mentale. Vous êtes probablement venues me voir après une levée de fonds en lien avec sa déficience intellectuelle… » Simonaque, Coriande ! Décroche ! Les filles, impuissantes également, restent passives. J'encourage Cori, et lui parle comme si elle était vraiment déficiente, en lui tirant légèrement le bras.

— On y va maintenant, allez…

Elle lâche prise, gémit un dernier « Louis… » et me suit en le regardant par-dessus son épaule. Cibole, la chaîne a vraiment débarquée ! Elle ne s'en remettra jamais. Atteinte de la Louis-José-Houdite aiguë !

En sortant avec un regard béat de la salle de spectacle, elle commente leur rencontre :

— Ç'a vraiment cliqué, nous deux !

— Eille ! que je fais pour tout commentaire.

— Ç'aurait été le *fun* que tu ne lui arraches pas le bras !

— J'ai craint que tu t'évanouisses…, ajoute Sacha.

— J't'en amour !

Est-ce que notre sortie aura été positive ou négative pour elle ? Je ne sais pas…

Procès criminel dans la garde-robe

Après être passée saluer mon *chum* en après-midi, j'arrive finalement chez mes parents, à Danville. Mon frère s'y trouve déjà. Bon, quelle attitude adopter ? Froide et distante ? Non, je ne peux pas. Enjouée et joviale ? Non plus, je suis tout de même déçue de sa performance générale depuis le début de cette saga. Neutre, Mali. Neutre !

Lorsque je mets les pieds dans la maison, mon père semble visiblement trop content de voir sa famille ainsi réunie. Il gambade de joie et gesticule dans tous les sens ; il parle vite. Il peut vraiment ressembler à Louis-José Houde, des fois. J'embrasse mon frère en le regardant à peine. Bon. Méchant air neutre ! J'ai plutôt l'air d'une fille en beau maudit. Bien quoi ? Je *suis* en beau maudit (et, tout compte fait, pas très douée pour faire semblant). Il le sait. Ça paraît. On se connaît depuis quand même un bout de temps ! Mon frère est un gars solide, il peut encaisser le coup durant tout un souper. Ma mère fait comme si de rien n'était. Un malaise ? Quel malaise ?

Après le repas, mes parents devinent aisément que nous devons nous parler ; ils débarrassent la table et font la vaisselle en discutant, comme si nous n'y étions pas. Je me saisis de mon verre de vin et monte à l'étage. Il me suit docilement. Quand on se connaît depuis tout ce temps, on a moins besoin de se parler pour se comprendre.

Sans trop réfléchir, je me dirige vers notre repaire secret : la garde-robe de sa chambre. Je m'accroupis pour y pénétrer et m'assois en lotus. Je semblerai plus zen lorsque je lui balancerai les reproches qui me brûlent les lèvres. Il prend docilement place devant moi.

— Si je me fie à ton appel de l'autre fois, tu commences par les insultes ou par les coups portés au visage ?

— Les deux en même temps, ça te va ?

Il soupire. J'enchaîne en douceur (pfft…) :

— C'est quoi ton maudit problème, Chad ?

— D'accord, tu as eu sa version des faits depuis plus d'un mois… Veux-tu la mienne, maintenant ?

— Je t'écoute avec plaisir !

Il me raconte passablement la même histoire que Coriande. Dès qu'il a commencé à travailler là-bas, il n'avait qu'une semaine pour voir tout le monde à son retour. Coriande aurait aimé monopoliser toute son attention, mais c'était impossible. Elle a commencé à se montrer sur la défensive. Elle se plaignait, lui faisait des reproches sans arrêt.

— Je retournais là-bas et le premier coup de fil échangé était déjà truffé de reproches concernant mes vacances à venir ! Les bons moments étaient rares, je te jure. J'essayais de lui dire : « Coriande, comment veux-tu qu'on passe du bon temps ensemble quand t'es toujours enragée ? »

— Oui, mais tu ne peux pas avoir une vie de couple satisfaisante si tu vois ton *chum* deux fois par mois à la sauvette !

— Mali, c'est ça ma réalité pour un certain temps ; travailler là-bas comme un malade pendant trois semaines et revenir ici pour une semaine. Quand je reviens, j'ai le goût que ce soit le *fun*, de faire plein de choses ! Est-ce anormal ?

— T'as jamais été capable d'accorder une place prépondérante à tes blondes dans ta vie, de toute façon…

Notez que quand je parle à mon frère, je ne m'efforce pas à faire des phrases au «je». Au diable la politesse !

— Bon, les grands sermons !

— C'est vrai ! C'est l'histoire de ta vie, Chad !

— Tu l'as dit, petite sœur ; de MA vie, pas de la tienne !

Ça s'envenime dangereusement…

— C'est que, moi, je ramasse ma *chum* de fille complètement à terre depuis des semaines…

— Qu'est-ce que tu veux que je te dise ?

En effet, je n'ai pas de réponse à cette question.

— Et c'est quoi ton attitude de : « Cori, la vie continue, la vie est belle… » ?

— J'ai pas dit ça de même pantoute. Quelle attitude tu voulais que j'adopte ? Que je pleure ?

— Que tu sois un peu plus compréhensif ; elle a beaucoup de peine.

— Tu voulais que je lui fasse croire que je souffre le martyre ? Que je pleure tous les soirs ? Ben, ce n'est pas vrai. Oui, j'ai de la peine, je suis déçu que ce soit terminé, je pense souvent à elle, mais non, je ne pleure pas. Je me suis même senti un peu libéré quand ç'a été officiellement terminé…

Grrr… Maudit homme !

Il poursuit :

— Quand elle est venue chez moi, j'ai tenté de la comprendre, j'ai pris le temps de l'écouter, je ne vois pas ce que j'aurais pu faire de plus.

— C'est sûr que si tu vois déjà quelqu'un, c'est plus facile…

Voilà ! La bombe est larguée ! Dans une si petite garde-robe, c'est risqué. Il me dévisage en sourcillant. Il ne nie pas. *Shit !* Il voit une autre fille ; c'est confirmé.

— Comment tu le sais ?

Ah ben ! Re-maudit homme ! Est-ce que je voulais vraiment le savoir ? Là est la question…

— C'est qui ?

— Une fille, là-bas. Elle a obtenu un contrat d'enseignement dans le mur de Fermont.

Ce n'est pas une fille d'ici, donc…

— Ostie ! T'as trompé Coriande !

— Non, Mali, je ne l'ai pas trompée…

— Et c'est à moi que tu veux faire avaler ce mensonge ?

— Je connaissais la fille depuis mon arrivée là-bas, mais il ne s'était rien passé avant tout récemment…

Je verbalise mes pensées précédentes :

— Maudit gars à marde !

— Quoi ? T'es en colère après moi ou tu vis des frustrations générales contre la race mâle au grand complet ? Désolé, mais je n'ai pas à payer pour ta mauvaise foi…

— Pfft !

Je suis vraiment en furie. Je respire trois bons coups. Silence dans la garde-robe. Je sape en prenant une bonne gorgée de vin rouge. Je regrette illico de lui avoir posé la question. Comprenez-vous la situation délicate ? Je ne voulais vraiment pas le savoir, dans le fond.

— Et moi ? Je suis censée faire quoi, maintenant que je suis prise entre l'arbre et l'écorce ? que je demande, les bras ouverts.

— Tu veux me renier ? Changer ton nom de famille pour ne plus être ma sœur ? Vas-y !

— Non, je parle du fait que je sais maintenant officiellement que tu vois quelqu'un d'autre…

— Coriande n'est pas obligée de l'apprendre.

— Eille ! C'est une de mes meilleures *chum*s de fille ! Tu penses que je peux tout bonnement ne rien lui dire et faire semblant que je ne sais rien ?

— Tu crois que ça lui ferait du bien d'apprendre ce détail maintenant ?

« Ce détail » ? Vive la minimisation !

— Et toi ? Tu crois que je peux mentir comme ça à mon amie, portée par le vent ?

— Écoute, Mali, TU m'as posé une question, et j'y ai répondu. T'avais juste à ne rien me demander si tu ne voulais pas savoir !

En effet… Je fais quoi, moi, maintenant ? Je ne peux pas le dire à Cori ? Voyons donc ! Elle mourrait devant moi ! Impasse titanesque.

— T'as fini, là ? À t'entendre, je suis un monstre qui aime faire mal aux gens. Je pense que j'en ai assez pour ce soir ! En plus de Coriande qui a officiellement statué que je suis un trou de cul... disons que j'en ai ma claque !

— De quoi tu parles ?

— Les textos me traitant de tous les pires noms entrent à profusion sur mon cell depuis hier.

Oh *boy* ! OK ! Coriande est passée à la phase suivante sans nous en parler.

PHASE 4 : LA VACHE ENRAGÉE

Durant cette étape difficile, mais nécessaire, paraît-il, la personne endeuillée transformera sa peine en colère et portera des attaques à l'objet de sa souffrance (alias l'ex). Que ce soit sous forme de messages texte fielleux, de coups de téléphone haineux ou de lettres cinglantes, le message transmis sera généralement le même : « T'es un trou de cul de connard qui ne mérite pas de vivre ! » Cette étape envenime souvent de façon irréversible les rapports entre les ex-conjoints. Bien triste lorsque le couple a des enfants. On estime par contre que cette phase s'avère incontournable pour effectuer une coupure définitive. Je n'en suis pas convaincue, mais bon... Certaines personnes vivront à peine cette étape, tandis que d'autres offriront une performance impressionnante en s'y lovant pendant plusieurs mois, voire plusieurs années. C'est en fait une réaction défensive orchestrée par le sentiment de rejet (si difficile à gérer). À ce niveau de cheminement dans le processus de deuil, la personne peut régressée dans toutes les phases précédentes de façon plus ou moins aléatoire. J'espère que Cori ne stagnera pas en phase 4 trop longtemps.

— Donc, voilà, je suis un trou de cul, il paraît ! Est-ce que l'on peut passer à autre chose maintenant ?

Vraiment, c'est de famille de se sentir minable de ce temps-là ! Il se redresse pour sortir. Je ne le retiens pas. J'en ai plein mes bottes aussi. La coupe est pleine (même si la mienne est vide). Je reste là un moment, toute seule, accroupie avec mon malheur. Je devrai mentir à Coriande. Je ne peux pas le croire. Mais il est impensable que je lui dise maintenant. Que feriez-vous à ma place ? J'aimerais que ma vie soit un roman interactif : « Donc Mme Allison, que répondez-vous à la question ? Hum… Je vais prendre "l'appel à un lecteur" pour choisir. À moins que j'utilise mon " ricochet à un autre auteur "… »

Je n'ai pas le choix ; je dois faire du déni. Je n'ai rien entendu… Chad ne m'a rien dit… La discussion précédente n'a pas eu lieu… Pourquoi Françoise m'a-t-elle mis la puce à l'oreille, aussi ? Je n'aurais jamais ouvert cette porte sinon.

De pied ferme…

J'ai dormi chez mes parents. Mon frère nous a quittés presque tout de suite après notre discussion ; il avait une soirée de poker. J'en ai parlé avec ma mère le lendemain matin. Elle m'a également conseillé d'attendre avant de dévoiler quoi que ce soit à Cori. De toute façon, mon frère n'a pas réellement de blonde, il fréquente seulement une fille dans un mur ! Je prévois facilement la suite de ma journée… Coriande voudra TOUT savoir. Misère.

Sur la route, je rumine. Je songe à l'attitude adéquate à adopter. Quoi dire et ne pas dire. Lui mentir me brise le cœur. Il ne faut pas qu'elle me pose cette question. Si elle ne me le demande pas, ce n'est techniquement pas un mensonge, mais plutôt une omission. Moins pire, madame la Juge ? Pas sûre. Il ne s'agit pas d'une commission d'enquête sur la collusion dans le monde de la construction. Ici, c'est la vraie vie.

Sans grande surprise, lorsque j'atterris chez Ge, Cori se précipite dans l'entrée et me fonce presque dedans.

— Pis ?

Ayoye ! Déjà ? On dirait une *junkie* à qui j'apporte sa dose d'héroïne quotidienne.

— Allô ! que je fais pour gagner du temps.

Elle adopte une attitude expéditive, voire un peu agressive.

— Arrête de niaiser, Mali… Tu l'as vu ? Tu lui as parlé ?

Bon ! Ça ne m'aide pas du tout, cette rafale de questions.

— J'ai jasé avec lui. Il est désolé de ce qui s'est passé. Il ne savait pas trop quoi te dire quand tu es allé chez lui. Il a de la peine de te voir triste…

— C'est tout ? Il regrette ? Je lui ai dit que c'était *loser* en sale son attitude de « c'est bien triste, mais c'est la vie… ».

Je ne suis vraiment pas bien… C'est serré entre l'arbre et l'écorce ; on y respire très mal.

— Ben…

— Pas besoin de me ménager, Mali ; je sais qu'il ne regrette pas pantoute…

Ses yeux s'emplissent de larmes. Aaaah non…

— On n'a pas parlé beaucoup, Cori ; mes parents étaient là…

— T'es tellement chanceuse de l'avoir vu… d'avoir soupé avec lui…

Changement d'attitude drastique en trois secondes. La haine de la vache enragée a laissé place à la phase 2 (« La claque récurrente ») en peu de temps. Elle se sauve dans sa chambre en pleurant. J'ai une boule dans le ventre.

Ge me rejoint, en haussant les épaules, pour me dire : « Qu'est-ce qui se passe ? » Vous savez quoi ? Je ne peux même pas lui dire à elle non plus. Je ne peux en parler à personne, au cas où ça s'ébruiterait de quelque façon que ce soit. Vous voyez à quel point Coriande reste encore fragile. Pas question de lui jeter une brique de plus sur sa pauvre tête. Je veux déménager dans un autre pays…

Candidat télé du lundi

➡ **Décompte officiel : Sacha, 38 semaines ; Ge, 48 semaines ; Coriande, 6 semaines**

Comme prévu, tout le monde se réunit au *condo* de Ge pour écouter la première émission de la semaine. L'excitation que crée l'émission change un peu le mal de place concernant mon malaise vis-à-vis de Coriande. J'ai convenu avec Bobby que l'on passerait plus de temps chez moi cette semaine pour être ici les quatre soirs de visionnement en groupe. Changement d'air conjugal ; car d'habitude, on est vraiment plus souvent chez lui. Sacha et Hugo sont présents également. Geneviève paraît calme et sereine par rapport à nous, qui sommes complètement hystériques.

— Ah non, je veux m'asseoir là ! Je ne vois pas bien d'ici, panique Coriande en changeant littéralement de canapé d'un bond.

— Le son est correct ? lance Sacha, qui agrippe une des télécommandes au cas où le volume serait trop bas.

— On va savoir c'est qui ! ENFIN ! Mon Dieu, ma vie va pouvoir redevenir normale, que je souffle, extasiée d'arriver au moment tant attendu.

— Tu dis !

— C'est peut-être pas le candidat de ce soir…, souligne Ge.

— Moi, en tout cas, je vais le deviner tout de suite quand ce sera le bon. À moins qu'il y en ait plusieurs d'intéressants, précise Cori, excitée par cette possibilité.

— Moi aussi, je vais le savoir. Depuis le temps qu'on te connaît ! affirme à son tour Sacha.

— Les filles, vous êtes trop curieuses, remarque Bobby, qui fait tout à coup son gars pas curieux du tout (pfft !).

— Ouin…, approuve mollement You Go.

Regardez la mémère à Hugo qui joue aussi au gars indifférent. Re-pfft ! Le générique commence. Oh là là ! J'ai peine à tenir en place sur le divan. Bobby pose sa main sur ma cuisse pour me signifier : « Calme tes nerfs, Gaétane ! »

Pour vous faire une précision technique rapide, durant l'émission *Opération séduction*, deux voix hors champ (les comédiens

Tammy Verge et Alex Perron) commentent le comportement des deux participants en même temps que l'action se déroule. De plus, au tout début, des proches des participants les décrivent de façon générale : « C'est une fille comme ci, elle aime les gars comme ça. » Comme je l'avais mentionné précédemment, dans le cas de Ge, ce sont Coriande et une de ses collègues de travail qui s'étaient portées volontaires. Pour ma part, il n'était pas question que je me pointe la face là. Et Sacha avait catégoriquement refusé aussi, en plaidant que la télé ajoute supposément dix livres. Additionnées aux quarante-trois livres prises depuis le début de la grossesse (chut…), ç'aurait été, selon elle, horrible, télévisuellement parlant. Dépression prépartum évitée de justesse (à notre grand bonheur à toutes).

J'ai hâte de voir Cori. Pas beaucoup d'improvisation de sa part, par contre ; Geneviève lui avait dicté à la lettre quoi dire ; elle lui avait même fait de petits aide-mémoire comme soutien visuel. Vive la spontanéité !

Tammy Verge présente la candidate de la semaine, en la décrivant brièvement, et termine en la nommant : « … la pétillante Geneviève ! » Ah mon Dieu ! Je *feel* tout croche de la voir à la télé. Quand c'est mon *chum*, tout va, mais Ge !

« Je suis une fille prête pour l'engagement, l'ultime engagement… », déclare notre consœur adorée.

Alex Perron commente : « Voyons ! Geneviève n'a même pas vu le premier candidat et elle parle déjà de mariage ! »

Eh oui ! Il ne le sait pas, lui, qu'elle n'a pas baisé depuis quarante quelques semaines et que son seul « ami » est un dauphin bleu qui fonctionne avec des piles…

Coriande apparaît à l'écran, assise sur un tabouret de la cuisine, ici. Oh Seigneur ! Qu'elle est belle !

« Ge, c'est une fille carriériste, intelligente, prête à faire entrer un homme dans sa vie, l'homme de SA vie en fait… »

Elle est super bonne, elle parle bien. Elle se tourne vers moi dans le salon et sourit.

Voilà maintenant la collègue de Ge (que je connais peu) :

« Ge, ça lui prend un homme solide, qui aime rire, prendre un bon verre de vin, se gâter comme elle aime si bien le faire… »

Silence dans le *condo*. Vraiment, tout le monde est complètement captivé. On veut juste voir la tronche du mec en question.

Tammy Verge annonce : « Ce soir, Geneviève, tu rencontreras Bastien. »

Le gars apparaît à l'écran. Ahhh… Tout le monde semble rester un peu de glace sur le coup. Le gars commence à se présenter à la caméra.

« Le Plateau, c'est la place où habiter. J'adore le Plateau. J'y suis né et je vais y mourir… », puis il porte la main à son cœur (presque à la Céline Dion).

Toute la bande semble encore plus perplexe dans le salon. Le gars est plutôt maigrichon, les cheveux un peu plus longs que les oreilles et il porte de petites lunettes. Un genre d'intellectuel, mi-hippie mi-*fashion*, dur à dire.

Son ami indique : « Ça lui prend une fille avec une grande culture générale, car il est très cultivé, plus que la moyenne des gens à vrai dire… » L'ami en question porte un foulard au cou et arbore lui aussi un petit air hautain-urbain, si je peux me permettre.

On revient à Bastien.

« Comme j'ai beaucoup à offrir, je pense que c'est évident, je ne veux pas n'importe qui. C'est important, pour moi, quelqu'un d'engagé socialement… »

Tammy Verge commente : « Ça adonne bien, Geneviève parlait justement "d'engagement" tantôt ! »

On revient à Ge, qui explique devant la caméra ce qu'elle portera : une robe ajustée noire. Elle fait un peu « pitoune chic », sa poitrine étant bien mise en valeur, comme toujours.

On effectue le même exercice du côté de Bastien, qui décide de porter un chandail spécifique : « Je n'achète rien qui est fabriqué en Asie, donc je porte ici un chandail fait à partir de matières recyclées, vendu dans une boutique du Plateau, bien sûr. »

Tammy Verge se réjouit : « *Wow* ! Bastien porte un beau chandail en papier recyclé… »

Le gars, presque prêt, s'enroule un foulard autour du cou et prend bien soin d'épingler un carré de tissu rouge sur son chandail de Cotonnelle recyclé.

Pause publicitaire.

— Estie qu'il me tape sur les nerfs, ce cave-là ! explose presque mon *chum*, en profitant de la pause pour s'exprimer.

— « Le Plateau, le Plateau… » Je le fesserais, moi ! avoue également You Go, presque hors de lui.

Hish… Faut tout de même que les gars restent polis ; c'est peut-être lui, le nouveau mec de Ge ?

— Ge ! Je t'en supplie, dis-nous que ce n'est pas lui ! la prie Coriande, presque à genoux.

Je ne peux à mon tour retenir un commentaire.

— Eille, son carré rouge ? Reviens-en, le grand. La loi 78 et la hausse des frais de scolarité ont été abolies il y a des mois !

— Calmez-vous ! Vous l'avez vu deux minutes. Laissez-lui une chance, lance Ge avec un petit sourire en coin.

À voir son air, ce n'est pas lui. Impossible !

L'émission recommence. Bon, Ge se dirige vers la résidence de Bastien.

Je demande au groupe dans le salon :

— Qu'est-ce qu'il fait, donc, dans la vie ?

— Il travaille pour une boîte de publicité.

Il ouvre la porte de son appartement à Geneviève et semble surpris en la voyant. Premièrement, Ge est plus grande que lui (de beaucoup) et, deuxièmement, on dirait qu'il ne s'attendait pas à une femme fatale comme elle. Celle-ci semble faire le saut également (parce qu'on la connaît, on comprend son langage corporel).

Bastien lui offre un daïquiri aux fraises biologiques en précisant à la caméra qu'il composte ses retailles de légumes.

— *What a loser* ! On s'en sacre de ce que tu fais avec tes déchets, rage encore Bobby.

Alex Perron se questionne : « Le compost, c'est une technique de séduction ça ? »

Son appartement est beau, épuré ; il faut lui donner ça. Il gâche cependant tout élan positif à son égard en expliquant (encore une fois à la caméra) que tous ses meubles proviennent du

Québec et qu'ils ont aussi été créés avec des matières recyclées. Reviens-en, là ! On dirait qu'il fait un *pitch* afin d'être recruté comme candidat pour le Parti vert dans son arrondissement.

Tammy Verge rigole en faisant la sotte : « Hein ? Des meubles recyclés en plus ? Tant qu'ils ne sont pas faits en papier… »

Il invite Ge à aller prendre leur cocktail dans une verrière adjacente au toit de l'immeuble. Un toit vert, cela va de soi. Mais étant donné qu'on est en mars, c'est plutôt un toit blanc. Bastien semble vraiment être un impliqué-social-extrême. Il habite dans un immeuble coopératif bien sûr, et il le mentionne fièrement à la caméra. C'est correct d'être « vert » dans la vie, mais pourquoi ressent-il tant le besoin de le communiquer aux autres ?

Ge est calme, mais pas très bavarde. En arrivant sur le toit, le candidat-du-lundi lui explique le fonctionnement du système d'irrigation, qui recycle l'eau de pluie l'été pour le jardin commu-nautaire. Ge, qui s'en sacre probablement comme de l'an mille avant Jésus-Christ, écoute tout de même poliment. « On assiste vraiment à la rencontre de deux mondes… », que je songe en fixant les escarpins mode rouge pétant de mon amie à la télé.

Il lui pose finalement une première question : « Qu'est-ce que tu fais dans la vie ? »

Tammy Verge commente : « Bon, Bastien lui pose enfin une question… je pensais qu'il lui faisait juste visiter son bloc ? »

Geneviève répond : « Recherche médicale, entre autres tout ce qui concerne les bactéries laitières… »

Monsieur *stuck-up* semble traumatisé et lui lance, presque l'air fâché : « Vous faites des tests sur les animaux ? »

Ge, passablement énervée par le gars (je le sens), exagère en ripostant du tac au tac : « Tout le temps, des rats, des souris, parfois des agneaux ; on n'a pas le choix, c'est pour la science ! »

Tout au long de l'émission, les deux participants révèlent également leurs impressions face à l'autre candidat, directement à l'écran, mais sans que l'autre puisse entendre.

Bastien confesse à la caméra : « C'est une fille superficielle, je ne suis pas capable... Des tests sur les animaux ? C'est contre mes valeurs. Elle engage-tu des enfants d'âge scolaire pour travailler en plus ? »

Ah, le con !

Ge, très diplomate, dévoile à son tour en secret (à la caméra) : « On laisse la chance au coureur... »

Bastien annonce à Ge l'activité suivante avec peu d'entrain ; ils iront manger au resto, tout simplement.

Alex Perron dit : « C'est avec peu de choses en commun que notre couple d'opposés se dirige vers leur activité ! »

Pause publicitaire.

— Regarde-moi bien le resto de suçeux de luzerne, toi ! commente mon *chum*, encore scandalisé.

— Un resto « foulard-dans-le-cou-et-olive-entre-les-deux-fesses obligatoire » ! ajoute Hugo.

— C'est pas lui, Ge, hein ? pleurniche maintenant Sacha.

— Si tu l'emmènes souper ici, c'est sûr que je lui fais une jambette dans le plat à fondue, menace ouvertement You Go.

— Ça existe-tu, de la fondue bio ? raisonne sarcastiquement Bobby.

Ge rit dans sa barbe. C'est sûr qu'elle n'a pas craqué pour ce taré.

Retour à l'émission. Silence radio dans le véhicule d'*Opération séduction* qui les amène audit restaurant. S'il y avait eu une mouche dans l'habitacle, on l'aurait assurément entendue battre des ailes…

Ge, qui commence à se dégêner, demande à Bastien, très sérieusement : « Tu ne dois pas te déplacer en voiture habituellement, à cause de la pollution et tout ? »

Alex Perron note : « C'est moi, ou Geneviève avait un petit ton arrogant ? »

En effet Alex, bonne observation !

Le gars, timide, bégaie et avoue : « Euh… J'ai… une auto… »

Ge saute sur l'occasion à pieds joints : « Électrique probablement ? Compte tenu de tes valeurs… »

Bastien avoue : « Non, non… mais je ne la prends pas souvent. »

En souriant narquoisement, Ge prononce de façon à peine audible : « OK ! Juste à moitié vert finalement… »

Monsieur Lundi fait semblant de ne pas entendre et ne relève pas.

Alex Perron, lui, saute sur l'occasion : « Les pelures de patates du compost volent bas ! »

Le resto est naturellement extrêmement bio. Une serre chauffée sur le toit sert de jardin. Tous les produits frais proviennent de là ou presque. Des fines herbes poussent dans des jardinières disposées un peu partout dans le resto ; c'est chouette comme endroit.

En regardant le menu, Ge pousse un cri : « Quatorze dollars pour une soupe en entrée… »

« C'est bio ! », répond le professionnel-à-foulard assis à côté d'elle.

Monsieur olive-coincée-entre-les-deux-fesses amorce une discussion sur le conflit étudiant et le système politique supposément dictatorial en train de prendre possession du Québec au grand complet. Il spécule, de façon fataliste, que bientôt la Charte des droits et libertés de la personne sera abolie si on ne fait rien. Il divague complètement, le pauvre.

Tammy Verge s'interroge : « Mon Dieu, Bastien commence presque à m'inquiéter. Est-ce qu'on va tous vivre sous le contrôle de Big Brother ? »

Alex Perron renchérit : « Un vrai débat politique ! C'est Pierre Bruneau qui devrait commenter le souper ! »

Comme Ge ne se mêle pas du tout à la discussion, Bastien dit devant la caméra (dans le dos de Ge) : « Ça n'a pas l'air d'une fille très très cultivée… »

— EILLE ! beugle Coriande dans la salon.

— VOYONS, LE CAVE ! crie à son tour Sacha, menaçant le téléviseur du doigt.

— Non, non, non ! envoie Bobby pour tout commentaire.

— Méchant innocent ! que je renchéris, scandalisée comme le groupe du salon.

Ge rigole de nous voir si émotifs. Je vous prédis que d'ici deux minutes un plan d'intervention de ninjas cagoulés risque de s'improviser dans le salon du *condo*, histoire d'aller larguer quelques bombes puantes dans un certain appart bio !

Pendant qu'on leur apporte de la nourriture, Ge change de sujet en disant : « La compagnie pour qui tu travailles comme publiciste vend quoi au juste ? »

« Des meubles de jardin... », affirme-t-il, légèrement sur la défensive.

« Tous fabriqués au Québec ? », s'informe Ge, sur un petit ton condescendant.

« Non, mais ce n'est pas MA compagnie quand même... », se défend le supposé anticapitaliste, un peu gêné.

Ge poursuit : « Mais toi, Bastien, ton travail en publicité, c'est bien d'inventer des façons originales de mettre en valeur un *set* pour patio, pour créer un besoin ou une envie chez le consommateur afin de l'influencer à acheter ledit produit et pour le faire consommer davantage, c'est bien ça ? »

« Ah non, je ne dirais pas ça comme ça... », souffle le pseudo-de-gauche en prenant une grosse bouchée de luzerne, croyant ainsi éluder les questions éthiques de sa compagne.

Ge, qui vient de se mettre en mode attaque (elle va le détruire, le pauvre), poursuit en l'observant mâcher, comme une vache, sa verdure bio : « Vas-y, je t'écoute. Essaye de me justifier logiquement l'objectif derrière la publicité en général et fais-moi un lien avec la non-consommation… »

« Ben voyons ? On ne fait pas une thèse universitaire. On est sur une *date*. », bégaie légèrement Bastien, en replaçant son foulard. Un brin de luzerne reste solidement accroché à son menton. À l'évidence, Geneviève jouit de la scène sans mot dire.

Alex Perron s'inquiète : « On dirait qu'ils sont à la veille de se lancer des tomates bio par la tête ! »

Ge attaque de nouveau : « Je ne sais pas, depuis le début, tu plogues que tu recycles, que tu composes, que tu achètes au Québec et t'en mets, mais tu es publiciste et t'as une auto ! Fumes-tu en plus ? Changes-tu de cellulaire aux six mois pour être *in* ? »

« Pfft… »

Ge souligne à la caméra (toujours dans le dos du candidat) : « Ce gars-là, c'est une contradiction sur deux pattes ! »

La rencontre se termine en queue de poisson. Bastien explique à l'écran : « C'est vraiment pas une fille pour moi », et Ge renchérit : « Vraiment pas mon genre ! » On voit alors Ge dans le véhicule de l'émission qui lui donne sa note en l'inscrivant sur un iPad.

Générique.

— Eille ! Vous vous êtes presque pognés à la télé ! que je fais, traumatisée.

— Tu dis, mais avec le montage, il vous en manque des bouts. Il me traite de « consommatrice superficielle » à un moment donné, pour rien. Ensuite, il m'accuse de nuire à l'économie du Québec avec mes recherches. C'est pour cette raison que je lui déballe mes questions concernant la publicité. Monsieur a un char, en plus. Je suis certaine que, si on avait fouillé son auto, on y aurait trouvé des sacs de McDo! Honnêtement, j'en pouvais plus !

— Moi, les péteux du Plateau qui se donnent un petit air supérieur… Tu fais du compost, bravo ! Pourquoi faut-il que tu te pètes les bretelles avec ça ? reprend Bobby.

— Donc, on sait que ce n'est pas le candidat-du-lundi. On a tous envie de lui arracher la tête en le voyant vingt-deux minutes à la télé…

— Eh non ! Pas lui, en effet ! confirme Ge.

Tout le monde souffle bruyamment, comme si on avait réellement eu peur. Hugo lance à la blague, en se frottant les mains :

— Tu te souviens où il habite ?

Monsieur «mardi»

Après une journée de supervision de stages dans les règles de l'art, je rentre épuisée au *condo*. Je dois avoir tout le temps l'esprit alerte et noter tous les comportements de mes stagiaires ; pas question de s'évader dans sa tête tranquillement. Ouf !

En ouvrant le frigo afin d'analyser les possibilités s'offrant à moi pour concocter un repas rapide mais adéquat, je scrute le tableau :

Je déclare officiellement que le chandail de Bastien sent la marde !

Bastien fait demander si on peut lui envoyer notre papier cul utilisé pour qu'il puisse se faire un chapeau brun !

Bastien a fait une manifestation tout seul hier contre les conditions de vie misérables de la luzerne dans nos champs québécois !

Nose Shit : 4/10

C'est n'importe quoi ! Les gars sont niaiseux ! Nose Shit, quatre sur dix, pas super ! Elle n'a pas vu Alex encore. Faudrait peut-être (discrètement) l'encourager dans ce sens…

Ge me rejoint à la cuisine, son téléphone cellulaire en main et un sourire niais imprimé sur le visage.

— Tu parlais au candidat que l'on va voir ce soir ?

— Non, à Bastien ! C'est un type bien, finalement !

— Eille ! Fais pas des farces de même, c'est vraiment pas drôle ! que j'exagère.

Mon *chum* nous rejoint pour souper. C'est vraiment le *fun* de le voir plus souvent au *condo*. Avec les filles et dans mes affaires. Il semble de super bonne humeur depuis notre réconciliation. Nous soupons tous les quatre, et le couple de futurs parents nous retrouvera plus tard.

Après une soirée complète de blagues sur Bastien (qui doit être sourd tellement les oreilles doivent lui siffler), nous sommes prêts à « rencontrer » le second candidat. Le même scénario que la veille se dessine ; tout le monde prend place au salon, la fébrilité est de nouveau au rendez-vous.

Générique. On revoit le même extrait de Coriande et de la collègue de Ge, et on revoit la principale intéressée qui se présente. Le montage montre un extrait de la veille, commenté par Tammy Verge : « Hier, Geneviève et Bastien ont mangé bio dans une ambiance plus ou moins "santé" ! » On voit Ge qui balance à Bastien sa réplique concernant son emploi, et lui qui semble offusqué en disant à la caméra que Ge n'est pas très très cultivée.

Une nouvelle volée d'insultes peu catholiques jaillissent de toutes parts dans le salon. L'émission reprend en temps réel.

Ge présente ce qu'elle portera : une robe-chandail de laine super belle. On rencontre le candidat : Pierre. Il est un peu plus vieux qu'elle, à trente-sept ans. Il semble assez grand, plus ou moins beau honnêtement (pas très gentil de dire ça, mais c'est vrai), il paraît extrêmement timide et vraiment nerveux. Il lui manque beaucoup de cheveux malgré son jeune âge, et il tente de faire comme si de rien n'était en se mettant de la pommade dans les quelques touffes qui lui garnissent le coco.

Pierre porte un jeans avec une chemise un peu passée de mode (avec des motifs tribaux *flash* un peu bizarres).

Ge, toujours resplendissante, se dirige chez lui à bord de la voiture de l'émission.

Pierre annonce à l'écran : « On ne sort pas, ce soir. Je lui fais un souper de chef ici. Je suis très bon cuisinier ! »

Habituellement, il y a une sortie, mais bon, le candidat en a décidé autrement.

Tammy Verge analyse : « On reste tranquilles à la maison, comme un couple déjà marié. »

Alex Perron se rallie : « Ben oui ! Geneviève va l'aimer, elle cherche justement un mari ! »

Pause publicitaire.

— Il est vraiment timide ! fait remarquer mon *chum*.

— Ses cheveux ? avance Sacha, sans ajouter aucun qualificatif à sa déclaration.

— Hum…, que je souffle pour tout commentaire.

Tout le monde semble un peu ambivalent dans le salon, mais on n'est pas aussi drastiques qu'hier avec Bastien. Voyons voir la suite.

Ge entre chez lui. Naturellement, elle reste joviale même si Pierre n'est pas du tout son genre. Une prise de vue saisissante présente le visage de l'homme, qui ne peut s'empêcher de fixer le décolleté de Ge pendant quelques secondes en la voyant s'avancer après qu'elle eut fermé la porte.

Alex Perron saute sur l'occasion : « Je pense que Pierre trouve sa robe belle ! »

Tammy Verge déclare : « Ah ? C'est sa robe qu'il regardait ? »

L'appartement du candidat-du-mardi est correct, mais sans plus. Peu de décorations, des meubles un peu vieillots, une espèce de divan sorti tout droit des années 1990.

Il offre à Ge une bière du « tiroir » québécois qui s'agence supposément bien avec l'entrée au prosciutto et au melon.

Alex Perron relève l'erreur de diction : « Est-ce qu'il a bien dit : une bière du "tiroir" ? »

Tammy Verge lui répond : « Non, je pense qu'il a dit du "trottoir"... »

Pierre est comptable (ah non ! pas des bas bruns !). Il pose une ou deux questions à Ge avant de se sauver à la cuisine. Ge reste seule dans le salon un long moment. L'appartement, divisé en petites pièces fermées, ne permet pas de communication entre les deux espaces.

Confuse, elle semble fixer des gens qui se trouvent dans la pièce (peut-être le producteur ou les caméramans) en se demandant le pourquoi de cette attente si longue.

Alex Perron commente : « Coudonc ? Est-ce que Pierre est parti par la porte d'en arrière ? »

Tammy Verge lui répond : « Oui, il est peut-être sorti faire une balade sur le "trottoir" ! »

Il revient finalement avec une deuxième entrée : des champignons farcis et gratinés. Ge tente d'initier un minimum de discussion : « Donc, tu es célibataire depuis longtemps, Pierre ? »

Le type répond rapidement : « Deux ans… », avant de se lever pour retourner à la cuisine.

Penaude, Ge s'empare d'un champignon qu'elle engloutit en regardant de nouveau autour d'elle. Pierre revient avec une bouteille de vin blanc, qu'il présente à Ge avant de l'ouvrir. Il lui décrit que le vin accompagne bien le fromage avec lequel il a garni les champignons à cause de son petit goût acidulé. Ses agencements mets-vin semblent visiblement plus importants pour lui que la *date* en tant que telle. Il repart ensuite avec diligence vers la cuisine, prétextant devoir brasser un truc sur le rond.

Alex Perron dit : « Je pense que Geneviève aimait mieux s'obstiner sur la politique et la luzerne avec Bastien, hier ! »

Pierre revient et l'invite à passer à table. Bon, ils auront le temps de se parler un peu, j'espère. La table est vraiment bien mise. L'œil est attiré par plein de coquetteries : verres assortis au type de vin, couverts bien placés, chandelles, fleurs, et tout le bataclan. Souci du détail, c'est bien. Il s'assoit (enfin !).

Pierre demande : « Toi, t'es célibataire depuis combien de temps ? »

« Quarante-huit semaines ! », répond notre célibataire en souriant à belles dents.

Tammy Verge s'étonne : « Mon Dieu ! Geneviève parle de semaines de grossesse ou de célibat ? »

Tout le monde échange un regard complice dans le salon. Ils sont drôles.

Pierre semble être de nouveau parti. Ge commente à l'écran, sans que celui-ci l'entende : « Je ne peux pas vous en dire grand-chose, je le vois à coups de trois secondes depuis le début de la soirée. »

Pierre révèle à son tour à la caméra (dans la cuisine, en s'affairant à garnir minutieusement ses assiettes à l'aide d'un emporte-pièce) : « Ça se passe très bien ! Et ça sera très bon ! »

Il revient avec le plat principal. Il explique le tout à Ge pendant presque cinq minutes : un risotto aux champignons portobellos, poitrine de poulet avec pesto maison au basilic, carottes glacées au sirop d'érable, vin rouge charnu pour accompagner le tout… une vraie émission de Ricardo. Ge tente de discuter avec lui, mais il retourne à la cuisine après avoir pris deux bouchées.

Pause publicitaire.

— Misère ! Allez-vous parler d'autre chose que du menu ? que je fais, scandalisée.

— On s'en fout carrément de ton pesto, *boy* ! ajoute mon *chum* dans la même veine.

Ge lève les épaules, elle ne veut pas nous révéler la suite.

— Il est super plate, monsieur Mardi ! Pas lui ton choix, c'est sûr, s'ennuie Cori en bâillant.

— Il n'est pas à la bonne émission ; il aurait dû s'inscrire aux *Chefs* ! s'exclame Sacha.

Ge part à rire. Retour en ondes.

La candidate se prononce (dans son dos, toujours seule à table) : « C'est beau le gros souper, mais là… »

En extase, Pierre s'exprime à son tour (toujours à la cuisine – il avait oublié les croûtons au romarin) : « Mon risotto est super réussi, je suis si content ! »

Lorsqu'il revient finalement s'asseoir, on sent que Ge n'ose pas trop se lancer sur un sujet, de peur de se faire couper encore une fois. Silence. Leur assiette presque terminée, il laisse encore Geneviève en plan pour aller concocter le dessert. La caméra reste braquée sur elle ; elle soupire, prend son verre de rouge et regarde sa montre.

Tammy Verge traduit : « On dirait que Geneviève se demande quand ça se terminera ! »

Alex Perron y va d'une mise en garde : « Mais si elle ne reste pas, elle n'aura pas de dessert ! »

En effet, la pauvre Ge prend de nouveau une gorgée de vin avant de croiser les bras en analysant le plafond. Quelle *date* moche !

Pierre revient vers elle et lui explique de long en large la préparation du dessert : « L'important, c'est de faire réduire la crème et le sucre, ensuite tu réfrigères la préparation, sinon ça ne donnera pas l'onctuosité voulue… »

On se croirait maintenant à l'émission *Les desserts de Patrice* !

Alex Perron : « Seigneur ! Que leur activité me donne faim ! »

Ge (qui n'en peut visiblement plus) lui balance : « Non, mais il est super bon ton souper, ton dessert et tout, mais me semble que ce n'est pas le but principal… »

Pierre ne répond pas et semble regarder à son tour l'équipe derrière la caméra. Malaise grandissant. Il paraît vexé. Ge goûte finalement à son dessert. Pierre, qui s'adresse maintenant directement à l'équipe de production, se confesse littéralement : « Je voulais vous prouver que je suis bon ! Ça fait deux ans que je m'inscris et vous ne me prenez pas ! »

Hein ? De quoi parle-t-il ? S'inscrire à quoi ?

Tammy Verge se pose la même question que nous : « On t'a pris, Pierre ! T'es là, c'est aujourd'hui ton rendez-vous ! »

Ge, qui ne saisit rien de ce qui se passe, continue de manger gloutonnement son dessert (qui a l'air vraiment délicieux soit dit en passant) comme si de rien n'était.

« Moi, c'est à "Un souper presque parfait" que je voulais aller. Je n'ai jamais été choisi… », pleurniche maintenant Pierre ouvertement.

Il s'agit d'une compétition culinaire, également sur les ondes de V. On est littéralement tordus de rire dans le *condo*. Voyons donc ! C'est n'importe quoi ! Ge sourit maintenant, la tête toujours penchée vers son dessert.

Alex Perron rigole aussi : « Bon ! Pierre fait son *coming out* ! »

« OK ! Donc tu ne voulais pas participer à l'émission ? », tente doucement Ge, en rassemblant toute sa compassion.

Pierre lui avoue : « Non, pantoute. Je pensais ainsi avoir plus de chances pour l'autre *show*, en leur prouvant que je sais cuisiner… et j'ai menti à l'équipe de sélection ; en vérité je suis gai… »

Un malaise profond envahit l'écran. Personne ne parle. Ge regarde autour d'elle et semble se demander si l'équipe de production arrêtera le tournage.

Alex Perron ne se peut plus : « Deux *coming outs* dans la même soirée, Pierre ! *Wow !* »

— Qu'est-ce qui se passe, là ? s'exclame Bobby, déstabilisé autant que tout le monde dans le salon.

— Sti, il frappe de l'autre bord ! commente Hugo.

— C'est sérieux ? s'étonne Coriande.

Ge nous explique :

— Là, le réalisateur m'a fait signe du bras en voulant dire : « On continue le tournage, ça roule… » Je voulais mourir…

— C'est terrible !

À l'écran, Ge déclare, sans contenu : « Bon, bien… »

Pierre, qui regarde toujours l'équipe dans la pièce, demande, l'air désemparé : « Est-ce que vous allez me prendre maintenant ? »

La scène coupe à cet endroit, et on voit Ge quitter l'appartement en lui faisant la bise et en le remerciant tout de même pour le repas gastronomique.

Assise dans la voiture, Ge déclare : « Vous devriez vraiment le référer à "Un souper presque parfait", c'était super bon ! Est-ce que je dois lui donner une note quand même ? »

Elle note le candidat avant de remettre l'iPad à un membre de l'équipe.

Générique.

— Voyons donc ! Ils n'ont pas eu envie de te proposer un autre candidat ? que je m'informe.

— Non. Tsé dans le fond, ça donne un maudit bon *show* ; le gars qui pleurniche à la télé parce qu'il voulait aller à « Un souper presque parfait » ! C'est trop drôle !

— Pauvre toi ! Ça ne va vraiment pas bien jusqu'à présent, sourit Cori.

— Candidat-du-mardi : rejeté, je pense !

— Pauvre gars…

Coller nos queues ensemble ?

Il pleut à plein ciel sur Montréal. Le peu de neige qu'on a eue cet hiver s'enfoncera dans la terre jusqu'à disparaître, et « l'hiver blanc » n'aura été qu'une fausse rumeur non fondée finalement. Hiver brun serait plus approprié. Dans mon temps, on avait de la neige (bon, matante encore…).

Bobby et moi profitons donc du déversement de dame Nature pour nous lover dans le canapé afin d'accomplir l'interdit… Eh non, ce n'est pas quelque chose qui se fait tout nu (quoique…) ; on écoute des films en après-midi en plein nombril de semaine. Bien pire ! Pour lui, ça va, car il travaille très fort le week-end après tout. Pour moi ? J'avoue que j'ai l'air de ne jamais travailler, hein ? Demain, j'ai une très grosse journée, et environ vingt heures de corrections en retard pourrissent sur ma table de travail. J'ai pris l'habitude de travailler le samedi et le dimanche depuis un bout de temps. L'hiver brun me fait cet effet…

On a écouté un film de super héros (toute la belle *gang* de muscles réunie). Bobby l'avait déjà écouté lorsqu'il a failli mourir, il y a quelques semaines, mais il ne s'en souvenait presque pas (trop gelé sur le NeoCitran). On choisit ensuite *Avatar*. On l'a vu au cinéma, mais le mal de cœur m'avait pogné à cause du 3D, me rendant ainsi un peu moins attentive. De toute façon, on veut revoir ce merveilleux film plein de fois.

Chapeau aux créateurs de ce chef-d'œuvre ; les images, les dessins de la faune, de la flore, les détails, c'est fantasmagorique. Durant notre visionnement, précisément au moment où le gars (en fauteuil roulant) devenu un Avatar colle sa queue avec celle de la *chick* (à qui il envoyait des carottes bleues depuis le début du film), Bobby, qui est couché derrière moi en cuillère, approche sa bouche de mon oreille et me susurre :

— Je veux qu'on fusionne nos queues ensemble.

Bon… métaphoriquement, c'est une façon de me dire qu'il veut baiser, mais je reste perplexe quant au propos choisi pour me communiquer son désir.

— Nos queues ? Ensemble ?

— Ben non… Pas nos queues comme dans « nos queues », là…

— « Nos queues » comme dans quoi, alors ?

C'est super amusant que notre discussion regorge d'arguments étoffés et de synonymes variés !

— Pas comme une vraie graine, là ! Ha ! ha !

Il déconne en riant, l'air complètement abruti. Encore une fois, il paraissait beaucoup trop content de dire le mot « graine » de façon légitime. C'est n'importe quoi…

Surfant sur sa stupidité, je joue la conne aussi :

— OK ! Tu me rassures ! Ha ! ha !

— Mais moi, j'en ai une queue d'Avatar…

En moins de trois secondes, on se retrouve à faire l'amour devant le film en bruit de fond. Il n'y a pas eu beaucoup de préliminaires encore une fois. Vous trouvez qu'on néglige de plus en plus cette étape ? Écoutez, on en reparlera une autre fois (je suis occupée…). Mon Cromo erectus (dans le contexte, ça lui va bien) me retourne d'un mouvement de bras décidé en position de la levrette, appuyée sur le dossier du divan. Il « rognonne » de plaisir (quoi ? un Cromo erectus, ça rognonne, non ?) Moi aussi…

Concentrée à apprécier les plaisirs de la chair, je sors de mon univers parallèle en entendant la porte s'ouvrir. En une fraction de seconde (même pas le temps de crier « lapin »), Geneviève fait irruption dans la pièce. HEIN ! J'exécute un vol plané dans le divan. Bobby effectue une descente du coude sur un coussin pour se planquer dans le canapé à son tour.

Je crie :

— VOYONS, GE ? Déshabille-toi ! Enlève ton manteau dans l'entrée, c'est quoi l'idée ?

— Oh *boy* ! Je ne donnerais pas de conseils de « déshabillage » à personne à ta place. Ça joue au petit chien ici dedans !

Elle repart vers l'entrée. Je regarde mon *chum* les yeux ronds. Il rit dans sa barbe de trois jours. Ge commente, comme une conne, en ouvrant et refermant la porte d'entrée :

— J'entre dans le *con-do*. Bon-jour !

Elle parle comme une arriérée, au ralenti, en détachant chaque syllabe.

— J'enlève une man-che de mon man-teau. J'enlève l'autre man-che de mon man-teau…

Nous nous rhabillons en quatrième vitesse.

— J'enlève mon fou-lard. Comme je suis dés-ha-bil-lée, je vais entrer dans le sa-lon.

— Salut, que je l'accueille lorsqu'elle revient dans la pièce en continuant de me recoiffer nerveusement.

Le film joue toujours. On fait semblant de le regarder avec intérêt.

— Qu'est-ce que vous faisiez ?

— On collait nos queues d'Avatar ensemble ! ne peut s'empêcher d'avouer mon innocent de *chum*.

— J'ai bien vu ça ! J'ai vraiment hâte de la raconter celle-là !

Eille ! Aucun moyen pour Bobby et moi de vivre notre sexualité en privé. Demain, Sacha le dira à Françoise qui le colportera à la femme de Westmount qui transmettra assurément la nouvelle à son mari qui l'annoncera durant l'assemblée du conseil de ville de son arrondissement. Ensuite, probablement que You Go ira se chercher un pad thaï pour emporter chez Jy Hong juste pour le mettre au parfum de la grande nouvelle. Il me semble que ce serait plus simple qu'ils appellent directement LCN, non ?

« *Prospect* » du mercredi

Mali a une queue !
- témoin oculaire G-Hunter
En matière d'amour sexuel, l'appétit
vient en changeant ! (de divan ou de pièce)
Une levrette sans fessée, c'est comme
une raclette sans fromage !
Nose Shit : 5/10

— Comment vous étiez installés ? Par en arrière, à ce qu'on dit ? demande You Go à mon *chum*, comme si le détail était d'intérêt public.

Bobby lui mime la position en se tournant pour mettre ses deux mains à plat sur le dossier du divan. Puis il feint stupidement de donner des tapes dans le vide.

— Franchement ! Voulez-vous qu'on vous le simule à deux, tant qu'à y être, que je m'insurge, agacée.

— Et tu lui administrais une solide fessée ! Je savais ! se convainc Hugo, fier de faire un lien avec son message sur le tableau.

— On se calme la fessée, là ! que je fais en riant.

— Nous aussi on a déjà baisé sur ce divan-là quand il était à l'autre *condo*, avoue Sacha, presque excitée qu'on partage la même expérience.

— Moi, je t'avais donné une solide correction ! lui envoie Hugo, le regard torride.

— C'est limite d'être propre, cette affaire-là ! On va se passer des détails des expériences sexuelles de tout le monde sur mon canapé, OK ? prie Ge en nous regardant tous.

— On va surtout demander à Françoise qu'elle le nettoie…, souligne Coriande, écœurée.

— Quand même, on était sur ma grosse doudou, que je précise, pour la rassurer.

— Nous on avait pris cette couverte-là, fait Hugo en désignant le jeté dans lequel Coriande est emmitouflée.

En jurant comme un charretier, elle rassemble d'un geste expéditif la couverture qu'elle jette brusquement au sol.

— Coriande ? Le bébé ! lui reproche Sacha en montrant son gros bedon rond.

— Tabaslaque, voulait dire matante, mon bébé d'amour. C'est que ton papa et ta maman lèvent beaucoup le cœur à matante…

Sacha parle à sa bedaine à voix haute :

— Matante Coriande s'est excusée, car elle a dit des gros mots devant toi, mon amour !

Mon *chum* fronce les sourcils dans ma direction. Je lui tapote l'épaule en guise de : « Eh oui, on est un peu débiles… »

Bon, l'émission commence ! Prise trois ; voilà peut-être le bon !

Générique, commentaire de Cori, de sa collègue et de Ge. Bon ! Qui est-ce qu'on rencontre aujourd'hui ?

Tammy Verge annonce : « Geneviève rencontre Carl ! »

Le gars apparaît devant la caméra. Bon, pour une fois, il a une belle gueule ! Beaux cheveux en bataille, barbe de quelques jours (beaucoup de points juste pour son allure), *look* assez mode. Appartement moche, par contre. Voyons ? Encore ? Meubles *vintage*, assortiment de déco douteux. IKEA ? Les participants ne connaissent pas ce magasin ? Son métier : artiste. Hein, il fait quoi au juste ? C'est assez flou, merci !

Son ami parle de lui : « Il faut que ça bouge, un gars d'action, plein de projets… » Son frère en rajoute : « Une fille coquette, qui "flashe" un peu, il aime ben ça… »

Il va trouver Ge à son goût, c'est certain !

Ge portera aujourd'hui des jeans, des talons hauts et un chandail beige à petites mailles et à col échancré (bien sûr). Lui, un jeans avec un t-shirt et un veston. On aime son *look* mi-chic, mi-sport. Je prévois un coup de foudre ! C'est lui, c'est clair. L'activité : une surprise, il ne veut pas la dévoiler. Bon !

Pause publicitaire.

— Il a quelque chose qui cloche, croit déceler Bobby.

— Regardez l'autre qui n'aime personne ! que j'exagère pour le taquiner.

— Ouais, il est louche, affirme aussi Hugo, sans ajouter plus de concret lui non plus à son mauvais pressentiment.

— Comparé aux deux autres *morons*, il est parfait ! plaisante Coriande.

Ge nous fait une face nous indiquant : « Attendez la suite… »

Je lis dans sa mimique que quelque chose de plate va se produire… Encore une fois !

Voilà le déplacement en voiture ; Geneviève fait part de ses appréhensions relativement à la soirée qui s'annonce. La voici qui arrive. Elle entre chez lui. Présentations, embrassades…

« C'est beau chez vous… », ment Geneviève, en faisant un tour visuel de son environnement.

— Menteuse, que je crie dans le salon.

— J'ai comme été saisie qu'il soit *cute*, se défend celle-ci.

Il lui sert un verre de rouge d'une marque acceptable, mais sans plus. Donc un vin de la SAQ (et non du dépanneur), mais une bouteille d'environ onze dollars. Je ne suis pas si fine bouche, mais pour une *date*, télédiffusée en plus, il me semble que...

« Qu'est-ce que tu fais dans la vie », se lance Ge.

« Artiste », répond Carl.

« Artiste dans quel domaine ? », demande Ge pas tellement impressionnée par l'affirmation floue.

Alex Perron commente : « Quelle question pertinente, Geneviève ! »

En effet, il pourrait autant être sculpteur de panache d'orignal que danseur de flamenco. On veut des précisions !

« Toute, je fais toute », se vante allégrement Carl.

Tammy Verge saute sur l'occasion : « Est-ce qu'il inclut fondre du plastique pour faire des faux papillons qu'on accroche sur les chalets ? »

On est tordus de rire dans le salon. Tammy Verge, on l'aime d'amour !

Ge, vive d'esprit, exagère elle aussi : « Tu peins du vitrail ! *Wow...* »

Carl sourit : « Quand même pas, mais je chante, je joue de la guitare, je suis humoriste aussi. Je me débrouille pas pire en danse... »

— Voyons, l'autre *wannabe*-n'importe-quel-artiste ! s'écrie le chanteur populaire ici présent.

Ma foi ! Mais que vois-je poindre à l'horizon ? Une émergence de jalousie dans notre salon ?

— Calme-toi, Gaétan, que je me gausse en percevant qu'il sent sa fibre artistique menacée par un potentiel rival.

Tammy Verge fait la nouille : « *Wow* ! Tout un *one man show*, notre Carl ! »

« Toi ? », demande l'artiste polyvalent.

« Recherche médicale », répond vaguement Ge.

« Non, moi j'aime mieux les arts… », lui balance sans ménagement le candidat-du-mercredi.

Alex Perron s'interroge (tout comme nous) : « "Non" quoi ? Carl ne veut pas que Geneviève fasse cette *job*-là ? »

« Je vais te jouer une composition », propose-t-il, trop content.

En se levant, il se bute contre la table à café et le verre de vin de Ge se renverse… là où vous pensez. Misère !

— Hon, hon, hon ! que je m'esclaffe en voyant la scène dramatique.

Ge écarte les bras et regarde instinctivement l'équipe de production, se demandant quoi faire.

Tammy Verge m'appuie en lâchant un : « Honnnnnn ! »

Carl s'excuse : « Oh ! Désolé… »

Ge a les jeans et le chandail (beige) tachés de vin rouge (à la télé, on n'oublie pas) ! On la voit continuer à regarder l'équipe de production tandis que le gars accourt avec la salière dans les mains… Coupez, faites de quoi !

— Estie de cave ! se réjouit presque mon *chum* aux dépens de Ge et du pauvre artiste qui est visiblement dans le pétrin.

Je lui donne un coup de coude en montrant Sacha. Habitué à nos niaiseries, il se reprend sans jurer :

— Ostine de cave, je veux dire !

Pas de pause publicitaire ici, mais on s'aperçoit tout de même que la scène est coupée.

Alex Perron explique : « Après que notre belle Geneviève se soit changée, la soirée peut continuer… »

Ge réapparaît à l'écran avec un chandail à manches courtes, un peu trop petit pour sa poitrine volumineuse.

— Quessé ça ? s'interroge Sacha en riant.

— Le t-shirt de la maquilleuse, ne m'en parle pas ! explique Ge.

Carl, toujours avide de lui faire une démonstration musicale, fait mine de rien et commence à jouer une mélodie à la guitare.

— Il est même pas bon ! s'offusque Bobby.

Le candidat a une voix correcte, mais sans plus.

Le récital terminé, il se rassoit pour finalement lui proposer de lui présenter une de ses peintures. Il peint pour de vrai… En se relevant trop subitement, il accroche de nouveau la table. Vive, Ge attrape son verre de vin de justesse ; il vacillait, justement.

— Faudrait qu'il se calme les nerfs, commente Hugo.

— Ouin, fatigant, confirme mon *chum*.

Regardez Gaétan l'hyperactif qui parle !

Alex Perron souligne un fait indéniable : « Geneviève a l'air nerveuse chaque fois que Carl bouge. »

Le peintre explique à Ge, en lui montrant fièrement une œuvre abstraite en aquarelle (pas très réussie, à mon avis) : « Tsé, je souhaite faire n'importe quel métier, tant que c'est à la télé, tu comprends. Animateur, commentateur, chanteur, danseur, tous les "eur" ! »

« Éboueur ! », complète Ge sans aucun rapport.

— *What ?* Tu viens vraiment de répliquer ça ? que je fais, les bras ouverts.

Tammy Verge remarque : « On dirait que Geneviève a changé d'attitude depuis qu'elle a changé de chandail. »

Carl, qui ne l'a même pas écoutée, regarde toujours sa toile, totalement en admiration devant son chef-d'œuvre : « Cette toile-là me touche direct au cœur... »

Ge nous explique dans le salon :

— Rendue là, je voulais sacrer mon camp ; j'avais les jeans pleins de vin rouge et je portais un chandail extra *small*... Je n'avais plus de *fun* ! Lui, il s'occupait pas trop de moi et « trippait » sur son art. Mais attendez de voir ce qu'il me propose comme activité...

Ge se tourne vers la télé. Comme de fait, Carl annonce, encore trop content : « On va dans le studio de mon ami enregistrer une chanson en duo ! »

« Euh... je ne chante pas, moi ! », précise Ge, pas du tout enchantée.

Il l'écoute à peine et semble déjà prêt à partir.

Pause publicitaire. On fixe tous Ge avec pitié. Sérieusement, elle chante vraiment très mal...

— Je vous jure, je voulais me « goaler » par la porte d'en arrière et ne plus revenir.

— M'as-tu vu le *wannabe*-n'importe-quoi-qui-finit-en-eur, toi ? répète Bobby, visiblement irrité par ce pseudo-artiste en herbe.

— Jaloux, que je fais pour le taquiner.

— Pfft ! Si c'est lui ton mec, compte pas sur moi pour jouer une toune avec !

Voyez ici le chanteur-alpha-territorial dans toute sa splendeur. C'est quoi ? Il ne peut pas y avoir plus d'un chanteur dans le poulailler ? Il va délimiter son territoire avec des médiators de guitare ? Sacré Bobby !

Mon *chum* regarde Hugo, très sérieux :

— Le gros ? Veux-tu faire de la peinture avec lui, toi ?

— Non, et à bien y penser, j'aime mieux Bastien qui mange de la luzerne avec son foulard qui sent la marde !

Hilarité générale dans le salon.

— Tant qu'à y être, prends Pierre-le-gai ! Au moins, il cuisine bien ! affirme Sacha, gourmande.

— On aimerait ça avoir notre mot à dire, nous autres aussi. On va être pognés pour jaser avec pendant les soupers ! plaide Hugo en regardant Bobby, son complice, qui approuve d'un signe de tête.

Les voilà de retour à l'écran. Le trajet en voiture pour se rendre au fameux studio semble se dérouler sans trop d'harmonie. Ge paraît complètement absente. Peu importe, Carl parle juste de lui.

Parenthèse : connaissez-vous la technique qui consiste à poser une question à quelqu'un, mais à laquelle on répond soi-même ? Du genre : « Avez-vous une roulotte ? Non. Eh ben nous autres, on en a une. Une grosse trente pieds avec une rallonge, deux chambres… »

Le candidat-du-mercredi l'utilise avec brio : « Est-ce que tu danses ? »

Ge : « Pas vraiment, parfois je… »

Il la coupe : « Moi oui, je connais le merengue, des danses classiques, des danses en ligne, je suis pas mal bon… »

Tammy Verge voit la scène, tout comme nous : « Carl se serait-il autoposé une question ? »

Je pense que c'est le moment de toute la soirée où il a démontré le plus d'intérêt à Ge. Lorsqu'ils arrivent au petit studio, il chante une chanson au complet, prétextant qu'il doit tester l'équipement. N'importe quoi ! Il fait une audition, lui. Il veut être remarqué par René Angélil, c'est sûr. Geneviève, son chandail trop court et la tache de vin sur ses jeans, restent en plan. Il finit par lui accorder une miniplace. Comme elle ne connaît aucune des chansons du répertoire qu'il lui propose, Carl décide finalement de chanter (par hasard) une ballade de Céline (celle en duo avec Garou – *Sous le vent*). Ge, peu à l'aise derrière le micro, bouillonne. Elle est plantée debout comme un concombre à se tromper dans les paroles (et à fausser), et ce, malgré la partition. Toujours par hasard, monsieur la connaît par cœur, lui. Il semble même avoir inventé une petite chorégraphie avec des gestes, tout ce qu'il y a de plus quétaine. Chaque fois qu'il dit « sous le vent » (paroles récurrentes de la chanson), il dessine des cercles avec les mains pour imager ledit vent. L'horreur ! Pauvre Ge. Elle est rouge comme une tomate et paraît avoir terriblement chaud. Seigneur, c'est un supplice grec du temps des Romains, cette affaire-là !

Ge semble regarder les membres de l'équipe (encore une fois) en les suppliant de mettre un terme à son calvaire. Heureusement, l'émission tire justement à sa fin. Ce doit être la finale la plus rapide jamais eue à *Opération séduction*.

« Bye, c'était le *fun*. Bye. Bye », fait Ge en quittant les lieux.

Ge sort du studio presque en courant et s'engouffre dans la voiture pour donner sa note au candidat. Elle lâche un « Ouf ! » éloquent à la caméra pour tout commentaire.

Générique.

Ge crie dans le salon :

— AAAHHH ! J'ai tellement eu l'air épaisse !

— Ben non, c'est lui le con ! la rassure Coriande.

— Méchant deux de pique !

— Mon chandail…, pleurniche de nouveau celle-ci.

— Regarde ! Ton chandail ne te désavantageait pas trop, mettons, que je la rassure en sous-entendant que c'était juste très *sexy*.

Elle ressemblait à une pitoune dans les annonces de bière ! Les gars n'osent pas s'aventurer sur le sujet de sa poitrine, mais ils approuvent mon commentaire de la tête.

— On sait maintenant que c'est le candidat de demain le grand gagnant !

— Ahhh…, fait Ge, même si elle sait qu'il n'y a plus vraiment de suspense dans son mystère.

— C'est vraiment divertissant ce *show*-là, finalement ! s'amuse mon *chum*, qui déteste habituellement les téléréalités tout comme moi.

— L'équipe a tellement été super quand c'est arrivé. La fille m'a donné son chandail sans hésiter et elle a terminé le tournage en camisole !

— Ayoye ! commente Sacha en se grattant la bedaine.

— J'ai hâte à demain ! que je fais, excitée d'enfin connaître LE candidat que Ge fréquente depuis la fin du fameux tournage.

L'heureux gagnant

Merci à mon chum d'avoir engagé le « wannabe » pour le reste de sa tournée !

Très généreux de ta part de lui donner sa chance.

Il va déboucher ma bière après le « show », oui !

*On nous annonce que les seins à
G-Hunter (dans son chandail trop petit)
seront en entrevue dans le « 7 jours »
de la semaine prochaine !
Nose Shit : 6/10*

La journée passe vite comme l'éclair. Comme je reviens encore tard à la maison, je mange les restes de Ge et Cori, debout dans la cuisine. Elles ont déjà ouvert une bouteille de vin pour célébrer la finale de l'émission. Tout le monde arrive presque en même temps.

Bobby était aux Midis de Véro aujourd'hui. Comme je l'ai manqué, je lui demande en l'embrassant :

— C'était le *fun* ?

— Oui, est tellement fine Véronique…

Hugo se désole pour lui en secouant la tête :

— C'est juste plate qu'elle ne soit pas *cute*, hein ?

— Bien oui ! Elle fait tellement dur ! commente Sacha, ironique, en lui assénant une tape sur le torse.

— On est prêts à rencontrer le grand champion ! déclare mon *chum*.

— Tu dis ! s'excite Coriande, déjà au salon.

— Jugez-le pas du premier coup d'œil, par contre. Il est un peu spécial ! avoue Ge, qui semble vraiment plus fébrile que les autres soirs.

On veut juste le voir ! On a quand même fait des pieds et des mains pour en apprendre davantage sur ce gars-là depuis des semaines. Ge a vraiment réussi à garder le suspense jusqu'à la toute fin. J'espère que tout le monde restera poli envers le gars en question lorsqu'il fera sa prestation ; Ge le fréquente, on le sait officiellement. S'il ne nous plaît pas de quelque façon que ce soit, il faut respecter son choix. Probablement le Rénald qu'elle a ajouté sur sa page Facebook…

Générique. Les consœurs échangent des regards fébriles. Ge, qui répond à un texto, semble vraiment excitée. Elle doit lui écrire en même temps.

Les mêmes scènes du début se succèdent. On nous présente certaines scènes des rendez-vous précédents. Allez ! On enchaîne ! On a juste hâte de lui voir la binette.

Tammy Verge annonce enfin : « Ce soir, Geneviève va rencontrer Eugène… »

— C'est pas Rénald ? lance tout bonnement Sacha.

— Hein ? Chut, chut ! la prie finalement Ge pour que l'on prête attention à l'émission.

Hish… pas un nom de rêve, Eugène, mais tout de même un peu mieux que Rénald. Quoique ?

Eugène apparaît à l'écran. Bon, il est quand même beau bonhomme, un peu bedonnant par contre, il a trente-huit ans. Il porte un col roulé noir en tricot et un pantalon noir également. Il a étrangement l'air d'un serveur. Ses grands yeux sont bleus, ses cheveux frisottés bruns. Je songe dans ma tête sans le dire : « Bof... »

Son cousin révèle : « Il doit rencontrer une femme qui fonce et qui n'a pas peur du ridicule... » Un autre de ses cousins complète : « Une femme qui aime jouer, c'est un grand joueur ! »

Joueur de quoi ? De tennis ?

Tammy Verge, au diapason avec moi, déclare : « Joueur de quoi ? De pétanque ? De tours, peut-être ? »

Eugène dit : « C'est une passion fascinante, mais peu commune, que j'aimerais bien faire découvrir à quelqu'un, mais je vous garde la surprise pour tantôt... »

De quoi parle-t-il ? Étrangement, dans le *condo* personne ne commente. On sait que c'est lui, de toute façon...

Ge va porter une robe rouge cette fois-ci. Super *sexy*. Le gars déclare qu'il restera habillé comme tel (en serveur ?).

Alex Perron reste surpris : « On dirait qu'il s'en va à des funérailles... »

Pause publicitaire.

— Il a l'air ben fin, déclare poliment mon *chum*.

— Bien oui..., fait Sacha en hésitant.

Ge ne peut s'empêcher de sourire et paraît contente que le mystère soit levé. Elle semble tout de même un peu bizarre...

— Quoi ? remarque Coriande, qui se questionne aussi sur son attitude (toujours aussi difficile à déchiffrer).

— Rien...

Honnêtement, il a l'air bien ordinaire (un peu trop à mon goût). Non, mais souvenez-vous que Ge ne se cherche pas un ami, mais bien un mari ! Est-ce que son manque de sexe latent aurait précipité son choix en assouplissant vertigineusement ses critères ? Ah, je ne suis pas gentille ; laissons une chance à Eugène (il faut dès maintenant que je m'habitue à son nom...).

— Du vin ? offre Ge, qui s'amène au salon avec une autre bouteille.

Tout le monde (sauf Sacha) accepte la diversion proposée pour ne pas élaborer davantage sur son nouveau mec.

Retour à l'émission.

Déplacement en voiture. Ge arrive chez lui. Le gars possède un bel appartement, de beaux meubles (pour une fois). Super ! Beaucoup de cadres anciens représentant des paysages montagneux avec des chevaux. Le candidat est dessinateur.

Présentations. Embrassades. Ils prennent place. La conversation semble fluide. Il lui sert un verre de vin dans une grosse coupe métallique du genre médiéval. Il est peut-être collectionneur d'objets anciens.

« Je travaille comme dessinateur, je fais surtout des trucs fantastiques, des couvertures de livres, des bandes dessinées... », détaille Eugène.

Son métier explique sans doute ses inspirations ludiques en matière de décor. Ge lui relate rapidement ce qu'elle fait dans la vie ; il écoute.

Tammy Verge apprécie : « Je crois que c'est la première fois que Geneviève parle autant. Même nous autres, on ne savait pas ce qu'elle faisait dans la vie ! »

Il paraît bien gentil en vérité. On juge toujours les gens trop vite. Je le regrette.

« C'est quoi ton époque historique préférée ? », demande le gars.

Alex Perron dit : « Bonne question, Eugène ! Une première à *Opération séduction* ! »

Ge répond : « Hum... Les années 1970 pour l'émancipation, la liberté, ou encore les années 1960 pour le yé-yé ! Toi ? »

« Indéniablement l'époque médiévale, mais après l'Antiquité, donc plus vers les années 1000 jusqu'à la Renaissance, vers 1600 », précise Eugène, qui semble connaisseur.

On avait compris ça tout à l'heure lorsque la caméra a balayé l'ensemble de son appartement en passant vite sur un objet peu commun ; il possède une armure dans un coin de sa chambre. Il me semble que ça me ferait peur, le soir, dans le noir !

« L'activité, c'est une surprise, mais je t'avertis, il faudra que t'embarques pour que ce soit le *fun* », la met en garde Eugène, pour ajouter au suspense.

« Pas de problème ! », fait Ge, confiante, en choquant son verre de vin médiéval contre le sien.

Tammy Verge s'amuse : « La coupe est plus grosse qu'hier ; il ne faudrait pas qu'il la renverse sur elle ! »

Pause publicitaire.

— Il a l'air gentil, commente Cori, peu originale.

« Au moins, il a l'air plus "normal" », que je pense sans le dire. Mais par rapport aux trois autres énergumènes, ce n'est pas

343

difficile de se démarquer. Personne ne commente davantage. Ge texte encore sur son portable.

Curieuse, je m'informe :

— Tu lui parles ?

— Hum, approuve-t-elle, concentrée, un sourire (heureux) en coin.

Sacha nous annonce que bébé bouge. Contente de la nouvelle diversion, je me rue sur elle pour le sentir remuer. Coriande fait de même.

Reprise de l'émission (et reprise de nos places respectives sur le divan). Le gars transporte avec lui dans la voiture deux énormes sacs-poubelle. Ge tente de savoir ce qu'ils contiennent, mais motus et bouche cousue ! Il s'amuse de la voir curieuse. Nous aussi. Lorsqu'ils arrivent dans l'entrée de ce qui semble être un restaurant, il tend un des sacs à Ge, et une fille vient à sa rencontre pour l'amener plus loin. Mystère. Je suis bien intriguée également.

Ge réapparaît à l'écran en arborant une énorme robe médiévale, qui lui fait un décolleté plongeant digne de figurer à la tête de l'Empire romain au grand complet ! Elle semble peu à l'aise, même si cela lui va comme un gant. Eugène arrive habillé en chevalier, avec une cotte de mailles, comme dans les films. Hein ? On joue à quoi, ici ? Il lui fait une révérence (presque jusqu'à terre) et l'invite à prendre place à une grande table de bois massif. Ils se trouvent dans un resto médiéval, vous l'aurez compris.

Tammy Verge s'interroge : « Est-ce que tu te sens bien en princesse, Geneviève ? »

Un malaise envahit le salon du *condo*. Tout le monde reste muet, en fixant l'écran plat du téléviseur. On se demande tous, à cet instant précis, si on trouve ça *cool* ou complètement ridicule. C'est lui le nouveau mec de Ge ? Un chevalier ? OK, toutes les femmes rêvent du Prince charmant à cause des histoires débiles qu'on s'est fait raconter dans notre enfance, mais de là à s'amouracher d'un vrai troubadour portant une veste en métal ! Un instant... J'avoue avoir moi-même révélé fantasmer sur un mec à cheval pouvant s'apparenter à un type de la trempe d'Eugène, mais le mien n'arborait pas spécifiquement un débardeur en inox.

Un serveur médiéval (naturellement) arrive à leur table. Eugène semble vraiment « tripper » comme un enfant. Ge, un peu moins. Dès qu'on leur sert une entrée de je-ne-sais-quoi de gigot de bison, elle tente de discuter de façon sérieuse avec lui, en faisant fi de leur accoutrement ridicule :

« Donc, tu es dessinateur pour une compagnie ou à ton compte ? »

« Je ne suis point dessinateur, gente dame, mais bien chevalier dans le bataillon du régiment de la tour de l'écusson d'or », répond Eugène, très sérieux.

Alex Perron semble subjugué : « Le régime de l'écusson d'or... *Wow !* »

Non ! Le gars ne va pas se camper dans son rôle de chevalier avec autant d'intensité pour le reste du souper ? Malaise. Je ne suis vraiment pas bien. Suis-je la seule ?

Personne ne souffle mot. Bobby se tourne vers moi, le visage littéralement décomposé. Il est tout aussi traumatisé que moi. Je lui fais de gros yeux, signifiant : « Pas de commentaire... » Il se retourne sans mot dire.

À l'écran, Ge sourit (jaune) en survolant du regard le restaurant. Son dessinateur va sûrement délaisser son rôle de chevalier ridicule à un moment donné, et ils auront du plaisir… Du moins, je l'espère.

Un messager se présente à la table et déroule un interminable parchemin de papier jauni (dans le même ton que le sourire de Ge).

Pause publicitaire.

— C'est comique…, déclare tout bonnement Coriande, qui court illico aux toilettes pour que l'on ne puisse pas déchiffrer son air scandalisé.

— Bébé bouge encore ! crie presque Sacha, qui récidive avec sa diversion efficace.

Tout le monde se rue littéralement sur son ventre. Même Bobby y pose sa main (hein ?). Il questionne Sacha pendant que Ge se lève pour aller à la toilette de l'étage :

— Ça doit être spécial de le sentir bouger, hein !

Le bébé ne bouge pas d'un poil. Comme nous nous retrouvons ainsi tout près les uns des autres et formons un caucus improvisé, je chuchote :

— Quessé ça ?

— Sérieusement, c'est n'importe quoi…, murmure à son tour You Go.

— Chut…, le met en garde Sacha, pour éviter que Ge entende.

Coriande, qui revient du cabinet, nous dévisage en agrandissant elle aussi les yeux. Ge redescend de l'étage.

— Il ne bouge plus ! lance Sacha, joviale, pour que tout le monde la laisse un peu tranquille.

— Ça recommence ! que j'envoie sur un ton beaucoup trop enthousiaste, compte tenu du malaise évident qui emplit la pièce.

Pathétique. Coriande m'esquisse discrètement une mimique, voulant dire : « N'en mets pas plus que le client en demande, Mali ! »

Le client, le client… C'est un chevalier-médiéval-troubadour, le foutu client !

On revient au messager avec son parchemin. Il annonce, l'air solennel, en lisant son papier à voix haute (ou, plutôt, en criant) : Sir Wilberg, chevalier dans le bataillon du régiment de la tour de l'écusson d'or, j'arrive du flanc opposé de la forêt Dalhousie pour vous transmettre un message de l'honorable roi Betcott second. Des ennemis ont envahi le royaume…

Alex Perron rigole : « Mon Dieu, on dirait le film *Cœur vaillant* ! Peut-être que Mel Gibson va se pointer ? »

À l'écran, Ge observe le type, aussi traumatisée que nous tous dans le salon (et que Tammy et Alex probablement aussi). « Impossible que ce soit son nouveau mec… », que je me répète en boucle en écoutant plus ou moins le messager.

Dans le dos de Ge, Eugène se réjouit : « Elle aime ça, elle embarque, c'est le *fun* ! »

Princesse Ge, dans le dos de son partenaire aussi, ne dit rien et fixe la caméra en haussant les épaules, totalement démunie, la pauvre. Vraiment, Ge détient sûrement le record de l'émission pour les non-dits éloquents.

Avant même que le messager ne termine sa missive royale, un autre chevalier (vêtu également de métal) entre en trombe dans la pièce. Eugène agrippe fermement (voire un peu brusquement) Sa Majesté Ge et la projette dans un coin, derrière un grand rideau de velours bordeaux, avant de dégainer (héroïquement) son épée. Bon, il vient de sauver la princesse… Non, s'il vous plaît ! Pitié ! Ne me dites pas qu'ils vont feindre un combat ? C'est carrément ridicule.

— Un rebondissement ! commente Hugo, comme s'il s'amusait réellement devant la mise en scène plus qu'amateur.

« Prends garde, chevalier ! », crie de sa voix de stentor le comédien qui vient de faire son entrée.

« Prends garde » ? Je capote… Bobby a le goût de rire, je le sais. Non…

S'ensuit l'affrontement le moins crédible de toute l'histoire des chevaliers médiévaux du monde entier. Du pur mauvais goût. Ge ne peut s'empêcher d'échapper un petit rire nerveux, camou-flée derrière son rideau de velours. Tout le monde l'imite tout aussi nerveusement dans le salon.

Eugène fait semblant de « tuer » son rival en lui insérant l'épée entre le bras et le flanc. Il doit s'y prendre à deux fois, car il échoue carrément sa manœuvre ridicule en passant littéralement à côté de son bras. Son rival s'écroule au sol en gémissant de douleur. Est-ce qu'un accessoiriste viendra l'enduire de ketchup ?

Alex Perron s'amuse comme un fou : « C'est le premier combat de chevaliers à *Opération séduction* ! »

Tammy Verge complète : « D'habitude, on assiste plutôt à des combats de coqs ! »

Eugène se rassoit, le regard triomphant de bonheur, l'air de réellement savourer sa victoire. Le comédien mort se relève et s'enfuit en sautillant sur la pointe des pieds, comme si de cette façon son départ allait passer incognito. Le repas est servi en même temps : une sorte de cuisse de sanglier géante. Princesse Ge sort du rideau pour rejoindre son héros à table. Ils mangent un peu de cette viande bizarre (avec les doigts).

Toujours très sérieusement, Eugène lui décrit en détail l'arpentage intéressant d'un lot de terre de la Couronne qu'il tente de se procurer pour fournir une dot intéressante au père de sa future femme (probablement princesse Ge).

Il divague complètement, le pauvre. Après dix minutes de mise en scène, reviens-en, le grand !

À la fin du repas, Ge se lève et Eugène lui adresse une dernière révérence en disant :

« En espérant vous revoir, charmante princesse… »

« Bye. »

Il aura tenu son rôle ridicule jusqu'à la toute fin, ce n'est pas des blagues.

On retrouve illico Ge, maintenant changée, dans la voiture de l'émission. Elle doit reprendre la fiche de chaque gars pour commenter devant eux leurs points forts et leurs points faibles. Bastien, le candidat de lundi, a refusé de revenir pour se prêter au jeu. Bon ! Ge dévoile sa note sans trop élaborer : 6/10. Bof ! Quant à moi, il n'aurait même pas eu la note de passage.

Ensuite on voit Pierre, le pauvre gars du mardi, qui voulait tant aller à *Un souper presque parfait*. Ge explique : « J'ai décidé de te donner une note pour le souper comme dans *Un souper presque parfait* ! Le plat principal était super, le dessert sublime, tout était très bien relevé, les vins étaient savoureux aussi, mais naturellement, tu as passé beaucoup de temps dans la cuisine, donc je te donne…

Elle a inscrit 8,5/10 sur son iPad. Pierre réagit peu à sa note et réitère sa demande de participer à la fameuse émission culinaire en regardant le caméraman. La scène coupe.

Le troisième maintenant. Carl, le *wannabe*-une-vedette (dont le métier se termine en « eur ») du mercredi, est assis près d'elle. Ge lui balance sans ménagement : « Tu ne t'es pas occupé de moi du tout ; j'avais l'impression que tu voulais te mettre en valeur et c'est tout. J'ai trouvé ça désolant… »

Sa note : 5/10.

— Tiens, toi ! commente Bobby, content du sort de celui qui aurait pu lui faire compétition dans nos partys du jour de l'An.

Finalement, Eugène le chevalier entre dans le véhicule. Ge lui dit : « C'était bien chez toi, le verre de vin et la discussion, mais la mise en scène qui a suivi, un peu moins. J'aurais aimé qu'on laisse nos rôles de côté pour discuter réellement, tu comprends ? » Le gars acquiesce, déçu.

L'iPad montre son résultat : 6/10.

Le candidat du mardi, qui n'était pas intéressé par l'émission, vient de remporter la victoire. C'est bien ça ? Ce n'est quand même pas lui que Ge voit en cachette ? Je suis toute mêlée !

Pierre reçoit des mains de Geneviève un certificat pour un séjour pour deux dans un hôtel. En recevant le papier, il a l'air de lui signifier : « Je ne veux pas aller là avec toi ! »

Généreuse, Ge lui cède : « Tu sais quoi ? Je te l'offre. Invite qui tu veux. »

Concept oblige, on a toujours droit à un retour sur ledit week-end afin de savoir ce qui s'y est passé (et faire bonne figure au commanditaire).

Comme de raison, Tammy Verge explique en voix hors champ que Geneviève a gentiment offert le prix à Pierre, qui est parti en vacances avec son conjoint…

Il est en couple en plus ? Misère ! On aura tout vu !

Générique.

Tout le monde reste sans mot dans le salon. Fréquente-t-elle le chevalier ou pas ? Elle se tape des *trips* à trois avec le couple homosexuel ? On dirait que personne n'ose le lui demander.

On sonne à la porte. Ge se lève pour l'accueillir.

— Il est ici ! Je vais vous le présenter en personne. Ne lui parlez pas du combat d'épée, OK ?

Simonaque, elle sort vraiment avec le chevalier du régiment de l'écusson d'or. Ayoye ! « Mali, il faut laisser la chance au coureur (coureur-des-bois, dans son cas) », que je me répète en boucle. Après tout, peut-être que c'est amusant de jouer à Donjons et Dragons ?

On reste au salon à échanger des regards furtifs, tous assis bien droit à nos places respectives, comme des enfants en attente de se faire présenter leur nouvelle gardienne, très sévère à ce qu'il paraît. Hugo semble avoir envie de rire à son tour.

Ge revient. Il ne faut pas qu'on rie…

— Je vous présente Derek.

Derek ? que je me demande en me retournant. C'est qui, Derek ? Il n'était pas dans le *show*, lui. Tout le monde se lève, trop content.

Bobby avance vers l'homme :

— Derek Potvin ? Bien oui ! Eille, ça fait longtemps !

Mon *chum* le connaît ?

Je me présente en demandant :

— Toi, t'es le candidat du vendredi ou quoi ?

Il éclate de rire et fait non de la tête. Bobby m'explique :

— Non, Derek est réalisateur. Tu fais ce *show*-là depuis longtemps ? s'informe mon *chum* au gars.

Au « très beau gars », je devrais dire. *My God !* Du gros gibier de compétition. Je ne suis pas la seule à le trouver séduisant : Sacha vient de bégayer en disant son nom, lequel ne contient que deux syllabes. Il faut le faire !

Il est vraiment grand (plus grand que Bobby), châtain assez clair, yeux verts perçants, un peu en amande. Ses petites rides au coin des yeux sont ravissantes lorsqu'il sourit. Il doit avoir passé le cap de la quarantaine. Ouin, ouin, ouin…

J'allume ; Françoise et son gars de la télé ! Bingo !

Coriande aussi a un *flash* :

— Il est où Rénald dans l'histoire ?

— Ouin ! C'est qui Rénald ? renchérit Sacha.

— De quessé avec votre Rénald, vous autres ? s'exclame Ge, qui ne saisit absolument rien à nos allusions.

Je baisse la tête comme une fidèle chrétienne qui va avouer une faute grave au curé du village, et je confesse devant tout le monde :

— C'est que, on a demandé à un tiers de fouiner sur ta page Facebook, étant donné que tu nous en avais barré l'accès… Et un certain Rénald est devenu ton ami et…

— OK ! Rénald Jutras, mon oncle qui vient de se moderniser à soixante-sept ans !

— Les filles ? Vous avez fait fouiller son profil par quelqu'un ? s'exaspère Bobby, les bras en l'air.

— Pfft, juste un peu, que je fais en balayant visuellement tous les spécimens mâles présents dans la pièce et qui me fusillent du regard.

Sous ces œillades quasi meurtrières, je me dirige la tête basse vers l'îlot. Hugo se montre aussi outré que les autres, fier de ma mine grise, les mains sur les hanches.

— À ta place, je laisserais faire ta face de juge en plein procès, You Go ! C'est toi, la tierce personne ! que je dévoile devant tout le monde.

— Le gros ? T'as pas embarqué là-dedans ? lui lâche Bobby, visiblement déçu de son copain.

— Elles m'ont menacé ! ment effrontément notre complice-accusé en me montrant du doigt plus que les autres.

— Menacé de quoi ? que je demande, pas au courant.

— Euh… Menacé de menaces ! précise-t-il, stupidement.

Bon, il me semble qu'on aurait pu attendre que Derek mette ses bottes dans le bain avant d'avoir l'air d'une *gang* d'attardés ! Il épie Ge du coin de l'œil, inquiet face à la santé mentale de ses proches.

Nous l'accueillons finalement de manière plus convenable en ouvrant une nouvelle bouteille de rouge. On pose certaines questions à Derek à propos de l'émission. Sans crier gare, Sacha saute au cou de Ge en disant :

— Merci mon Dieu, tu ne sors pas avec le chevalier !

Derek rigole.

Je taquine Ge à mon tour :

— Non, Ge préfère envoyer des carottes-de-plateau au réalisateur du *show*, elle !

— Ha ! ha ! ha !

Derek, confus, répète, les sourcils en accent circonflexe :

— Des carottes ?

Ouin… j'avoue aussi que j'aurais vraiment pu attendre qu'il intègre plus officiellement la brigade avant de lui balancer une expression douteuse de ce genre par la tête.

Ge lui répond simplement :

— Une expression de la consœurie…

— La consœurie ? fait de nouveau le réalisateur, toujours perplexe.

— Non, la « conne-sœurie », précise Hugo.

Derek fronce une fois de plus les sourcils. Il est vrai qu'une formation de base s'impose pour comprendre notre langage.

Bobby le rassure :

— Je t'expliquerai dans quoi tu t'embarques un de ces quatre… Mais, c'est vraiment une « conne-sœurie », je le confirme !

— Eille ! que je m'offense en mitraillant mon *chum* du regard.

Voyant qu'il n'aura pas de réponse à toutes ses interrogations ce soir, Derek nous explique :

— OK ! Mais sans blague, plus les jours de tournage avançaient, plus je me disais : « Pauvre fille, m'as-tu vu les candidats sur qui elle tombè… » Tsé nous autres, on choisit des gens un peu selon l'âge, le style, mais on n'accorde pas des heures d'entrevue pour chaque candidat. C'est ce qui fait un bon *show* dans le fond. On n'organise pas les rencontres comme on veut. Les gens restent libres pour ce qui est du choix de l'activité et du déroulement de la soirée.

— Donc, Derek m'a invitée, après le tournage du jeudi, à prendre un verre afin de me remettre de mes émotions, raconte à son tour Ge en zieutant amoureusement son nouveau mec.

— Moi, je ne fais jamais les entrevues de sélection. Mais quand j'ai vu la belle demoiselle dans le studio, j'ai soudainement eu le goût de m'inscrire ! exagère Derek en regardant aussi Ge avec des yeux amoureux.

Mon Dieu ! C'est l'amour ici ! Le mariage, c'est pour quand ? Est-ce que vous croyez que Ge a renoncé à son engagement de vivre chaste et qu'elle a déjà forniqué avec lui ? Sûrement, voyons ! Un beau gars de même !

— C'est vraiment quand je l'ai vue se déguiser en princesse que j'ai craqué, plaisante Derek en saisissant Ge par la taille.

— Aahhhh! crie celle-ci en se prenant la tête, honteuse d'avoir paru à la télé vêtue de la sorte.

Coriande, silencieuse depuis un bon moment, annonce qu'elle va se coucher. Elle semble un peu nostalgique. Normal… pas toujours évident d'être aveuglée par l'amour naissant chez un couple quand on a encore soi-même de la peine. Pas toujours évident, non plus, de se retrouver la seule célibataire de la consœurie…

J'écoute aux portes

Prends garde, chevalier de l'écusson!
Pouah, gros nul!
Lui, sa veste de stainless et sa petite
graine sont très déçus de finalement
faire chevaliers seuls…
Nose Shit: 5/10 (la moitié, donc je vais
lancer une ou deux carottes!)

Voyez mon poète de *chum* dans toute sa splendeur ! « Faire chevaliers seuls… ». Il n'a visiblement pas bâti sa carrière à partir des répliques déclamées sur notre tableau, hein !

En soupant rapidement avec mes deux colocs, vendredi soir (tout le monde a des rendez-vous), nous commentons notre impression à Ge en toute honnêteté.

— Quand j'ai vu le chevalier, je paniquais littéralement ! Je me disais : « Ça y est, elle est devenue folle. Son abstinence vient de la rendre dingue et elle a pris le premier "moins pire" du lot ! »

— Je l'avais fait exprès. C'était tellement drôle de vous voir la face : « Ah… il a l'air fin ; c'est drôle votre jeu de rôle… » Vous capotiez ben raide !

— C'était le cas, je te jure, confirme Cori.

— Méchante aventure en tout cas, que je résume, encore abasourdie. Parle-nous un peu du vrai chanceux.

— Il est réellement super, les filles, j'hallucine. Il est drôle, gentil, il prend soin de moi. On jase, on jase, on jase, c'est fou. Comme si on se connaissait depuis toujours.

— On jase…, tu veux dire, tout nus ou habillés ? que je fais en guise d'ouverture pour en venir au sujet chaud.

— On jase habillés, Mali…

— Tu n'as pas couché avec lui ?

— Non, je suis abstinente jusqu'au mariage.

— T'es sérieuse ? Tu ne flancheras pas ? que je crache, surprise.

— Tu le lui as dit ? s'informe Coriande.

— Non, pas directement. C'est trop tôt. Tranquillement... C'est comme les filles qui veulent absolument des enfants bientôt ; il ne faut pas balancer ce type de révélation-choc au mec lors du premier souper ; c'est trop précipité.

— Oui, mais quand il tentera de te pogner une boule, tu vas faire : « Tututut... je dois t'avouer un truc... » ?

— Il peut me pogner les boules !

— Est-ce qu'il t'a pogné les boules ?

Bon ! Intéressons-nous aux faits !

— Pas encore. Il est vraiment gentleman. Je lui ai par contre révélé que je suis le genre de fille à y aller doucement.

— C'est n'importe quoi ! On dirait que ce n'est pas toi qui parles, que je m'insurge, connaissant Ge depuis toujours comme une véritable croqueuse d'hommes.

— « Doucement », c'est un leurre ? C'est plutôt « pas pantoute » dans ton cas.

— On peut faire un peu d'exploration en surface tout de même, explique Ge.

— « Exploration en surface » ? On dirait que tu parles d'une expédition archéologique pour découvrir des fossiles dans un temple maya !

— Ça se peut qu'il en trouve, justement, des fossiles dans ta « grotte nounale » ! déconne Cori.

— Franchement ! T'es niaiseuse !

— Sans blague, tu ne crois pas qu'il va désenchanter quand tu lui feras part de ton projet de pas-de-sexe-avant-le-mariage ?

— Je ne sais pas trop ; pas s'il est réellement amoureux… non ?

Je ne suis pas convaincue. Elle ne parle quand même pas d'attendre quelques semaines ou quelques mois. Elle exige une demande en mariage pour se mettre toute nue, ce n'est pas rien ! On parle de quoi : un an, deux ans sans sexe ? Elle changera d'idée au fil du temps. Qu'ils se marient ou pas, s'ils sont réellement amoureux, qu'est-ce que cela change ?

Coriande, qui pense la même chose que moi, la place devant un dilemme sérieux :

— Tu vas flancher à un moment donné. Voyons ! S'il ne veut pas t'épouser, tu le quitteras ?

— Euh…

— Si tu fais ça, moi je saute dessus, murmure discrètement Cori entre deux bouchées.

— Moi aussi, que je souffle sournoisement en tournant la tête, avant de feindre de tousser comme si je n'avais rien dit.

Ge roule des yeux.

À vrai dire, je suis plus ou moins d'accord avec son choix. Sa démarche semblait correcte au départ : ne pas coucher avec des gars sans croire que ce pouvait être un bon parti. Mais là, elle risquera de perdre un gars potentiellement génial parce que, finalement, elle veut réellement se marier ? C'est un peu excessif.

— Tsé, Ge, le mariage n'est pas ce qu'il y a de plus populaire de nos jours. Il a déjà été marié ?

— Non, il est célibataire depuis deux ans et il n'a jamais été marié. Il n'a pas d'enfant non plus. Dans son discours, il laisse entendre qu'il attendait aussi la bonne personne pour envisager des projets à long terme. Il a quarante et un ans, et il se dit prêt pour la grande aventure.

Oui, mais si le mariage n'est pas automatiquement inclus dans ladite « aventure » ? C'est plus qu'une relation de couple sérieuse comme engagement. J'ai juste peur que Ge demeure trop rigide et qu'elle tombe de son nuage. Et on s'entend pour dire que Derek ne travaille pas au dépanneur du coin ; il a probablement beaucoup d'argent. La décision de tout à coup prendre le risque de devoir la moitié de ses avoirs à une fille qu'il connaît à peine... Gros pari.

Je songe à autre chose d'important :

— On n'en parle pas depuis le début, mais toi là-dedans ? Tu ne veux pas tester la marchandise ? La règle des cinq...

Sans hésiter, Coriande renchérit sur mon propos :

— Ouin... s'il a un pénis de mutant à deux têtes, qu'il bande une fois par année, ou pire, qu'il te saute dessus en te faisant l'amour comme le débile que j'avais déjà fréquenté ? Ark !

— Ouache, « pénis à deux têtes » ? Dégueu ! Derek fait super bien l'amour, c'est certain !

Cori, qui semble partager tout de même mon intention première de ne pas foutre en l'air le rêve de Ge en cinq minutes, change habilement de sujet :

— Vous m'avez inspirée avec votre histoire d'amour.

— Tu t'en vas voir Alex ? C'est ce que tu veux dire sur le tableau par « lancer une ou deux carottes » ? demande Ge.

Elle compte, en effet, le rejoindre à Drummondville ce soir.

— Comment envisages-tu la soirée ?

— Je ne sais pas. On s'est parlé au téléphone quelques fois. Il a vieilli, naturellement ; il a plus de conversation, il semble plus en confiance.

— Quel genre de carottes lances-tu à un gars que tu as déjà « daté » quand il était enfant ? que je fais, les bras écartés, en ne cachant pas ma perplexité.

— Des carottes de gardienne... Comme quand tu revois un enfant que tu as gardé et que tu trouves maintenant *cute* !

— Ouin, c'est bon ça ! que j'accepte en hochant la tête vers Ge, contente de résoudre cette question cruciale.

— Qu'est-ce que vous avez au programme ? s'intéresse celle-ci en se tournant vers Cori, qui s'est volontairement soustraite de notre débat futile entourant la sorte de carottes appropriée.

— On va juste prendre un verre en ville et on ira probablement chez lui ensuite. J'apporte d'emblée mes choses pour dormir. Si jamais je fais vraiment un « ouache » monumental, je reviendrai ici. Ce n'est quand même pas comme si je sortais avec un illustre inconnu. On s'est tout de même pelotés pendant presque un an.

— J'ajouterais « pelotés sur le bureau du *boss* » pour être certaine que l'on comprenne de qui tu parles, que j'exagère stupidement.

— Oui, ou bien parle du mec qui a eu une promotion pour t'avoir baisée alors que tu perdais ta *job*..., rage encore Ge, dont la fibre féministe est toujours aussi sensible.

— Tu vas t'amuser, recevoir de la tendresse, ça te fera du bien, que j'affirme plus sérieusement.

Bon, encore des encouragements à se jeter dans les bras du premier venu (fictivement, bien sûr)! Je suis toujours aussi perplexe quant à la maturité de nos conseils.

— Ouin, répond celle-ci en se levant pour rincer son assiette.

Je ne suis pas toute seule à ne pas être convaincue…

Coriande quitte le *condo* au même moment où Derek y entre. Je monte dans ma chambre pour y prendre mon sac. Je rejoins mon *big buck* chez lui. Je vais probablement arriver avant lui, car il était en spectacle à Terrebonne ce soir.

Je passe finalement un bon moment à classer de vieux papiers sur ma table de travail avant de redescendre. En me préparant pour m'en aller, j'entends Ge et Derek discuter près de l'îlot, un verre de vin à la main. Je ne veux pas écouter aux portes, mais c'est plus fort que moi; je prends donc mon temps pour m'habiller. Ils discutent de « quand ils étaient petits ».

— J'étais un gars curieux, drôle; je voulais tout le temps faire rire tout le monde… Ma mère m'appelait « son petit clown »!

— Moi, j'étais plutôt gênée, mais très responsable. En tant que fille unique, je me retrouvais toujours avec des adultes, donc je crois que je suis devenue vite une « grande fille »…

— Tu n'avais pas de cousins et de cousines de ton âge? s'intéresse Derek.

— Du côté de ma mère oui, mais elle est décédée lorsque j'étais jeune, donc on ne voyait que rarement sa famille.

— Ah oui? Excuse-moi. Quel âge avais-tu?

— C'est correct, pas de malaise. Je ne me souviens pas beaucoup d'elle, j'avais autour de deux ans…

Je trouve ça trop mignon ! Ils se racontent leur vie. Ah ! Quelle étape merveilleuse, hein, quand on rencontre ENFIN quelqu'un d'intéressant ! Les troisième, quatrième, cinquième rendez-vous… On se révèle des parties de notre histoire (les plus *cutes* pour sembler charmant), on recueille des bribes de la vie de l'autre (probablement les plus *cutes* aussi), on s'émeut de connaî-tre les origines de notre prétendant. On l'imagine gamin, jouant au hockey sans équipement dans la ruelle devant chez lui, avec une crotte de chien gelée en guise de rondelle (car dans mon temps de matante, on jouait dehors).

La douceur des débuts… Les premières fois que l'on se retrouve dévêtus, on se raconte les histoires tragiques des cicatrices qui marquent encore notre corps : « Celle sur mon genou ici, j'avais piqué une sacrée fouille en passant par-dessus le guidon de mon tricycle à trois ans. Celle sur mon front, juste là ; mon grand frère m'avait demandé de regarder s'écraser sur l'asphalte le plomb parachute de sa carabine, mais le con avait mis un plomb rond à la place, donc il a rebondit pour me frapper en plein front ! » (Dans mon cas, cette dernière anecdote est vraie ; ma mère avait failli égorger son propre fils en me voyant le front ainsi troué !) On rigole, amoureux, les yeux écarquillés d'intérêt, en se remémorant les « bobos » ayant marqué notre enfance. Avouez que tout le monde fait ça ! On a tous nos petites histoires de coupures, de points de suture, de plâtre (que nos amis signaient dans la cour d'école) ou de morsures de chien, de chat ou de tortue (dans mon cas…). Comme je suis une fille qui parle beaucoup, j'ai eu ce genre de discussions, de récits de vie avec tous les hommes qui ont passé dans ma vie.

Mais après un certain temps, on connaît la plupart des péripé-ties loufoques ayant émaillé la vie de notre conjoint. On se parle moins du passé et on relate plus des faits du présent. C'est correct et normal, mais différent (synonyme d'ennuyant !). Les yeux nous « désécarquillent » avec le temps !

C'est ce à quoi je songe (encore) en écoutant la discussion passionnée entre Ge et Derek. Je suis un peu nostalgique de ce temps-là. Bobby et moi, on se raconte les nouvelles à LCN plus qu'on ne discute de nos vies. Pourtant, il doit bien y avoir des choses que nous ignorons toujours au sujet de l'autre ? Une cicatrice oubliée cachée quelque part ? Il me semble…

Mon « écorniflage » indiscret (pour ne pas dire abusif) rendu presque flagrant, je salue finalement le couple en m'étirant le cou dans l'entrée.

— Bye ! me répondent les tourtereaux sans me regarder, toujours plongés dans leur conversation enrichissante.

Hum…

Les maudits faits divers

— La salle était pleine à craquer ; je suis super content ! m'annonce mon *chum* en m'embrassant rapidement. Je meurs de faim, je n'ai pas eu le temps de souper beaucoup.

— T'as mangé quoi ?

Quand je vous disais qu'on parle du présent, en voilà un bel exemple ! Bon, d'accord, j'avoue qu'on ne parle pas juste de LCN, mais de ce que l'on a mangé aussi. Pfft ! On est loin de se murmurer sensuellement des anecdotes de notre enfance les yeux dans les yeux !

— Un reste de spagat… Toi ?

— Un riz au poulet. Le poulet était sec…

Non mais, que de détails croustillants ! *Wow !*

— Tu vas te faire un sandwich ?

— Ouais.

— Aux tomates ou au jambon ?

— Juste tomates, je pense.

Vous ne vous pouvez plus tellement notre conversation est excitante, hein ? Pleine de rebondissements ! Je vous imagine, assis sur le rebord de votre chaise, à trépigner d'excitation en vous demandant : « Va-t-il choisir tomates ou jambon ? Peut-être les deux ? Oh mon Dieu ! »

— Mets donc les nouvelles, propose mon cher *chum*.

En préparant sa collation (tomates et un peu de jambon finalement) sur la table de cuisine afin de bien voir le téléviseur, il me commente les informations :

— Il était temps qu'on sache ce qui se passait dans l'industrie de la construction, hein…

— Hum…

— Et personne au pouvoir ne savait rien. C'est pathétique !

— Hum…

Je l'interromps, totalement dans ma bulle :

— Bébé, raconte-moi quelque chose de ta vie que je ne sais pas encore…

— Hein ?

Il m'écoute à peine et poursuit son analyse des nouvelles avec émotion en parlant la bouche pleine :

— Ah, ch'est lui le témoin que ch'avais hâte de voir à la commichion d'enquête…

Est-ce que je suis la seule femme sur terre à parler dans le vide de façon assez régulière ? Casper Allison, encore une fois…

— Non, je veux dire…

— Chut !

Bon, s'il me prie de me taire, c'est au moins signe qu'il m'a entendue. On n'aura pas tout perdu. Il reste par contre concentré sur la télé ; pas le moment d'avoir d'autres types de discussion. En me rejoignant, le ventre plein (et avec un peu de mayo à la commissure des lèvres), il s'assoit plus loin de moi et continue d'écouter passionnément les propos du fraudeur millionnaire à la barre des témoins. Je tente de me coller un peu sur lui, mais il me met en garde :

— Attention ! Ne t'accote pas sur mon épaule, j'ai mal depuis deux jours. Je ne sais pas ce que j'ai fait…

Il n'est pas bête ou quoi que ce soit, mais juste distant. Il n'a pas besoin d'affection ce soir. Ça lui arrive. De plus en plus souvent je dois dire, mais ce doit être normal également, quand cela fait un certain temps qu'on est en couple, d'être moins collés l'un sur l'autre.

Un texto entre sur mon cellulaire. Nose Shit a écrit :

(*Let's rock, baby !*)

Comme c'est un peu vague comme déclaration, je réponds :

366

(Tu t'amuses ?)

(Ouuuiiiiii ☺)

J'ai le pressentiment qu'elle est complètement soûle.

(Qu'est-ce que vous fabriquez ?)

Pas de réponse. Fin de la conversation. Eh bien !

Mon *chum* finit par s'endormir sur le divan, en deux temps trois mouvements. Au moment où je vais me coucher, je lui tapote un peu le bras. Il me répond d'un grognement néandertalien avant de s'installer encore plus confortablement sur le divan. En vieux couple que nous sommes, lorsqu'il réagit de la sorte, je l'abandonne tout simplement là. Il aime bien commencer sa nuit sur le divan, le son de la télé en guise de berceuse. Tout comme il adore roupiller le dimanche après-midi avec un bruit de fond de tournoi de golf : « Et c'est un oiselet au trou numéro huit… », ou encore de joute de baseball : « Deux balles, deux prises… » ; il paraît que ça aide à dormir !

En faisant ma toilette du soir, je suis nostalgique. Encore une fois…

La patiente réfléchit. Naturellement, elle se compare à une relation naissante entre sa grande amie et un nouvel homme. La confrontation est telle que Mᵐᵉ Allison se questionne sur ce qui la rend heureuse. L'exercice n'est pas mal en soi, mais elle doit tout de même rationaliser que la comparaison n'a pas lieu d'être, objectivement parlant. L'amour embryonnaire semble porter son lot d'avantages et d'étapes excitantes, mais la durabilité d'une relation est aussi porteuse d'avantages tels la complicité, la tendresse, le fait de pouvoir compter sur l'autre. Son sentiment d'insatisfaction reste chronique, ma foi…

Le BIG BUCK roupille de bonheur, tranquillement, toujours sans se casser la tête, lui ! Aucune balle, aucune prise…

Les rêves de ma fête

➡ **Décompte officiel : Sacha, 39 semaines ; Ge, 49 semaines (si elle n'a pas déjà flanché…) ; Coriande, 7 semaines**

Décrépitude… Déchéance… Avachissement… Dépression… En vieillissant, je n'aime toujours pas plus ma fête. Je suis morose ce matin. Difficile d'en expliquer la raison (pfft !). En vérité, ce n'est pas le fait de vieillir nécessairement, ni les rides ou le mal dans les genoux quand il pleut (eh oui, déjà !), mais plutôt la vie qui change, le temps qui passe. J'ai l'impression que je vais manquer de temps, ou plutôt que je perds du temps. Pourquoi ? Difficile à expliquer, comme je disais. Souvent, durant ces épisodes d'affaissement moral extrême, je retourne dans le passé en me rappelant des souvenirs, juste pour me faire encore plus de mal (petite réaction autodestructive tout ce qu'il y a de plus classique). Aujourd'hui, je cherche un objet bien précis. Accroupie, la tête la première dans ma garde-robe, je lance presque mes souliers par-dessus bord afin d'atteindre une de mes boîtes de souvenirs cachées derrière mon support à chaussures. Ah, la voilà ! Dedans : mon livre de santé mentale d'il y a cinq ans. Je retourne sous ma couette pour poursuivre mon avachissement professionnel. Oh que oui ! J'ai le droit d'être paresseuse, flasque, désœuvrée et fainéante ; je suis en dépression majeure et c'est ma fête ! Je feuillette les pages en lisant en diagonale. Ah, tiens donc ! Je tombe sur ma fameuse liste de rêves à réaliser avant mes trente ans. Vous vous souvenez ? Elle date d'avant mon périple en Gaspésie. Un bon bail, disons-le ! Voyons voir…

À *accomplir avant mes trente ans…*

- *Ma certification de plongée sous-marine professionnelle*

Check ! Beau souvenir d'Utila au Honduras… Hum… Je poursuis ma lecture :

- *Suivre ma licence de pilote d'hélicoptère*

Hein ? Coudonc ? Est-ce que je fumais du crack à cette époque-là ? Qui dans la vie suit ce genre de formation, simplement pour le plaisir de la chose ? Je pensais devenir millionnaire en travaillant comme prof au cégep ou quoi ? De quelle façon ? En prenant une quadruple tâche d'enseignement ? Trois cent vingt-cinq stagiaires ? N'importe quoi ! De toute façon, j'aurais peur, je pense. En fait, je parlais surtout de ce projet durant ma mi-vingtaine (sans fumer de crack, je précise). Cela étant dit, ça ne m'intéresse plus du tout (comme si c'était une possibilité de toute façon…) et avec le prix de l'essence… (argument bidon ; je fais semblant que c'est réellement un choix d'abandonner l'idée).

Qu'est-ce qu'on a ensuite ?

- *Obtenir mon permis de moto*

Je ne le veux plus non plus. C'était quoi mon problème de vouloir conduire des engins à moteur qui vont vite ? J'avais des rêves de gars, on dirait. Surprenant que je ne désirais pas un établi avec des outils, un coup parti ! Une soudeuse à fil fourré comme celle de mon paternel, tant qu'à y être (l'outil dont le nom me laisse toujours aussi perplexe).

Pour revenir à nos moutons (mon désir de vouloir conduire des véhicules qui font vroum-vroum), la vérité c'est : plus je vieillis, plus j'aime me faire conduire. Pouet-pouet-pouet, on regarde le chemin et les oiseaux (en pensant à notre liste d'épicerie et au courriel à envoyer au bureau). Pouet-pouet-pouet, pas de stress pour rien, pas de stop à faire, d'angle mort à gérer, de dix roues à dépasser sur l'autoroute dans la « sloche » et pas d'interdiction d'utiliser son cellulaire. On peut naviguer sur Internet en paix, jaser au téléphone, regarder le fil de *tweets* qui défile sans réellement le lire et fouiner dans les profils Facebook d'un peu tout le monde. Ce que je ne fais pas quand je conduis (sauf pour bavarder au téléphone, malheur à moi…).

Sans blague, je vous jure que, dans mon cas, les campagnes de sensibilisation sur les risques du textage au volant fonctionnent béton sur ma petite conscience ; chaque fois que Bobby envoie un texto en conduisant, je suis persuadée qu'on va mourir. On dirait qu'il écrit trop de lettres entre chaque aller-retour de ses yeux sur son appareil et la route. Mais bon, je ne l'embête pas trop, il conduit ! Je crois que c'est la seule situation qui m'oblige à utiliser malicieusement l'argument qui tue (en sachant très bien que je manipule mon *chum*). Lorsqu'il se plaint : « Mali, c'est toujours moi qui conduis… » Je réponds à tout coup : « Oui, mais, c'est toi l'HOMME » ! » Cassé ! Que répliquer à ça ? Un homme, ça conduit sa femme à bon port, un point c'est tout ! Sauf quand il se retrouve soûl à Noël (dans la famille de sa femme) et que celle-ci est enceinte (donc pas soûle). L'homme aura donc, au cours de sa vie : un, deux, maximum trois Noëls de répit ? Sinon, conduis le grand ! Sexisme ?

Revenons aux rêves de ma vingtaine. On dirait que je suis déçue de mon ancienne liste. En résumé, on y retrouve un truc complètement irréaliste et un autre qui ne me tente plus. Je me lève rapidement pour aller chercher mon livre actuel et j'agrippe un crayon sur ma table de travail. En remontant mes oreillers pour me créer un nid confortable, je réfléchis…

Je rêve de quoi en ce début de trente-quatrième année de vie ? Hum… Pas facile de trouver des rêves excitants en plein milieu d'une dépression majeure, le matin de sa fête. La première chose qui me vient à l'esprit serait d'avoir possiblement un chez-moi. J'aimerais aussi m'acheter un beau chat pas de poil ! Peut-être un super *kit* d'électros neufs ! Mon mini-enthousiasme-naïf s'enfuit d'un seul coup pour laisser place à une autoanalyse à me faire frémir.

Dans un mouvement brusque, je pose mon livre à plat sur mes genoux. Non mais, m'entendez-vous ? Pendant une fraction de seconde, je viens de « tripper » (un peu trop) sur la possibilité d'avoir un appart, un chat imberbe et un assortiment d'appareils électriques. Je suis vraiment rendue là ? Déjà ? Qu'est-ce que je dois faire en tant que nouvelle matante ? M'empresser d'organiser un après-midi Tupperware avec le voisinage ? Aller au dépanneur avec des rouleaux sur la tête et lire les revues directement dans le présentoir ? Écouter *La poule aux œufs d'or* en buvant une tasse d'eau chaude avec du miel dans un peignoir (trop court) bleu poudre ? Sautiller sur place, la main sur la poitrine, en poussant un petit cri de joie en apercevant n'importe quel cabot dans la rue et m'approcher du propriétaire pour discuter du chien juste parce qu'il m'émeut ?

Ma vie est finie… Si je me jette en bas de la fenêtre le jour de ma fête, les gens penseront que je refusais de vieillir, hein ? Non, je ne vais pas faire ça…

Je peux faire mieux, comme : trouver des rêves adéquats pour la femme jeune et vigoureuse (malgré mes rotules douloureuses par temps de pluie) que je suis. Je désire quoi ? Le crayon dans la bouche (ça aide à réfléchir), je songe naturellement aux voyages… J'ai visité le Machu Picchu, il y a plus de dix ans. J'aimerais bien y retourner avant qu'il ne s'effondre sous les pas des milliers de touristes qui le piétinent allégrement chaque année. Bon, voilà quelque chose de mieux. Cependant, s'il pleut, j'aurai trop mal aux genoux pour effectuer son ascension… Bah, je me ferai prescrire quelque chose (par le médecin de famille que je n'ai pas. À moins que mon beau Dr Paré[16] ?).

Avant d'écrire mon nouveau « rêve », je songe à la limite de temps que je me donnerai pour réaliser chacun d'eux. J'inscris finalement :

À accomplir avant mes quarante ans…

Juste d'écrire le titre noir sur blanc, je me sens drôle. Quarante ans. Il n'y a pas si longtemps, les gens vieux dans ma tête avaient quarante ans et les aînés en avaient soixante. Maintenant, les gens de vingt ans sont vraiment jeunes, quarante, c'est la fleur de l'âge, et mon grand-père commence tranquillement à être vieux à quatre-vingt-huit ans.

- *Visiter à nouveau le Machu Picchu*

Ensuite ? J'aurais envie d'aller en Europe, je crois. Mais où ? J'aimerais m'évader pour réfléchir, méditer, me centrer sur mon nouvel objectif de vivre le moment présent, un genre de défi… À moins que… escalader le Kilimandjaro ? Ouf ! Non ! Juste d'y penser, je pompe l'air. J'aime bien gravir une petite montagne de temps à autre, mais pas pendant des jours. Marcher, j'adore… BINGO ! Je sais ! Le chemin de Compostelle en Espagne ! Oui, ce serait génial. Devenir Perline ! Ah non, ça, c'était dans *Passe-Partout*, hein ? Pèlerine plutôt… Ah oui, sans équivoque, j'inscris cette idée géniale sur ma liste.

- *Marcher sur le chemin de Compostelle*

Wow ! Mon deuxième point m'emballe vraiment. Autre chose ?

---

[16] Pour les curieuses, et les curieux : Mali n'a pas reçu de nouvelles de lui à la suite de ses derniers tests biannuels, il y a trois mois. Dans ce cas, on peut vraiment dire : pas de nouvelles, bonnes nouvelles !

- *???*

Comme ça ne me vient pas, je continue de feuilleter un peu mon livre. Je tombe sur la liste de stratégies que j'avais élaborées, il y a déjà quelques semaines, pour « concrètement » faire évoluer positivement mon couple.

Stratégie # 1 = Passer moins de temps chez lui pour provoquer un ennui réciproque.

J'ai réussi ce point-là. Je passe plus de temps ici. On s'ennuie et ça fonctionne assez bien.

Stratégie # 2 = Planifier des sorties.

Ouin, on sort un peu plus. J'ai recommencé à aller avec lui à certaines représentations de son spectacle lorsqu'il joue à l'extérieur de la ville. Mais il reste du travail à faire. Ces derniers temps, il se donne en spectacle la plupart du temps tout autour de la métropole, donc… à suivre.

Stratégie # 3 = Raviver la flamme sexuelle.

Le point crucial ! Non, mais j'ai tenté quelque chose : l'abstinence. Toutefois, en dressant un bilan honnête, je m'aperçois que ça n'a pas changé grand-chose. On a rigolé durant le pari et on a été doux et intense après pendant quelques jours, mais depuis, c'est revenu comme avant. Vous savez, je pense que notre problème réside dans les déclencheurs de désir au sens propre du terme. J'ai de la difficulté à programmer mon désir pile-poil avec le retour à la maison après une sortie. J'aime que des allusions au sexe à venir parsèment la soirée, qu'on s'aguiche un peu (les filles, on est toutes aguicheuses quelque part au fond de nous-mêmes). Il ne faut pas programmer l'intimité dans une case horaire fixe en fin de soirée, tel un brossage de dents. « Bon, les nouvelles sont finies, c'est la météo, où en sommes-nous dans

l'horaire ? Ah oui ! Allons-y pour notre partie de fesses ! » Non !
Mais, JE dois instaurer le changement. Françoise me l'a dit. Pour
lui, probablement que ça va et que tout roule, c'est moi que ça
dérange. JE vais agir. J'ai une idée, mais je poursuis tout d'abord
la fin de ma lecture…

*Stratégie # 4 = Trouver des activités qui se substituent à la télé
et aux films.*

Hum… Ce point mérite d'être exploité davantage également.
À suivre aussi…

*Stratégie # 5 = Garder mon calme lors des dialogues et parler au
« je ».*

Ah, voilà un point où JE suis bonne ! Ensuite, il reste quoi ?

Stratégie # 6 = ?

J'avais manqué d'inspiration ici aussi. Décidément, je
commence des listes que je ne termine pas. J'ai une nouvelle idée
qui me vient, mais celle-ci reste tout de même un peu vague.

*Stratégie # 6 = Apprécier davantage le moment présent, dans
les petites choses.*

Bon ! Je reviens d'emblée à ma stratégie # 3. Je me lève à
nouveau pour prendre mon portable. Je pianote dans la fenêtre
de recherche : « Idées farfelues pour raviver le désir ». Ge m'avait
montré un article sur le sujet, mais les baises aériennes et la
marmelade de fraises sur les tétons ne me font pas plus d'effet
aujourd'hui qu'à cette époque. Voyons si je peux trouver autre
chose…

Je parcours plusieurs articles. Les mêmes trucs reviennent
toujours : lingerie (déjà fait) ; la surprise au bureau, nue sous un
imperméable (hish… au Théâtre St-Denis ?) ; les objets sexuels

(on a fait le tour) ; danser (il paraît que je l'ai fait…) ; jeux érotiques… toujours les mêmes trucs, on tourne en rond. Je ferme les liens et je tombe sur le blogue d'une Française, dont le sous-titre est : « Faire craquer son mec ». Intéressant. Je le lis. La fille raconte ouvertement un truc assez rigolo… Alléluia ! Je vais passer à l'acte. Il va capoter. Vous verrez…

Ge fait irruption dans ma chambre avec une frénésie contagieuse, mais qui m'étourdis un peu trop.

— BONNE FÊTE ! BONNE FÊTE ! BONNE FÊTE !

— Ah ! Je ne m'en souvenais même plus ! que je bougonne pendant qu'elle saute à genoux dans mon lit.

— SOURIS, JOLI RANTANPLAN !

Elle m'énerve avec son petit ton de fille trop motivée qui anime une émission pour enfants le dimanche matin.

— Ça va, Cornemuse ! Merci de commencer ma journée de désastre en criant dans mes vieilles oreilles de presque mi-trentenaire.

— Bon, bien, sur cette conversation dépeignant ta motivation extrême, je vais aller travailler. On se voit plus tard, à moins que tu voies ton *chum* ce soir ?

— Je ne sais pas encore.

— Si tu vas chez lui, on soupe ensemble au resto pour ta fête demain ou après-demain avec tout le monde. D'accord ? Je vais inviter Derek !

— OUI ! que je fais, comme prise d'une illumination.

— Mon Dieu ! Ça te fait SI plaisir ?

— Non non, ce n'est pas ça en tant que tel, je pensais à autre chose…

— OK. Bye, petit Rantanplan fêté !

— Bye !

Un souper au resto ! Parfait pour mon plan secret : « Ravivons la flamme » !

Je ne fais pas « ça » le jour de ma fête !

De meilleure humeur qu'à mon réveil, je me sers un deuxième thé vert en lisant le livre de développement personnel que Françoise m'a donné (emprunté sur la table de chevet de Coriande – son signet est en place à plus de la moitié, je suis contente). Mon *chum* m'a confirmé qu'on se voyait tout de suite après sa rencontre avec son comptable. Super ! Je suis zen, calme ; les mots d'Eckhart Tolle entrent en moi comme une tonne de briques : « Tout ce que vous acceptez totalement vous conduit à la paix. C'est le miracle du lâcher-prise. Quand vous acceptez ce qui est, chaque quartier de viande, chaque moment est le meilleur qui soit[17]. »

Mon sentiment d'unicité avec la Terre (j'ai le goût de serrer un arbre dans mes bras) est interrompu brutalement par mon téléphone qui sonne. En songeant que je devrais modifier ce carillon cacophonique pour quelque chose de plus zen (à mon

---

[17] Eckhart Tolle, *Mettre en pratique le pouvoir du moment présent*, Ariane Éditions, Outremont, 2002, p. 113.

image), je réponds sensuellement à Balena avec une voix digne de miss Minou qui tire les gens aux cartes à la télé.

— Alllllô….

— Tabarnane ! Étais-tu en train de te masturber ?

— T'es ben épaisse ! Oups, excuse-moi, je ne peux pas te dire ça ; t'es enceinte, que je me désole, à moitié repentante de ma réponse effrontée.

— Quoi ! C'est possible de s'accorder une petite gâterie de fête en se levant le matin…

— Vous faites vraiment une fixation, ma foi… Non, je ne m'offrais pas un cadeau de fête sous forme d'orgasme.

— Eille, bonne fête ! envoie-t-elle.

Même si je trouve que son introduction a complètement gâché son « bonne fête », je réponds quand même :

— Merci !

Elle enchaîne, l'air désemparé :

— Mali, je sais que c'est ta fête, mais il faut absolument que tu m'aides !

— Avec plaisir, Sacha ! Pas de problème.

— Faut que tu viennes ici. Je suis trop grosse, là, je ressemble à un gros babouin ! Y a un truc que je ne suis pas capable de faire. Je me sens tellement impotente, sérieusement. Je commence vraiment à avoir hâte d'accoucher. Non, mais en milieu de grossesse, on se dit : « J'ai peur de l'accouchement, ça m'angoisse, nanana… » Mais vers la fin, je te jure qu'on se dit plutôt : « Bon, c'est quand la délivrance ? Je suis prête ! *Let's go !* Et tu vas voir que ça va pousser en sacrement ! »

La voyant verbomotrice à ce point, j'hésite à lui corriger ce blasphème proféré devant le bébé…

Elle se reprend finalement toute seule :

— Ça va pousser en « sacrifice », maman veut dire, mon cœur. Non, mais je disais, il n'y a pas si longtemps : « Je ne suis pas certaine d'être prête à accoucher… » Eh *boy* ! Je suis prête maintenant !

Par crainte que son désir se réalise sur-le-champ et qu'elle accouche avant terme au téléphone, je lui confirme mon aide :

— J'arrive. Laisse-moi sauter dans mes jeans et je te rejoins !

— Merci !

Je ne peux pas faire « ça » non plus…

En moins de temps qu'il n'en faut pour crier « babouin », je suis chez elle !

— Bon, ç'a été long ! m'accueille-t-elle, toujours préoccupée par son présumé problème.

Je ne l'ai pas vue depuis quelques jours et son ventre a encore grossi. Je salue mon futur amour :

— Allô, mon cœur ! C'est ta matante préférée que tu aimes tant qui vient d'arriver. Est-ce que tu fais des beaux dodos dans le bedon de ta maman ?

— Non, je te jure que non ! Il nage, il fait des longueurs, je pense ! Surtout la nuit. Il a nagé dans mes intestins la nuit dernière et tout près de ma vessie depuis ce matin. Je suis certaine de le faire dans mes culottes chaque fois qu'il se déplace dans cette zone-là !

— C'est un sportif, mon petit amour !

C'est drôle, je parle maintenant carrément au « lui ». Je pense depuis le début qu'il y a bel et bien présence dudit pénis, mais on dirait que ce matin, j'en suis encore plus convaincue.

Sacha me tire de ma réflexion futile en m'ordonnant :

— Bon, viens ! On va aller dans la salle de bain, je vais m'asseoir sur le rebord de la baignoire…

Au fait, je ne sais même pas ce qu'elle me veut.

— Pour quoi faire ? que je demande tout bonnement en la suivant.

— J'ai une touffe digne des plus folles années hippies ; ça pique, je ne suis plus capable !

— Une touffe ?

Toujours dans le néant quant à l'aide que je peux lui apporter, je la suis docilement dans le corridor.

— Je suis certaine que nos deux mères réunies n'étaient pas mal amanchées comme moi, et ce, même en plein cœur de l'Expo 67 !

Euh… Malgré ma peur intense de connaître ses intentions, je la questionne :

— Qu'est-ce que tu veux que je fasse, au juste ?

— Que tu m'épiles, cibole !

En entrant dans la salle de bain, tout est prêt : la cire chaude, les bandelettes de tissu, la poudre à bébé…

— QUOI ? Les jambes, j'espère ? que je crie.

— Mali, là ! On se connaît depuis le primaire et on est toutes faites pareilles, c'est pas grave !

— OK ! Toi, t'as eu beaucoup trop d'examens gynécologiques de suivi de grossesse ; t'es complètement désinhibée ou quoi ?

— Mets-en !

— Hugo ? que je fais comme suggestion, terrorisée à l'idée que ma consœur adorée s'écarte les jambes devant moi.

— Ben non ! Déjà que je baise comme une Balena échouée depuis un bon bout de temps, je ne vais pas tuer le peu de désir qu'il peut encore avoir envers moi en lui demandant de faire ça ! J'aimerais que notre couple survive jusqu'à l'accouchement, si possible !

— Il y a des professionnels pour ça ! Viens, je vais te conduire chez une esthéticienne ! Je suis certaine qu'il y en a une quelque part dans Montréal qui a un trou dans son horaire !

— Non ! Je ne peux pas sortir, j'attends un appel et je suis vraiment tannée de ma méga touffe. C'est là que ça se passe…

— Ge ? Elle serait super bonne pour te le faire ! G-Hunter, elle connaît ça les coupes bikini !

— Non ! Elle travaille... toi, t'es là ! Donc, *go* !

Elle commence à enlever difficilement son survêtement de sport.

— C'est ma fête..., que je pleurniche.

— Est-ce que c'est ton dernier argument ?

— Hum... ouais.

— Il n'a aucune valeur ; donc, allez ! T'as déjà fait ça ?

— Sur moi-même, oui...

— Tu verras, c'est encore plus facile sur quelqu'un d'autre ! Regarde, je vais mettre mon bonnet de douche pour te mettre à l'aise !

Elle empoigne le bonnet rose qui gît sur l'arête du bain, le pose sur sa tête soigneusement et elle enlève son slip avec effort. Voyez-vous la scène ? Sacha, enceinte de trente-neuf semaines, nu-fesses sur le rebord du bain, un bonnet sur la tête ! Je n'ose même pas regarder. Trop contente de sa posture, elle prend finalement son téléphone pour se poser afin d'envoyer sa tronche coiffée aux filles. Quelle folle !

Je rigole. Eille, je ne peux pas croire que je commence mes trente-quatre ans avec l'entrejambe de ma meilleure amie grand ouvert devant moi ! Bonne fête ! Eckhart Tolle disait dans son bouquin : «... avec le lâcher-prise... chaque moment est le meilleur qui soit ». C'est drôle, je n'en suis comme plus certaine. Je me sens moins au diapason avec la vie tout d'un coup.

— Il va falloir que tu regardes, Mali, si tu ne veux pas m'épiler les sourcils à la place de la « noune » !

Je prends sur moi. Ce n'est quand même pas la fin du monde. Prude que je suis…

Je prends un ton professionnel :

— Bonjour, madame ! Quel genre de coupe arborez-vous habituellement ? Parce que, décidément, c'est la brousse équatoriale ici-bas !

Je saisis une bandelette pour débuter ma tâche minutieuse. Il faut ce qu'il faut !

Prise deux !

Après avoir terminé ma séance d'épilation professionnelle, je retourne à la maison en attendant que Bobby me texte l'autorisation de me rendre chez lui. Il manigance quelque chose, c'est bien évident ; la gestion de mon arrivée chez lui semble compliquée… Hum, les filles sont peut-être complices ?

Mon frère m'a appelée tout à l'heure lorsque j'étais sur le chemin du retour (eh oui, matante-l'illégale-qui-jase-au-volant). Ce fut un peu froid, mais disons mieux que la dernière fois. Le temps qui passe fait son œuvre. En repensant à notre discussion, je me rends compte qu'il a un peu raison. Je voudrais qu'il vive sa rupture de façon super émotive, alors que ce n'est pas son genre du tout. Encore une fois, je demande aux Cromo erectus (j'aime de plus en plus ce terme) d'être ce qu'ils ne sont pas. Vouloir façonner la race mâle à notre goût, n'est-ce pas là le problème de toutes les femmes ?

Tout compte fait, j'ai été contente qu'il me contacte. Il reste mon frère, aussi « cromo » soit-il !

Ma mère m'a également appelée, et mon père, qui travaille à l'extérieur sur un chantier, m'a textée :

(Allô. Bonne fête, ma fille que j'aime. Bye.)

Toujours fidèle à ses salutations en bonne et due forme.

Pour revenir à mon cher *chum*, je me demande ce qu'il trame. Par contre, je ne veux pas me faire trop d'idées. Il a déjà été très surprenant dans ses manigances de fête (escapade de filles dans Charlevoix), mais je suis consciente que ça ne peut pas être si exceptionnel chaque année. Peut-être qu'on va souper avec tout le monde et que Ge m'a lancée sur une mauvaise piste ? Si c'est le cas, je dois me préparer mentalement à exécuter mon plan…

En terminant de retoucher mon maquillage, je reçois un texto :

(Tu peux t'en venir !)

Bon, allons-y !

Sur le chemin, je tente de ne pas m'imaginer un million de scénarios débiles. Vivre le moment présent, Mali ! Je suis bonne ! Tiens, un oiseau…

En entrant, je le retrouve seul, assis au salon. Il éteint la télévision et avance vers moi pour m'embrasser. Ça commence bien (je parle bien sûr pour la télé).

— Bonne fête, mon bébé !

— Merci, toi aussi !

Je suis comme gênée, donc je lui renvoie la pareille ! Mon classique !

En gravissant les quelques marches qui séparent le salon de la salle à manger, j'aperçois rapidement la table. La belle table. OK !

Impression nette de déjà-vu. Sa table de cuisine, un seau avec une bouteille dedans, une rose rouge dans une assiette, des chandelles, un plat à fondue... Il a recréé le décor intégral de notre soirée de retrouvailles de sexe bousillée. Bonne idée ! Je le serre dans mes bras, contente, mais tout de même encore repentante de cet évènement malheureux. Ne voulant pas tomber dans le mélodrame des regrets, il me propose d'ouvrir la bouteille de bulles sur-le-champ !

J'apprécie le moment présent fois mille ! C'est si simple une fondue en amoureux (sans télé). Pourquoi je trouve toujours le moyen de me plaindre de mon *chum* ?

Nous mangeons en discutant (tout de même un peu de la commission d'enquête, mais bon). Il est charmant, de bonne humeur. Je lui raconte ma matinée de fête avec Sacha. Il est surpris :

— T'as fait ça ?

— Qu'est-ce que tu voulais que je fasse ? Refuser ? Elle était là, assise sur le rebord du bain les jambes écartées, et moi, à genoux devant...

En trempant sa fourchette dans le bouillon, il lève exagérément les sourcils en pivotant la tête sur le côté. Bon, quoi encore ? Ça l'excite ? Je lui dis tout de go :

— Tu trouves ça excitant ?

— Bien là, deux filles en petite tenue dans une salle de bain qui prennent soin l'une de l'autre...

De quoi parle-t-il ? Pas tout à fait la scène décrivant la réalité.

— Euh, excuse-moi, Gaétan, je ne veux pas détruire ton fantasme coquin, mais j'étais habillée et je ne lui faisais pas un cunnilingus : je lui arrachais violemment les poils pubiens avec des bandelettes de cire chaude ! Ça a presque saigné…

— Ouin, dis de même, c'est vrai que c'est moins…

Je rêve ou il va me balancer une révélation comme quoi il désire s'adonner à un *trip* à trois ? Il veut faire de l'échangisme ?

— Tu fantasmes sur le pluralisme, maintenant ?

Voyant mon air scandalisé subit, il me rassure :

— Bébé ! Tu me connais ; je suis dédaigneux comme pas un et il a fallu six mois avant qu'on couche ensemble… Penses-tu vraiment que je caresse ce genre de désir concrètement ?

Concrètement non, mais dans ses rêves… C'est ça un fantasme après tout, le rêve. Moi, avec mon campagnard muet à cheval, je ne suis pas vraiment mieux ! Comme il s'en souvient, il semble lire dans mes pensées :

— C'est comme toi avec ton fermier qui pue !

— *Wow !* Mon viril chevalier puissant et *sexy* pue maintenant ! Tu détruis un fantasme en peu de temps, toi !

La vérité ? Je ne suis pas du tout offusquée qu'il ait pu, ne serait-ce qu'un seul instant, trouver excitante notre scène d'épilation. J'avoue que je lui ai tout de même raconté que mon amie s'était écartée les jambes à moitié nue devant moi. Il reste un Cromo erectus après tout.

Complètement bourrés, nous reculons presque en même temps notre chaise pour sortir de table en poussant un « ouf » ensemble. Fondue = abus, il n'y a rien à faire, on ne s'en sortira pas autrement.

Après avoir fait cuire le reste de la viande dans le bouillon (un restant pour sandwich), nous desservons sommairement la table. Sans avoir rien vu de son manège, je remarque deux petites boîtes en reprenant ma place. Petite boîte = bijoux (assurément). Mon Dieu ! Est-ce que je vais recevoir une demande en mariage avant Ge ? Je plaisante, mais tout de même, mon cœur palpite. Cependant, attention ! Souvenez-vous : la dernière fois qu'il m'a offert une boîte de ce genre, elle contenait une clé ! Ça peut être n'importe quoi !

Je frotte mes mains ensemble, excitée et timide à la fois. Recevoir un cadeau, c'est tellement gênant !

— Je n'ai rien pour toi !

— J'espère bien. C'est TA fête, bébé…

— Ah oui, c'est vrai.

Je lui fais une moue signifiant : « J'ouvre laquelle en premier ? » Il me répond d'un haussement d'épaules en voulant dire : « Peu importe… »

J'attrape la première en dénouant tranquillement son ruban satiné. Je l'ouvre.

— *Wow !* Bébé…

Ce sont des boucles d'oreilles. Juste deux petits diamants très délicats, mais bien brillants. Bobby sait que j'aime porter deux boucles différentes sur chacun de mes lobes. Une comme celle-ci et une autre plus longue de l'autre côté. La plupart du temps, j'achète des pendentifs de piètre qualité dans des boutiques de bijoux bas de gamme. Elles ternissent en peu de temps.

— L'autre…, me prie-t-il, content de ma réaction.

J'ouvre la seconde boîte, qui ne semble pas provenir du même bijoutier. Re-*wow*! Des anneaux cette fois-ci. Il me décrit son cadeau :

— C'est de l'or blanc avec des pierres...

En effet, les anneaux sont ornés de quatre pierres discrètes, très brillantes elles aussi. Je suis super heureuse. C'est la deuxième fois que je reçois un bijou d'un homme. La première fois, c'était une bague avec un cœur de mon premier *chum*, à quatorze ans. Les hommes pensent souvent que des bijoux, c'est trop classique pour un cadeau. Erreur ! Les femmes adorent recevoir ce genre de présent. Un bijou, ça reste toute une vie (car lorsqu'ils ne proviennent pas d'un magasin bon marché, on leur fait très attention...).

— Merciiii ! que je gémis en allant m'asseoir sur lui pour l'embrasser.

Nos lèvres, un peu mauves (on boit du rouge), se frôlent tranquillement. Il s'écarte légèrement de moi pour me dire quelque chose...

Mon portable perturbe l'atmosphère en bourdonnant sur la table du salon. Ce doit être un « bonne fête » tardif. Je vais voir. C'est You Go ! Pourtant, il m'a appelée ce matin.

Son message dit :

(Merci pour la *job* de maintenance sur ma femme ! Beau travail ! ☺)

Comique ! Je ris en citant intégralement le message à Bobby. Il éclate de rire aussi. Une autre belle nouvelle qui fera le tour de la ville : « Mali et Sacha sont officiellement lesbiennes et elles s'épilent mutuellement les parties intimes ! » La femme de Westmount va capoter ! Je suis certaine qu'elle se dira : « Je savais qu'il y avait du lesbianisme dans cette histoire louche de consœurie… »

Je lui réponds :

(Il n'y a pas de quoi ! Mais transmets-lui le message que c'était un cas de force majeure et non une bonne tradition à conserver ! xxx)

Je retourne vers mon mec en lui dictant ce que je viens d'écrire à mon tour. Je reprends place sur ses genoux en ne me souvenant plus de quoi on parlait.

Il me dévoile :

— Les boucles d'oreilles sont juste une partie de ton cadeau, ce n'est pas tout…

— Hein ?

Quel cadeau je préfère ?

— Ton troisième cadeau est passé au conseil seulement cet après-midi…, m'annonce-t-il en tournant la tête, le cou bien allongé comme un grand danois dans un concours de beauté canin.

Passé au conseil de qui ? De quoi parle-t-il ? Il me regarde toujours sans rien faire, content de me plonger dans le néant.

Il se lève finalement et va chercher sa guitare. Je ne comprends pas plus. Il gratouille dessus sans mot dire.

L'air me dit quelque chose. Il s'y prend à deux fois avant de bien jouer les notes. Il me fixe, d'un regard profond, en chatouillant les cordes, comme pour voir si je devine la suite de la pièce. La réponse = non ! J'écoute toujours…

Ah oui, je reconnais sa nouvelle chanson de cowboy solitaire ! Je prête plus attention ; on dirait que la mélodie a un peu changé, les paroles aussi.

« … Je veux être ton prince cowboy, mais… La terre c'est moi, le silence le ciel… Celui qui parle trop s'enterre, donc j'préfère me taire… nananana, nananana… »

« … T'es bien plus qu'un caméo, mais tente pas de me suivre dans mon rodéo… reste juste là, juste pas loin par là. Excuse-moi que mon nom se conjugue à l'imparfait, mais le tien reste à mes yeux juste parfait, avec nous rien n'est simple ; quand je ne te comprends pas, je ne parle pas et sache que c'est juste pour ça… Je veux être ton prince cowboy, mais… »

Refrain : « La terre c'est moi, le silence, le ciel… celui qui parle trop s'enterre, donc j'préfère me taire, nananana, nananana… »

Ayoye ! Une deuxième chanson en mon honnour dans le répertoire musical de mon *chum* ! Je deviens sa muse ou quoi ? C'est comique, rythmé, accrocheur. On a le goût de taper du pied ou de danser un petit *country two-step* en ligne ! Pas une ballade comme *L'amour voyage*. Son inspiration musicale un peu country est vraiment nouvelle pour lui et ça lui va très bien. Je suis super touchée.

Lorsqu'il termine, je bondis de ma chaise pour l'applaudir.

Il se lève avec sa guitare pour me dire avant de m'embrasser :

— Matt a accepté la toune. C'est la raison pour laquelle c'était long tantôt. Je n'ai pas juste rencontré mon comptable. On l'enregistre la semaine prochaine. Bonne fête !

Seconde embrassade. Par contre, je ne peux pas m'empêcher de dire :

— T'étais jaloux de mon fantasme de cowboy solitaire à ce point-là ?

— Mets-en ! C'était un « fif », ton cowboy !

Bon, tout à l'heure mon fantasme puait la bouse de vache, et là, il est gai ! Sacré Bobby ! Il poursuit sur sa lancée de transformer l'ambiance romantique en une atmosphère de connerie monumentale (comme à son habitude) en me balançant de façon expéditive :

— Bon ! T'as eu tes cadeaux, je t'ai écrit une deuxième chanson, on a pris du vin ; je pense que tu peux danser, là ! C'est le temps...

— De quessé ?

— Comme l'autre fois... Veux-tu une tequila ? me propose-t-il. Il pose sa guitare sur une chaise pour ensuite s'installer confortablement dans la sienne, visiblement en attente du spectacle.

— Euh... premièrement, je n'ai jamais dansé parce que t'es un menteur et, deuxièmement, c'est MA fête, pas la tienne !

— *Come on !* Préfères-tu le salon ? Ou peut-être le sous-sol, comme l'autre fois ?

— Ta gueule ! que je beugle, étant donné qu'il semble très sérieux.

— Hish ! C'est pas très gentil de crier « ta gueule » à un gars qui vient de t'écrire une chanson qui fera peut-être le tour de toute la francophonie au grand complet.

Vu de même, il n'a pas tort. Mais vous me connaissez... Je poursuis donc avec ferveur dans le volet « insultes » avec un :

— T'es un connard de première !

— Non, un cowboy !

Je m'avance pour me rasseoir sur lui.

— Je déconne, bébé, me dit-il en m'embrassant dans le cou.

Je prends ma petite voix câline pour connaître enfin la vérité :

— C'est pas vrai, hein bébé, que j'ai dansé complètement soûle ?

— Eh criss oui !

— Ahhhhh !

« Big Smelly Poo » ?

En atterrissant au *condo* le lendemain après-midi (j'ai littéralement volé de bonheur sur le chemin du retour), je suis encore tout émoustillée de la soirée de fête avec mon *chum* ! Encore une belle chanson qui me rappellera de beaux souvenirs chaque fois que je l'entendrai à la radio. Je suis si chanceuse. Je regarde le tableau dans la cuisine et j'y vois :

Bonne fête Rantanplan !
- G-Hunter

> — Bonne fête au cabot fêté — Cori
> Nose Shit : 3/10 (la vie, c'est de la
> marde, il pleut dans mon cœur...)

Décidément… Nose Shit n'a pas l'air au sommet de sa forme. Sa note a dégringolé, passant ainsi de cinq à trois. Je présageais que son rancard du week-end la rendrait plus pimpante (au moins de deux ou trois points). Bien que, c'est comme un beau diachylon sur une plaie béante.

Lorsqu'elle revient du travail, je descends la voir. Elle nous avait brièvement texté qu'elle a eu du plaisir avec Alex, mais c'est tout. Je vais creuser la question un peu. En volant de nouveau dans l'escalier, je réalise que je dois tout de même diminuer ma face-de-bonheur-extrême d'un cran, histoire de ne pas faire exprès devant elle. Ma soirée d'hier fut ordinaire et mon *chum* ne m'a pas écrit de chanson non plus. Non, mais vous voyez la scène : « J'ai encore tellement de peine ; la vie, c'est de la marde… Ah moi, mon *chum* vient de m'écrire une chanson d'amour country en me donnant des bijoux ! » Non, merci.

— Salut ! que je fais sobrement.

— Il faut changer mon nom de code. Nose Shit, c'est comme pas assez dégueulasse, m'annonce Coriande qui scrute le tableau en buvant une bouteille d'eau.

— Voyons, Coriande…

— Peut-être que « Big Smelly Poo » serait mieux ?

— Euh non… Pas question que je tolère ce surnom dégueu sur le tableau ! Déjà que Nose Shit, c'est pas fort, que je m'oppose.

— Ouin, répond Cori, abattue.

— Comment c'était avec Alex ? Plus en détail, mettons.

— Il n'y a pas grand détails de plus ; je me suis soûlée à mort et il m'a sautée dans un état de coma éthylique avancé.

Oh *boy* ! Un coma de ce genre n'est pas très animé à la base, imaginez lorsque ledit coma est « avancé » !

— OK ! Tu ne te souviens de rien ?

— Un peu… au début de la baise, je lui criais par la tête : « Vas-y, mon cochon, baise-moi comme une bête… »

Pas trop le genre de Coriande, il me semble. Mais regardez la fille-qui-danse-en-se-masturbant (supposément) qui parle !

Elle poursuit :

— C'est n'importe quoi de se jeter dans les bras du premier venu de même.

— Ouin, mais pas si tu avais eu du *fun* avec lui…

— J'en ai eu. C'est que, disons qu'il ne pèse pas lourd dans la balance comparé à ton frère, c'est tout.

Mon frère n'était pas rendu un demeuré de la pire espèce ? J'avoue me sentir un peu confuse ; elle a eu du plaisir à sa soirée ou pas ? Comme elle perçoit mon air perplexe, elle me donne quelques précisions :

— On se connaît bien, Alex et moi, donc c'était facile, simple. Je me suis toujours sentie moi-même avec ce gars-là. Il ne m'intimide pas, il est plus jeune. Le problème, ce n'est pas lui ou la soirée, mais aujourd'hui, c'est une mauvaise journée. Depuis ce matin, je paranoïe en pensant que ton frère a peut-être rencontré une fille ou je ne sais quoi et je me torture l'esprit avec ça, comme une conne.

Merde ! Je ne veux pas aller là ! Non, non, non, ma face va me trahir. Je suis une piètre menteuse, la pire au monde. Qu'est-ce que je fais ? J'esquive à droite ? À gauche ? J'exécute une roue latérale pour faire diversion ? Un pet de dessous de bras ?

— Il faut que tu revoies Alex au plus vite ! que je balance sans réfléchir.

— Pourquoi ? Je viens de te dire que ça m'a fait un drôle d'effet...

— Pour te distraire, prendre du bon temps. Tiens, invite-le pour mon souper de fête demain !

— Mali ? Te rends-tu compte de ce que tu me dis ?

Ouin, j'avoue que, pour le souper de fête, c'est peut-être un peu trop ! Je suis si nerveuse, je dis n'importe quoi. Je me sens comme une funambule perdant l'équilibre qui mouline des bras pour éviter de tomber.

— Va le voir après notre souper, je veux dire !

— Mais non. C'est à Drummondville, et je travaille jeudi matin.

Bien oui, ça n'a aucun sens ce que je propose.

— Ce week-end, alors ?

— T'es bien bizarre, toi ! Qu'est-ce que t'as ?

Bon, vous voyez, menteuse minable que je vous disais ! La funambule tombera-t-elle ?

— Rien, ce n'est pas nouveau que ma fête me stresse.

— T'as vu ton *chum* hier ?

— Oui, c'était vraiment ordinaire, tranquille, petit souper chez lui…

— Rien de spécial pour ta fête ?

— Non.

— Et vous êtes tout de même heureux… Tu vois comment c'est simple et beau l'amour.

Elle s'en va dans sa chambre presque une larme à l'œil. Misère ! Je n'avais aucune autre issue pour l'apaiser. Funambule écrabouillée au sol…

Son cadeau de fête !

En arrivant au resto branché du centre-ville choisi par Ge, nous déposons nos manteaux au vestiaire avant de nous diriger vers notre table. Le « nous » inclut Derek, Ge, Bobby et moi. Sacha et Hugo doivent venir nous rejoindre. Coriande a finalement décliné l'invitation pour cause de mal de tête. En fait, je crois plutôt que c'est de voir l'amour (en triple) qui lui cause des migraines. Je comprends, donc je n'en suis nullement fâchée.

Comme d'habitude, la totalité des clients se retournent au passage de la vedette !

— Bonjour ! Bonjour ! Allô ! fait mon *chum* à qui mieux mieux en se rendant à notre table.

C'est toujours aussi fou. Il a développé le réflexe de saluer tous les gens qui le fixent. Pour être sympathique. Les curieux en question sont toujours très contents et ça leur évite de propager ensuite cette rumeur : « Il est bête, on l'a vu en vrai et il est bête… » Vous comprenez…

Sacha et Hugo arrivent de bonne humeur. Étrangement, notre amie semble plus en forme en fin de grossesse qu'elle ne l'était au milieu de celle-ci !

Vous vous souvenez que j'ai un plan secret à exécuter ce soir… Je suis fébrile, ce sera vraiment drôle.

L'ambiance du souper est très agréable. Derek me paraît toujours aussi charmant. Lui et Bobby discutent boulot. Ils se sont déjà croisés, deux fois plutôt qu'une, sur des plateaux de tournage, il y a de cela longtemps.

Entre l'entrée et le plat principal, Sacha tape dans ses mains, excitée, en disant :

— As-tu reçu des cadeaux ?

Je la regarde en tournant un peu la tête, en mettant ma main derrière mes lobes d'oreille, pour lui présenter fièrement les cadeaux de Bobby.

— *Wow !* fait-elle en fixant mes boucles avec attention.

— Oh ! ajoute Ge.

Aujourd'hui, j'en porte une de chaque boîte. Derek, qui voit les filles si énervées devant le présent de mon *chum*, lui décoche un clin d'œil.

— Les filles et les bijoux, hein ! Il n'y avait pas de bague qui venait avec ça ? demande-t-il à Bobby pour le taquiner, en faisant non subtilement référence au mariage.

— Pas de bague, non, mais beaucoup mieux ! affirme mon homme en me regardant.

— J'aurai droit à une autre chanson sur son nouvel album !

— Une chanson de cowboy, toi ! ajoute l'interprète de mon cadeau, l'air surpris lui-même.

— Hein ! Mali « trippe » sur les cowboys justement, même qu'elle nous a avoué que…, débute Sacha, mais je la coupe rapidement.

— Bien oui ! Sympathiques, les cowboys !

Elle allait révéler mon fantasme devant tout le monde ou quoi ? Voyons, on a beau être entre nous, il y a des limites.

— En effet, elle aime pas mal les cowboys ! ajoute Ge, avec un minois coquin.

— Ça semble plein de sous-entendus, ces remarques…, note Derek, pas fou.

— Ouin, c'est quoi vos faces ? se demande aussi You Go. Mali s'est déjà tapé un gars du Far West ?

— Pantoute ! Elles n'ont pas de vie…, que je suggère en souriant exagérément au serveur qui arrive à mon secours avec les assiettes.

Je m'intéresse outre mesure au contenu de celles-ci afin de détourner la conversation. Bifurcation réussie ; Derek enchaîne en nous vantant les mérites d'un resto de tartares sur Saint-Denis. Emballée, je prends presque le resto en note (moi qui déteste le tartare).

Je dois exécuter mon plan avant la fin de la soirée. Quelques instants plus tard (et après quelques bons verres de vin également), je me lève et vais à la salle de bain.

De retour à la table, je m'assois ; je souris largement à mon *chum* et lui donne discrètement un léger coup sur la cuisse avec ma main, sans que personne ne voie. Croyant que je désire tout simplement lui prendre la main sous la table, il me la tend. Coup de théâtre, je ne lui agrippe pas la main, mais y glisse plutôt ma petite culotte. Eh oui ! Je viens de faire ça ! Surpris, il plisse le front et regarde discrètement ce qu'elle contient. En y apercevant ma micro-culotte en dentelle rouge, ses yeux s'écarquillent, et il me dévisage de façon éloquente. Bingo ! Il est complètement déstabilisé. Je me tourne vers Ge, qui raconte une anecdote en lien avec son boulot. Personne n'a rien vu. Bobby glisse la culotte dans son veston et saisit son verre de vin pour y prendre une généreuse gorgée, les yeux toujours grands ouverts.

— Il se passe toujours tellement de choses passionnantes dans la compagnie où Ge travaille, que je commente vaguement, en regardant Derek, pour faire semblant de suivre le fil de la conversation.

Je me retourne de nouveau vers Bobby, toujours muet comme une carpe. Il semble totalement absent de la discussion. Il prend son cellulaire dans son autre poche et répond à un texto qu'il vient probablement de recevoir.

J'entends mon portable vibrer dans mon sac à main. Ah bon ! Il ne répondait pas à un texto, il vient plutôt de m'en écrire un.

J'attends quelques instants pour être subtile et je lis sur mon téléphone :

(Je capote, *babe* !!!! Je suis bandé en dessous de la table, je ne peux plus me lever !!!)

Je lui renvoie simplement un clin d'œil.

Il réécrit :

(Je veux te faire l'amour maintenant, ici, tout de suite, dans les toilettes !!)

Il range son téléphone, je fais de même. Sinon, on va devenir trop impolis. Est-ce que mon truc a fonctionné ? À cent mille à l'heure… Vous allez l'utiliser, hein ? Comme le Cromo erectus (c'est le cas de le dire) a une migration descendante de fluide corporel inattendue, il devient presque invalide. Il ne parle pas, me regarde à toutes les trois secondes, boit du vin. Je savoure mon moment de gloire.

Après le dessert, mon *chum* ne semble pas vouloir s'éterniser au resto. Il est donc bien pressé, lui ! Tout le monde semble être dans le même état d'esprit (ou presque), nous sommes en plein cœur de semaine après tout.

Au vestiaire, nos hommes, très charmants, nous tendent nos manteaux pour nous aider à les enfiler. Non mais, la galanterie a toujours sa place de nos jours. Il est faux de croire que les filles trouvent quétaine un gars qui nous ouvre la porte ou qui tient notre manteau. On aime toutes ça !

— Oups ! Vous avez laissé tomber quelque chose…, fait une serveuse près de nous qui se penche tout près de Bobby.

Je me retourne et, comble de malheur, je la vois ramasser au sol ma petite culotte rouge qui a malencontreusement glissé de la poche de veston de mon *chum*.

La serveuse, qui réalise alors ce qu'elle tient entre ses doigts, toise Bobby avec dédain, en lui tendant tout de même le morceau de vêtement. Les deux couples qui nous accompagnent se retournent et voient mon *chum* se saisir rapidement de la culotte pour la replonger tout aussi rapidement dans sa poche. Sacha éclate de rire :

— Pouah ! Tu traînes les bobettes de ta blonde comme un porte-bonheur ?

Je balaie le resto des yeux. Naturellement, tous les clients assis près de la sortie chuchotent en s'esclaffant discrètement. Ils sont au moins une bonne douzaine. Mon *chum*, rouge écarlate, répond à Sacha sans réfléchir :

— Non, elle vient juste de me les glisser en dessous de la table...

— Ha ! ha ! ha ! rigole Ge, littéralement pliée en deux.

Je donne une tape sur le torse de mon *chum*.

— Pourquoi tu l'as dit ? que je lui reproche.

— Ben sinon, on croira que je trimballe tes bobettes, juste comme ça, pour le plaisir !

Derek, aussi tordu de rire que le reste du groupe, regarde Bobby, l'air contrit de se marrer autant de la situation :

— Excuse-moi, c'est vraiment drôle !

Geneviève lui explique :

— Eux autres, ils sont drôles ; ils s'organisent toujours pour se faire prendre quand ils font des trucs sexuels plus osés. On dirait qu'ils sont un peu exhibitionnistes ! Je les ai surpris sur le divan, l'autre jour, en position de…

— OK ! C'est beau ! C'est beau ! que je la coupe pour mettre fin à la description détaillée de notre levrette sur le canapé.

— Bien oui ! C'était tellement calculé ! ironise Bobby, toujours super gêné. J'aime avoir l'air d'un cave, surtout publiquement.

— Bon, on dégage avant que le *Journal de Montréal* vienne te faire une entrevue pour mettre sur le *front page* de demain matin !

— Sérieux, vous êtes mes idoles ! commente Hugo en prenant le bras de sa blonde pour sortir.

Sans crier gare, celle-ci se penche sur elle-même (le plus bas qu'elle peut) en émettant un « Aïe ! » assez audible. Tout le monde sursaute. Même la douzaine de gens tout autour. Je m'affole :

— SACHA ? ÇA VA ?

— Je sais pas, ça vient de faire mal…

— CHÉRIE ? panique Hugo à son tour.

— AÏE ! fait Sacha de nouveau.

— Elle accouche ! crie Ge à son tour.

Sacha regarde son *chum* en semblant se poser elle aussi la question.

Derek demande :

— Est-ce que ça se peut ?

— Sa date est dans une semaine et demie, ça se peut, oui ! répond Hugo. Hôpital !

Dans un branle-bas de combat digne d'une course contre la montre, tout le monde se retrouve au centre hospitalier le plus proche en moins de dix minutes. Le personnel prend rapidement Sacha en charge pour l'amener dans une chambre. Dans la salle d'attente, Ge et moi sommes debout à faire les cent pas, pendant que Bobby et Derek semblent se demander ce qu'ils font là. Quand même, ils ne sont pas proches de Sacha au point de passer dix heures à l'hôpital pour attendre la venue de son bébé. Nous patienterons jusqu'à ce qu'on nous confirme que c'est bel et bien bébé qui arrive avant de retourner à la maison pour ensuite revenir ici… ou attendre là-bas ? Je ne sais pas, je ne sais plus ! Je suis en mode panique à bord du *Titanic*. Mon Dieu ! C'est maintenant que ça se passe !

Bobby me fait signe de venir près de lui. Je m'assois en soufflant par la bouche pour me calmer les nerfs. Il se penche vers moi et me demande très sérieux :

— Donc là, maintenant, t'as plus de bobettes ?

Je roule des yeux en signifiant : « Franchement ! Ce n'est pas le temps ! »

— Je voulais juste savoir…

Il pense à ça, lui ? Sacha accouche ! Bien oui, qu'est-ce que je croyais ? Depuis que son sang a migré vers le bas, sa vie s'est arrêtée. La Troisième Guerre mondiale pourrait éclater qu'il voudrait me baiser avant de mourir !

Lorsque qu'Hugo revient près de nous, Ge et moi lui sautons presque dessus comme deux maniaques voulant le dérober de tout ce qu'il possède. Ge tire violemment sur son chandail pendant que je m'agite les mains le long du corps, comme si je tentais de m'envoler.

— Pis ? Pis ? Pis ?

— Fausse alerte, les contractions ont arrêté complètement. On rentre à la maison.

— Fff ! que je soupire pour je ne sais quelle raison.

Ge lâche son chandail, qu'elle a visiblement déformé de façon irréversible.

Nos mecs semblent soulagés de rentrer (surtout Bobby, le sang toujours pas à la bonne place).

Sur le chemin du retour, il rigole de la situation :

— Tu ne pensais pas que tes bobettes rouges me feraient cet effet-là, hein ?

Il n'en revient toujours pas ! Nous rions de bon cœur. Non, mais quelle soirée !

Oui ou non ?

Je suis réveillée par mon téléphone qui vibre sur ma table de chevet. Je suis chez mon *chum*. Après la fin de soirée rocambolesque d'hier, nous sommes revenus chez lui pour la suite de notre histoire de petite culotte. Naturellement, nul besoin de vous expliquer que nous avons succombé à une partie de fesses mémorable. Disons que ça ressemblait à ce que j'escomptais

après notre période d'abstinence d'un mois : vêtements projetés dans tous les sens, désir à son apogée, bris d'objet (un cadre
sur le guéridon du salon s'est renversé puis brisé au sol)...
C'était tout simplement fantastique !

Je lis le texto, les yeux un peu dans le même trou :

(Notre bébé est arrivé ce matin à 6 h 25 !)

HEIN ? QUOI ? Sacha a accouché finalement ? Quand ? Cette
nuit, ce n'était donc pas une fausse alarme ? Je veux savoir, je
veux savoir !

J'appelle Hugo sur-le-champ. Il ne répond pas.

— Zut !

Voyons, il vient juste de me texter ! Je tente ma chance une
seconde fois.

— Réponds, simonaque !

Rien. Mon cellulaire retentit quelques secondes plus tard.
C'est lui.

— Salut ! Je suis dans les toilettes, on ne peut pas parler au
cellulaire à l'hôpital. Donc oui, c'est ça ; bébé est là. De retour
à la maison hier, les contractions ont repris de plus belle donc
on est revenus à l'hôpital, et là, ça y était. Ça s'est bien passé,
Sacha va bien, elle a fait ça comme une championne ! Elle veut
vous voir...

Je lui laisse à peine le temps de terminer sa phrase que
j'annonce :

— J'arrive !

My God! Je saute en bas du lit en effectuant un saut périlleux digne du Cirque du Soleil. Je cours de la chambre à la salle de bain toute nue, en criant à mon *chum* encore à moitié endormi :

— On a eu notre bébé !

Chorale d'onomatopées

Je cours avec Ge dans les corridors de l'hôpital (elle est venue me chercher) comme si nous étions deux médecins en traumatologie appelés pour une opération d'urgence.

Nous nous trompons deux fois de corridor avant de littéralement prendre d'assaut une infirmière, qui marche tranquillement en poussant un support à soluté sur roulettes. Elle nous indique le bon chemin. En textant Nose Shit d'une main pour savoir quand elle arrivera, je fonce presque dans un homme en fauteuil roulant.

— Excusez-moi !

Elle me répond :

(Je suis à l'hôpital ! Je cherche la chambre…)

Je lui réécris :

(La 5020, 5e étage.)

En arrivant au pas de course devant la porte entrouverte, je fixe intensément Ge en expirant fortement pour reprendre mon souffle. Celle-ci pousse la porte et entre doucement. Une sérénité digne du jardin d'éden règne dans la pièce. Il n'y manque que le gazouillis des oiseaux du paradis (il y a bien des oiseaux là-bas ?). Sacha, resplendissante, lève ses grands yeux jaunes en amande vers nous. Elle tient bébé sur elle. Hugo est debout à ses côtés. Je pénètre dans la pièce presque à tâtons, car j'ai les yeux pleins d'eau. Ge porte la main à sa bouche, aussi émotive que moi. Coriande entre doucement à son tour. Elle s'immobilise un instant pour regarder la scène. Elle ne pleure pas (elle n'a peut-être plus de larmes disponibles, après presque deux mois de peine, le torrent s'est tari). Nous avançons vers elle. Coriande renifle finalement (ah bon, il lui en restait encore). On a toutes les faces déformées par l'émotion, pas très esthétiques en fait. Pleurer de détresse, c'est une chose (on connaît ça), mais pleurer de joie ? Hish, c'est plus rare pour nous. On ne semble pas vraiment douées à première vue. Manque flagrant d'entraînement ! Ne sortez pas d'appareil photo personne ; on ne veut pas nécessairement immortaliser ce souvenir peu avantageux. Personnellement, ma bouche se tord dans tous les sens, et si je continue à faire des mimiques de la sorte, ce sera un cas de *lifting* complet avant mes quarante ans (à ajouter à ma liste ?) !

Des petits bruits sourds et bizarres se font alors entendre dans la chambre du jardin d'éden. On gémit toutes en même temps pour ajouter à nos faces décrépites. Je pousse un genre de « i » aspiré, Ge lâche un « u » modifié qui se termine par un genre de « i » également, et Coriande opte plutôt pour un « a » mi-grave, mi-aigu allongé. Un beau registre de voyelles de pleurnichage incompréhensible. Très mauvaise gestion de l'IE groupal. Hugo, qui commence probablement à craindre que l'on traumatise son enfant à tout jamais, nous fait signe de la main d'avancer (nous sommes toujours agglomérées entre la porte et le lit comme si nous n'étions pas certaines d'être invitées).

Bien oui, on ne va pas rester là en position chorale-débile à attendre que le Messie fasse son apparition dans la chambre ! Sacha semble tout de même émue de notre réaction d'attardées. Une fois à ses côtés, je le vois. Mon cœur fait quatre tours ! Non, ce n'est pas assez. Mon cœur fait cent tours ! Non, pas encore. Mon cœur fait mille tours (et un autre de plus pour la chance) ! Je fonds littéralement sur le plancher de l'hôpital. Si un concierge se pointe à ce moment précis avec une vadrouille, il me ramasse en trois coups de manche ! Son visage fripé tout rond, ses grands yeux fermés, ses petits poings (dans de minuscules mitaines) remontés tout près de son délicieux visage. Il est si mignon. Au fait, il a un pénis ou pas ?

Sacha semble comprendre mon interrogation en voyant mon expression changer ; elle soulève légèrement la couverture de bébé (encore nu) et nous montre… son pénis ! Son énorme pénis, en fait ! *My God !*

— C'est ben gros ! s'exclame Ge, avec une spontanéité savoureuse.

— Bien oui, toi ! Pour un si petit bébé…, approuve Coriande.

Fier comme un paon, You Go nous fait un signe à la Elvis Presley en disant :

— *Thank you ! Thank you very much !*

— Mon fils…, murmure simplement Sacha, totalement en fusion avec le nourrisson.

— Votre fils qui s'appelle ? demande Ge, afin de connaître son nom.

— Conrad ! déclare Hugo, la tête haute.

— Euh, non ! Mon fils n'aura pas un prénom commençant par « con », s'oppose Sacha.

— On tirera à pile ou face à la maison…

— Non plus…

— Euh… on en reparlera à la maison ?

— Ouais…

Pas de nom encore. Conrad ? Où a-t-il pêché ça, lui ? On ne parle pas de l'accouchement en tant que tel. Sacha ne semble pas ressentir ce besoin maintenant. On regarde bébé, on prend quelques photos (nos faces apoplectiques s'étant dissipées), on félicite les nouveaux parents.

Sacha prend la parole après quelques minutes :

— Les filles… ç'a été compliqué, on a fait beaucoup d'appels téléphoniques, mais… voulez-vous être marraines ?

— Qui ? fait-on en se regardant toutes, désireuses de savoir de qui elle parle exactement.

En réalité, on se demande (en silence) depuis le début de sa grossesse qui sera l'heureuse élue…

— Vous trois ! affirme Hugo.

— C'est possible ?

— Oui, deux de vous écriront leur nom à titre de parrain et marraine sur les papiers et l'autre agira comme témoin, mais dans notre cœur, ça sera les trois à parts égales.

OK, on arrête les photos ; les faces de film d'horreur sont revenues ! Et les petits gémissements aussi. Cependant, nous optons toutes, sans se consulter, pour le « a » mi-grave, mi-aigu allongé ; celui utilisé précédemment (et brillamment, je dois avouer) par Coriande. On pleure de nouveau, on remercie les parents en grimaçant et on admire bébé, plein d'amour dans les yeux. Une chance qu'il dort, le premier contact avec ses marraines (aux faces de sorcières) le traumatiserait à vie, le pauvre petit ! On se penche toutes sur lui. Sacha lui murmure :

— T'es chanceux, mon amour ; tu auras trois gentilles fées marraines !

Sans surprise, la patiente est visiblement ébranlée, voire sous le choc, de ce qu'elle a ressenti lors de la rencontre avec le nourrisson de son amie. Mme Allison cherche continuellement à avoir une réponse claire sur son désir de vouloir ou non des enfants. Elle aimerait que la réponse lui tombe du ciel, telle une révélation. La vie n'est pas faite ainsi. Elle doit comprendre que personne ne connaît les modalités du contrat dès qu'il décide de donner la vie. Personne ne sait dans quoi il s'embarque avant de le vivre réellement. Elle n'aura malheureusement jamais de certitude à ce niveau...

Trois mois plus tard...

La cérémonie de baptême s'avère vraiment très belle et touchante. Le curé est en effet charmant et, curieusement, assez jeune. Très ouvert d'esprit également. Ce ne sont pas tous les représentants de Dieu qui acceptent des marraines multiples (potentiellement lesbiennes) pour remplir les papiers officiels.

Pour les moments stratégiques du déroulement de la célébration, nous nous passons bébé de bras en bras pour être également impliquées dans le processus. Il est si beau, vous n'avez pas idée ! Le plus beau, je pense (de façon tout à fait objective). Il s'appelle Lucas finalement. Conrad n'a absolument pas passé au conseil ! Sacha et Hugo semblent vraiment heureux. La vie leur a fait cadeau d'un fils, oui, mais en plus, il fait ses nuits comme un grand depuis presque un mois. Cela le rend ainsi admissible au titre de héros national, selon maman, qui avait vraiment hâte de dormir plus de trois heures consécutives.

Sacha a allaité jusqu'à la semaine dernière. Nous avons dû lui faire une thérapie de déculpabilisation extrême quand elle nous a annoncé avoir décidé de troquer le sein contre le biberon. Elle se sentait si coupable. La pression pour allaiter est vraiment une réalité, je pense. « Je suis une mère indigne, l'allaitement va bien et j'arrête. » « Non Sacha, c'est ton choix, arrête de capoter… » « Les filles, n'appelez pas la DPJ svp… » « Bien non, Sacha… »

Un épisode dramatique a aussi eu lieu concernant ladite question de l'allaitement, et ce, environ un mois après la venue de bébé Lucas. Je vous décris la tragédie grecque en retour en arrière…

En entrant chez Sacha pour lui rendre visite, lui apporter un macaroni et lui donner un coup de main pour faire la lessive, je retrouve mon amie, complètement hystérique sur le divan, en train de donner le sein à son fils. Son ordinateur gît près d'elle sur le canapé. Elle pleure à chaudes larmes.

— Mon Dieu ! Qu'est-ce qui se passe ? que je panique en la voyant dans cet état pitoyable.

— Eille, eille, eille ! Pas assez que je me sente laide, grosse, les seins démesurément difformes et lourds, hein ? Je ne dors pas, je manque d'énergie, je me sens dépressive, je me demande si je vais passer au travers, et là, ce matin, je vois ça ! J'avais-tu vraiment besoin de me faire confronter à une image de même, moi ?

Ne comprenant pas ce à quoi elle fait allusion, je bascule l'écran de son portable pour voir de quoi elle parle exactement. Un cliché, très éloquent, présente Mahée Paiement en train d'allaiter son propre bébé, en robe de soirée et en talons hauts, dans un décor très chic. Ne saisissant pas trop le but de la pub en question, je prends finalement l'ordi sur mes genoux pour bien analyser le contexte. Elle promeut simplement l'allaitement maternel pour signifier que « C'est *glamour*… ».

— J'ai-tu l'air de ça, moi ? Hein ? Hein ?

Bébé qui boit goulûment ne semble pas faire de cas de maman qui sombre en pleine crise de panique. De toute façon, il commence à avoir le regard absent, les yeux lourds, comme un beau bébé gavé au goulot du lait maternel ! Contrairement à ce que l'on pourrait croire, Lucas s'avère un bébé extrêmement calme, par rapport à sa mère, et surtout très glouton !

— Sacha… ce n'est pas pour te comparer mais… juste pour faire un clin d'œil à l'importance de l'allaitement, que je tente de lui expliquer en comprenant tout de même son état d'esprit.

— Ça se peut-tu se sentir laide de même ! J'ai déjà été *cute* moi aussi, j'aurais pu la faire la maudite photo avant. Mais là… Est-tu venue au monde pour me faire sentir misérable, elle ? C'est zéro *glamour* allaiter ; j'ai eu les seins en sang pendant presque trois semaines ! Je suis habillée en mou depuis que j'ai accouché. Pour moi, le mot « beauté » est devenu un concept abstrait attribué uniquement aux œuvres d'art et aux chars neufs ! Et là, elle nous présente une photo de magazine ultra « photoshopée », avec ses jambes de douze pieds de long, sa robe à 2 000 $, dans un décor de château parisien ! Criss, mon appart a l'air d'un lendemain de cyclone parce que j'ai le temps de rien faire ! Je sens encore que je fais de la rétention d'eau, pis là, la société me demande de me sentir « *jet set* » en allaitant mon fils ? C'est ça ?

— Sacha…

Elle est encore en plein post-partum. À sa sortie de l'hôpital, elle s'est bien sentie pendant un bout de temps, mais depuis deux semaines, elle trouve sa vie éprouvante, et c'est bien normal. Elle est épuisée, ça se comprend.

Je rabats le portable en disant :

— Ne regarde pas la photo, mais regarde-toi, toi ! T'es belle, t'allaites TON bébé que t'adores. Regarde-le, lui ; ses grands yeux qui t'aiment, qui te regardent...

Elle se penche vers le petit, qui, dans sa position inclinée, fixe le vide, les yeux à demi clos, l'air complètement « soûl ». Trop *cute* ! Elle l'admire un moment et se radoucit un peu.

— Je sais...

— Ton gars, c'est un cadeau du ciel...

— Je le sais aussi, c'est juste que je trouve ça dur, mon corps amoché, ma face qui fait peur tellement je me sens fatiguée. Pfft ! J'avais juste pas le goût de voir une pitoune qui allaite en portant du Versace...

— Donne-toi du temps, misère, tu viens juste d'accoucher. Je ne suis pas inquiète, tu redeviendras exactement comme tu étais avant...

— Hum...

Ouf ! Fin du retour en arrière. À partir de ce jour-là, nous avons sacrifié une plage horaire aux deux semaines pour que Françoise lui donne un coup de main plus souvent.

Aujourd'hui, je regarde Sacha ; en effet, elle reprend tranquillement sa taille, et ça fait juste trois mois qu'elle a mis son fils au monde. La fameuse pub sur l'allaitement a fait des vagues à la suite de sa parution. Dans mon cas, je n'en avais pas été choquée, mais je pouvais comprendre que pour une femme (fière), en plein début d'allaitement, c'était bien différent.

Lorsque le curé verse l'eau bénite sur la tête de bébé, il reste bien sage et ne pleure pas. Il regarde tout autour, content. Il rit tout le temps, ce petit ange. Sacha me le tend, c'est à mon tour de le porter. Assis dans l'assistance, Bobby m'adresse un sourire béant, l'air attendri. Son père me regarde étrangement aussi. Oui, oui, vous avez bien lu : nul autre que son paternel !

Je vous explique… Il y a environ deux mois, le temps s'est adouci et les oiseaux se sont remis à faire cui-cui. Puisque printemps = amour, j'ai fait une «*gourou of love*» de mon moi-même et j'ai tenté de convaincre Bobby de provoquer une nouvelle rencontre entre Hélène et son père. Après trois cent mille refus (en raison des squelettes dans le placard de cette mystérieuse relation père-fils), il a finalement accepté. La suite ne fut pas une mince tâche. Comment vouliez-vous que l'on y arrive subtilement ? «Venez tous manger une fondue chinoise au *condo* ?» Non ! Claude devait être seul avec elle. En public, il devient mal à l'aise et embarrassé. Hélène avait réussi à discuter avec lui, seule sur le divan, le lendemain du *shower*, vous vous souvenez ?

Coriande et moi avons eu l'idée du siècle (que l'on croyait), un de ces soirs (un peu «cocktails»). Notre plan était précis et sans faille. Le père de Bobby a des examens médicaux à subir, donc il vient à Montréal pour les passer. Coriande organise alors une journée avec sa mère. Je rejoins Bobby chez lui pour souper avec eux, avec une lasagne sous le bras. Coriande m'appelle comme par hasard. Je feins un : «Oh mon Dieu, t'es avec Hélène ! Ça fait trop longtemps que je l'ai vue ! Venez nous dire bonjour !» Je mets la lasagne à 350 degrés au four. Puis elles arrivent. Paf ! Coup de théâtre. Ils se reconnaissent. La lasagne continue à cuire (toujours à 350 degrés). On ouvre une bouteille de vin (même si son père ne semble pas boire d'alcool). Bobby propose d'aller acheter une baguette de pain. Je le suis pour l'accompagner et pour acheter une autre bouteille de rouge. Coriande doit aller à la pharmacie. Bye. Tout le monde quitte le *condo* en trois secondes. Ils se retrouvent seuls (à faire on ne sait quoi ; le plan ne le dit pas). Bobby appelle pour annoncer qu'on a une crevaison. Claude et Hélène restent chez lui (toujours à faire on ne sait quoi). Bobby rappelle en leur disant de commencer à manger, car ça sera plus long que prévu. Hélène met la lasagne à « Broil » pour faire griller le dessus. Ils mangent en tête-à-tête. Pendant ce temps, nous soupons chez Jy Hong. En revenant, deux heures plus tard, on commente : « Méchante aventure ! » en riant, l'air de rien.

Comme du beurre dans la poêle ! Plan béton ! Vous en doutez ?

Vous avez tort, car notre stratagème élaboré a très bien fonctionné. Mis à part le fait qu'Hélène a insisté longtemps pour nous venir en aide. De plus, ils nous ont trouvés un peu louches de revenir au *condo* sans baguette, sans sac de pharmacie et sans bouteille de vin, mais plutôt, avec sous le bras, un restant de pad thaï (Bobby le gourmand). Lorsque Bobby l'a reconduit le lendemain matin, Claude a simplement remarqué que les pneus de sa voiture étaient pourtant intacts… Des détails ! Des détails ! Ne nous enfargeons pas inutilement dans les bouquets de fleurs du tapis !

Mais saviez-vous que ce genre de prise de conscience a souvent l'effet de rendre moins timides les candidats du rendez-vous organisé ? Ne pas être ni l'un ni l'autre l'instigateur de la rencontre en question amène une légèreté à l'ambiance. « Ce n'est pas nous qui voulons ça ! Ils nous jouent un tour, les petits coquins ! Aussi bien en profiter, donc ! »

Depuis cette soirée, ils se sont revus à quelques reprises. Hélène semble avoir le tour de mettre Claude à l'aise. Par contre, elle, si bavarde habituellement, reste très discrète sur le sujet. Cependant, sachez qu'il ne s'agit pas d'un *flirt* de sexe torride à profusion, ici. Un instant ! Ils sont tous les deux dans la soixantaine avancée ; les choses ne se vivent pas de la même façon. Ils prennent des cafés, font des balades en voiture, des promenades à pied... Je trouve ça beau. Aujourd'hui, il est venu à l'église, mais elle est assise dans le banc derrière lui. Ils ne sont qu'amis pour le moment. Matante Mali radote... mais je trouve ça vraiment *cute* !

Sandwichs pas de croûtes et mimosa

La petite réception a lieu chez Ge. C'est plus grand que chez Sacha et Hugo. Les mamans y sont, ainsi que quelques membres de leur famille respective. Ge et son *chum* (eh oui, il a un titre maintenant) sont présents aussi. Le mien également, ainsi que son père, « l'ami » d'Hélène.

En tant que marraine, je donne le boire à bébé Lucas dans le salon lorsque mon *chum* vient s'asseoir près de moi. Il ne dit rien et regarde la scène attentivement.

— T'es bonne...

— De quoi ?

— Avec le bébé, je te trouve bonne, je te trouve belle...

Oh ! Qu'est-ce qu'on a, là ? Un homme qui entend sonner son horloge biologique ? Ce n'est pas juste les femmes qui possèdent une horloge tic tac de ce genre ?

Il poursuit :

— Des fois, je me demande…

Il arrête net sec sa phrase. Silence. Sans surprise, je saute à pieds joints sur l'occasion.

— Tu te demandes quoi ?

Il hausse les épaules, en continuant toujours de fixer Lucas, et ajoute :

— Je sais pas…

Il ne sait pas ce qu'il se demande ou il ne sait pas s'il se demande quelque chose ? On manque clairement de moelle autour de l'os, ici ! (Ou plutôt, de chair autour de la moelle ? Peu importe…)

Il répète une seconde fois, l'air songeur :

— Je sais pas…

Oui, ça on le sait ! En fait, je fais la nouille ; je sais très bien ce à quoi il fait allusion avec ses phrases incomplètes. Je commence à le connaître un peu, quand même. De plus, n'oubliez pas que, présentement, j'ai le petit dans les bras, donc techniquement, je veux procréer maintenant (disons, après avoir redonné Lucas à Sacha !).

Je lui lâche sans préambule :

— Tu te demandes si on serait heureux avec un enfant ?

Il secoue la tête de haut en bas, ses yeux alternant entre bébé et moi, semblant apeuré que j'en sois outrée.

— Moi aussi…

Très émotif, il appuie sa joue sur mon épaule. Il se trouve ainsi très près du visage de bébé, qui boit toujours avidement sa bouteille. Le petit le fixe (il n'est pas encore soûl). Bobby fait de même. Belle rencontre, beau moment.

Je lève les yeux vers la cuisine comme si je nous sentais épiés. Comme de raison, dans le coin droit : les trois filles, toutes debout côte à côte, nous examinent. Et dans le coin gauche : Claude nous regarde aussi. Il sourit. Sans faire aucune mimique particulière, je vrille mon regard tour à tour dans celui des consœurs. Bobby lève la tête et observe son paternel. Rien ne se dit, mais tout se ressent.

Félicité...

Lorsque je termine le boire de bébé, ma mère (toujours la première bénévole pour le porter) s'approche de moi les bras tendus. Je lui cède le petit bonheur sur deux pattes, en prenant soin de lui installer une couverture douce sur l'épaule, au cas où le lait ne passerait pas. Je tape dans la main de Coriande au passage. Elle va beaucoup mieux celle-là. Le pire de l'orage aura duré environ quatre mois. Quand même ! Elle est dorénavant dans la phase 5 à temps complet (ou presque).

PHASE 5 : LA FÉLICITÉ DANS LE NIRVANA

Enfin ! Quand on se rend compte que l'on va finalement survivre à la rupture et que la vie reprend de la couleur et goûte encore quelque chose, on se sent littéralement au septième ciel. Notre joie de vivre, cliniquement morte depuis plusieurs mois, reprend du service en nous donnant l'impression de littéralement ressus-citer. Graduellement, bien sûr. Dans le cas de Coriande, c'est juste dommage que son goût de faire de la planche à neige soit revenu… en mai ! Hish… Elle en a jusqu'à l'année prochaine à patienter. À cette dernière et ultime étape, les régressions à des phases antérieures restent tout de même fréquentes, surtout à la phase 4, soit celle de la vache enragée. Le danger de la phase 5 est que certaines filles coucheront tout bonnement avec leur ex en se croyant guéries. Danger probable de reculer jusqu'à la phase 2 (parfois même la 1) en faisant ça… Non, non, non ! Pas de fornication avec les gars de la filière treize (les ex sont tous automatiquement relégués à la filière treize), sauf pour les filles qui ont la maladie chronique d'idéaliser leur ex-copain et de recoucher avec leur « vieux stock » (je ne parle pas de moi du tout !).

Pour lui faire purger sa phase 4 au complet, nous avons même fait une séance improvisée de destruction de meubles en groupe. Je vous explique…

Il y a un mois et demi, en faisant une visite paroissiale dans notre ville natale pour parader fièrement notre bébé Lucas, mon père nous a confié devoir détruire quelques vieux meubles (trop délabrés pour donner à un organisme) qui encombraient son sous-sol (et ses trois remises) depuis trop longtemps. Pendant que Sacha et ma mère câlinaient avec bonheur Lucas, Coriande a d'emblée pris en charge la destruction dudit mobilier. Sur le coup, en l'observant avancer vers le premier meuble, une masse dans les mains, l'air menaçante, j'ai eu l'impression d'avoir déjà vu cette image dans un film d'époque. Coriande la psychopathe-bourreau-armé s'en allant torturer des prisonniers dans le Colisée de Rome. On a bien ri, par contre. Étrangement, c'est comme si cet épisode de mutilation de meubles avait fait cheminer notre

« vache enragée » vers la phase suivante. Un rituel de passage à instaurer obligatoirement ?

Bref, depuis, elle voit Alex régulièrement et… un autre gars aussi. Un technicien de son que lui a présenté Derek. Disons qu'elle a un peu repris du service en tant que consœur, au sens propre du terme. Peut-être que ça deviendra une étape obligatoire après chaque rupture. Quelques mois où l'on bénéficie d'un H bien garni et florissant, de plein de S, pas de grand A et hop ! on se remet en selle ! Je crois qu'elle n'envisage rien de sérieux, ni avec l'un ni avec l'autre ; elle s'offre du bon temps jusqu'à ce que le mâle alpha se pointe le bout du museau dans sa zone de chasse. Elle n'a jamais su pour la fréquentation de mon frère à Fermont ; quant à moi, j'ai fait du déni pour enfouir cette histoire au plus profond de mon être. De toute façon, si elle l'apprenait aujourd'hui, elle croirait probablement que c'est récent. Je l'aurai échappé belle, celle-là !

Les choses se sont replacées entre mon frère et moi. On dirait que tout naturellement, plus Coriande allait bien, plus ma colère envers lui diminuait. On se parle plus souvent au téléphone et les deux dernières fois qu'il est revenu, nous avons soupé ensemble. Il me parle souvent de Coriande et peu de sa nouvelle flamme. Mon petit doigt me dit que ça ne brille pas fort dans le ciel de Fermont. J'ai la vague impression qu'il y aura plutôt un nuage de regrets bientôt… Mais bon, le pire de la tempête est passé et je ne m'en plains pas !

Dans la cuisine du *condo*, Ge discute avec Derek près du frigo. La conversation semble sérieuse. Leur relation a, comment dire, bien évolué ! Vous vous demandez ce qu'il advient au sujet du détail crucial, hein ? Ont-ils couché ensemble, finalement, bordel ? La femme de Westmount se le demandait aussi la semaine dernière. En fait, elle ne tient plus en place depuis qu'elle sait toute cette histoire de réalisateur télé. Françoise se dit victime de ses questions chaque semaine. Je crois que Françoise se plaint pour la forme, car dans le fond, elle adore ça !

Je disais donc, a-t-elle flanché pour finalement coucher avec lui ? Bah, je vous en parlerai dans le tome 6… Mais non, je ne ferais pas ça. Roulement de tambours et bruit de castagnettes. Pam ! Pam ! Pam ! La période d'abstinence est révolue, et ce, depuis environ trois mois. Le soir où bébé est né en fait… Le fameux soir de la petite culotte rouge fugitive, devenue tout à coup publique ! Après avoir passé quelques semaines avec lui (à ronger le bras du canapé tellement elle avait envie de sexe), elle a balancé son code d'honneur par-dessus bord (et du divan) et elle a sauté sur Derek comme une déchaînée-nymphomane-de-malade-mentale ! Mais attention, elle a par la suite pris soin de rencontrer ses parents, de vérifier son casier judiciaire dans le plumitif du palais de justice de Montréal. Elle a interviewé trois de ses collègues aussi, ainsi que son facteur, sa femme de ménage, sans oublier son neveu et sa nièce de quatre et sept ans (intérêt ?). Tout compte fait, comme le dossier du candidat s'est avéré sans tache, elle peut s'envoyer en l'air à sa guise. Au début de leurs rapports sexuels, le principal intéressé nous a confié avoir eu peur à un moment donné de ne pas s'en sortir vivant ! Il est rendu très à l'aise avec nous ! Sacrée Ge ! Après tout, c'est elle qui a inventé la règle des cinq ! J'avais vraiment du mal à croire qu'elle allait en faire fi pour choisir son *big buck* !

Toujours en train de discuter près du frigo, Ge l'embrasse justement avant de s'approcher de l'îlot en demandant l'attention de tout le monde. Bon, elle veut nous annoncer qu'elle se marie ? Ha ! ha ! ha ! Plus besoin, elle a couché avec lui ! Un fou dans une poche !

— Je voulais en profiter pour dire encore une fois félicitations aux nouveaux parents qui remplissent leur fonction à merveille et qui, à mes yeux, sont les meilleurs du monde !

Tout le monde applaudit les bons mots de Geneviève. Sacha nous regarde à tour de rôle, émue. La vie va si vite. Il y a quatre ans, nous étions en rupture sentimentale catastrophique toutes les quatre, convaincues que l'amour ne durait pas et que nous étions les pires idiotes pour faire les bons choix amoureux. Je trouve qu'on évolue bien ; du moins, on ne s'en sort pas si mal !

Ge lève alors son verre pour répéter :

— Santé à la belle famille !

Tout le monde crie « Santé ! » en levant leur coupe de mimosa.

Ge ajoute tout bonnement :

— Et tant qu'à y être : santé à ça aussi !

Je n'accorde pas trop d'attention à ce qu'elle dit, car je choque mon verre contre celui de Coriande, en lui faisant un sourire voulant dire : « Je suis si contente que tu te sentes mieux, mon amie ! » En entendant tout le monde s'animer bruyamment et Sacha crier « AH MON DIEU ! », on se retourne vers Ge qui tient fièrement un doigt en l'air. Heu... pas n'importe lequel, l'annulaire de sa main gauche. Je pousse presque deux convives par terre, pour m'approcher d'elle, les yeux complètement sortis de leur orbite. Derek semble super fier. *WHAT ?* Ils vont se marier ? Voyons donc ! Ça fait moins de six mois qu'ils se connaissent ? On dirait que je trouve ça super, mais ma petite voix intérieure ne peut s'empêcher de dire : « C'est beaucoup trop tôt... »

J'attrape (en fait, j'arrache presque) la main de Ge pour voir sa bague de plus près. Sacha crie en sautant sur place. *Wow !* Petit anneau orné d'une pierre sur le devant, la bague est très délicate. Je fixe toujours Ge, comme traumatisée (dans ma transparence naturelle). Semblant percevoir une pointe d'inquiétude dans mon regard, elle me rassure à voix basse :

— On ne se marie pas demain, Mali ! On verra si, dans un an, on s'aime encore…

Derek s'approche pour l'embrasser. Tout le monde crie !

— HOUUUUUU !

Je suis sous le choc ; un mariage ! Et on s'entend que si quelqu'un le mérite plus que tout dans cette consœurie, c'est bien elle. Ça fait quatre ans que ça ne tourne pas rond ses affaires ! Je pivote vers mon homme, qui semble aussi songeur que moi face à ce tourment météorologique de bonheur. Il est debout, appuyé contre les armoires, près du frigo. Nous nous fixons au loin.

Et nous, qu'est-ce que la vie nous réserve, vous pensez ? Toujours dans le moment présent, bien sûr… ☺

Dans la série « Chick Lit »

Vous aimerez aussi...

À paraître à l'automne 2013 :
Ce qui se passe au congrès reste au congrès !